RUDOLF WEILER

Internationale Ethik · Erster Band

Internationale Ethik

Eine Einführung

Erster Band

Die sittliche Ordnung der Völkergemeinschaft

Von

Rudolf Weiler

DUNCKER & HUMBLOT / BERLIN

Gefördert vom Bundesministerium
für Wissenschaft und Forschung, Wien

CIP-Kurztitelaufnahme der Deutschen Bibliothek

Weiler, Rudolf:
Internationale Ethik: e. Einf. / von Rudolf
Weiler. — Berlin: Duncker und Humblot
ISBN 3-428-06132-2

Bd. 1. Weiler, Rudolf: Die sittliche Ordnung
der Völkergemeinschaft. — 1986

Satz: Werksatz Marschall, Berlin 45; Druck: W. Hildebrand, Berlin 65
Printed in Germany

ISBN 3-428-06132-2 (Gesamtausgabe)
ISBN 3-428-06133-0 (Bd. I)

Inhaltsverzeichnis

Vorwort

Der Plan zu einem Handbuch der internationalen Ethik ergab sich für den Autor aus der langjährigen Befassung mit Problemen des Friedens und der internationalen sozialen Gerechtigkeit. Angeregt durch die Weiterentwicklung der Friedenslehre der katholischen Kirche während des zweiten Vatikanischen Konzils und den Aufbruch der Friedensforschung in den sechziger Jahren kam es auch an der Katholisch-Theologischen Fakultät der Universität Wien in Zusammenarbeit zwischen dem Moraltheologen (Karl Hörmann) und dem Sozialethiker (Rudolf Weiler) — später kam noch der Politikwissenschaftler Heinrich Schneider als Mitvorstand dazu — zur Gründung eines eigenen Instituts für Friedensforschung, anstelle dessen allerdings heute nur mehr ein Verein, das Universitätszentrum für Friedensforschung, tätig sein kann. Uns war damals von Anfang an bewußt, daß die ethische Fragestellung für den Weg zum Völkerfrieden in Gerechtigkeit und Freiheit nicht ohne guten Willen, aber ebenso nicht ohne Lösung der Sachprobleme, die beim Zusammenleben der Völker nun einmal entstehen, gangbar ist. In vielen Forschungsgesprächen und bei Verfolgung einzelner Forschungsprojekte zeigte sich uns bis heute immer wieder die weltanschaulich ethische Verflochtenheit der anstehenden internationalen Probleme bis ins Detail. Ethische Prinzipien und Sachinformationen gehören gleichermaßen zusammen.

Die Sozialethik in christlich-naturrechtlicher Tradition hatte also ihre Kompetenz und Problemlösungskapazität im Ensemble der vorwiegend sozialwissenschaftlich-empirisch orientierten und positiv rechtlichen Friedensforschung zu beweisen. Dabei konnte auf die christliche Völkerrechtsethik zurückgegriffen und deren Ansätze zeitgemäß erschlossen werden. Die Fülle neuer Zugänge und Detailkenntnisse aus der modernen Forschung zum Frieden und die breite Entwicklung des völkerrechtlichen Vertragsrechts läßt den Ethiker aber schier verzagen, der ausgezogen ist, nicht nur appellativ Wege zum Frieden zu zeigen, sondern das Ziel des Friedens für menschliches Handels als konkret möglich und erreichbar darzustellen.

Zuerst als umfangreiches Handbuch gedacht, mußte nicht nur der Titel für diese Publikation bescheidener ausfallen, nämlich als Einführung in die internationale Ethik, auch die Grundlegung nahm so viel Raum ein, daß daraus ein eigener erster Band konzipiert wurde. In einem zweiten noch folgenden Band soll dann auf die Haupt- und Einzelfragen der sittlichen Ordnung des internationalen Zusammenlebens der Menschheit in ihrem gesellschaftlichen Pluralismus ausführlicher eingegangen werden. Dennoch versucht auch die Darstellung des Grundsätzlichen im ersten Band möglichst an konkrete Probleme heranzukommen, um so die Prinzipien als griffig aufzuzeigen. Daher wird die benützte Literatur da und dort in ihrer Auswahl sehr unvollständig erscheinen. Überhaupt kann zu Einzelfragen kaum mehr auch nur die wichtigste Literatur aus den einschlägigen Wissenschaften von einem Autor überblickt werden.

In einem einleitenden ersten Teil dieses Bandes ging es dem Verfasser um die Darstellung der Wissenschaften, die durch einen eigenen Zugang zu internationalen Fragen ihre Kompetenz bewiesen haben und damit auch um die Bestimmung der Friedensforschung selbst in der Systematik der Wissenschaften. Die Kompetenz der einzelnen Wissenschaften, zur politischen Entscheidungsfindung im internationalen Kontext beizutragen, erwies aber die Ethik als Schlüsselwissenschaft im Bezug auf das verantwortliche Handeln des Menschen auch in der internationalen Dimension.

Im zweiten umfangreicheren Teil der Arbeit wird versucht, die Ethik als Normwissenschaft für die internationale Politik zu begründen und aus allgemeinen sittlichen Prinzipien zu konkreteren materialen Prinzipien für die Entscheidungsfindung im Bereich der internationalen Politik zu kommen. Auch hier vermag das Gewissen des Menschen zu Handlungszielen und -weisen hinzuführen, die der Menschenwürde und der sozialen Anlage des Menschen sittlich-rechtlich entsprechen, so daß die Menschheit sich in Wahrheit im Frieden befinden und entfalten kann.

Im abschließenden dritten Teil dieses Einführungsbandes kommt das zentrale Kapitel der internationalen Ethik zur Sprache, nämlich die Friedensethik mit ihrem Ziel der Friedenssicherung und -förderung. Die Bedrohtheit des Friedens hat ihre Wurzel in der Fehlbarkeit des Menschen. So ist auch die Friedenshoffnung letztlich auf die Kräfte zum Guten im Menschen basiert. Wenn auch erst in Umrissen erkennbar, verlangt und begründet die sittliche Ordnung friedlichen Zusammenlebens der Völker auch nach einer wirksamen internationalen Rechtsordnung im gesatzten Völkerrecht, dem zur Wahrung des Weltfriedens und des Weltgemeinwohls nach den Prinzipien der internationalen Ethik die konkrete Hauptaufgabe der Verrechtlichung zukommt.

Die vorgelegten Gedanken sind auf einem christlich-naturrechtlichen Standpunkt basiert. Die Ethik wird als Normwissenschaft dem entsprechend verstanden. Es wird daher das Ethos dieser unserer Menschheit heute nicht nur beschrieben, sondern auch untersucht und begründet, gilt es doch, die sittlichen Kräfte des Menschen weltweit für den Frieden zu wecken und zu fördern. Nach unserem Verständnis ist das Gewissen des Menschen als Gabe der Vernunft im Grunde allein auf das Gute und damit auf das Gut des Friedens ausgerichtet. Nicht alle Richtungen der Ethik teilen diese Auffassung von Gewissen und sind für diesen Weg, um zur für alle verbindlichen Sittlichkeit zu kommen. Wie stehen wir dann zu diesen Richtungen in der einen Welt mit ihrem unteilbaren Frieden?

Der Beitrag der Ethik in ihren verschiedenen Strömungen möge zur gemeinsamen Lösung, ihr Ansatz und ihre Anthropologie zur kritischen Auseinandersetzung mit Argumenten führen, sie sollen aber von einem Standpunkt aus nicht feindlich bekämpft werden. Solange im geistigen Ringen um die Wege der Menschheit der Dialog erhalten bleibt und nicht die Brücken zueinander — auch nicht im Krieg der Worte nur — abgebrochen werden, bleibt bei aller Verschiedenheit der Deutung des ethischen Phänomens in Wissenschaft und Weltanschauung das gemeinsame Bemühen um die Einheit und den Frieden erhalten und damit unser Vertrauen in Frieden und Gerechtigkeit, die zu suchen unser aller Pflicht ist.

Rudolf Weiler

1. Die Wissenschaften vom Leben der Völkergemeinschaft

Die Zuwendung der Wissenschaft zu internationalen Fragen entwickelte sich mit dem Bewußtwerden der internationalen Verflechtung des menschlichen Zusammenlebens, wenn man vom rein philosophischen Denken in allgemeinen Begriffen über Welt und Mensch absieht. Die Analyse der im internationalen Kontext stehenden Probleme läßt heute vielmehr die Zusammenarbeit verschiedener Wissenschaften nach deren Forschungsansatz und Methode notwendig erscheinen. Das erste wissenschaftliche Denken, das die Einheit der Menschheit über die Völker und Reiche hinweg bedacht hat, war wohl die Philosophie der Stoa, auch wenn dieser erste Kosmopolitismus kaum Einfluß auf die politischen Verhältnisse hatte. Als besonderes Ereignis muß auch die in der Offenbarung des Alten Bundes beim jüdischen Volk anzutreffende theologische Anthropologie angesehen werden, wonach der Gott Israels Schöpfer und Herr aller Menschen und Völker ist. Die politische Konsequenz auch dieser Lehren brach freilich erst viel später unter dem Beitrag des Christentums auf.

Das Entstehen eines einheitlichen Kulturkreises um das Mittelmeer unter Verbindung griechischer Philosophie und römischen Rechtsdenkens im Imperium Romanum übrschreitet erstmals deutlich das geschlossene politische Denken der altorientalischen Reiche. Im ius gentium des römischen Rechts sind zwischenstaatliche Rechtsregelungen ebenso enthalten wie Rechte im Verkehr mit Ausländern. Wenn sich heute zum Völkerrecht als ius inter gentes ein humanitäres Völkerrecht (mit dem Einzelmenschen als Rechtssubjekt) entwickelt,[1] so war das damals genau umgekehrt: vom ius gentium, von Rechtsregelungen für alle Menschen im Kulturkreis, gelangte man zu einem ius inter gentes. Der nicht rein vertragliche Charakter des Völkerrechts hat seine normative Kraft letztlich im einzelmenschlichen Wesen und seiner sozialen Verbundenheit. Dies hat Alfred Verdroß herausgearbeitet, indem er seine Rechtsphilosophie auf der Menschenwürde basierte und so auch die sittlich-normative Seite des Völkerrechts aufzeigte.[2]

---

[1] Vgl. Otto Kimminich, Schutz der Menschen in bewaffneten Konflikten, Zur Fortentwicklung des humanitären Völkerrechts, München 1979.

[2] Abendländische Rechtsphilosophie, Wien ²1963, und viele Einzelbeiträge. Vgl. bes.: La dignité de la personne humaine comme base des droits de l'homme, in: Festschrift für Werner Kägi, Menschenrechte, Föderalismus, Demokratie, hrsg. von Ulrich Häfelein, Werner Halter, Dietrich Schindler, Zürich 1979, (415-421).

So läßt sich einleitend für den Beginn des wissenschaftlichen internationalistischen Gedankens soviel festhalten, daß bibeltheologische Reflexion ebenso wie stoische Philosophie über den Menschen und das Menschsein Einstiege in universelles Denken waren. In politischer Konsequenz aber ließ erst das rechtsphilosophische Denken im Verein mit der Rechtswissenschaft erste wirksame Normen für das internationale Leben entstehen.

Das Völkerrecht, erstmals von der spanischen Kolonialethik am Beginn der Neuzeit ausführlich behandelt, von Hugo Grotius in dieser Tradition für die Neuzeit entfaltet, gewinnt als erste internationale Wissenschaft jedoch relativ spät und dann für lange bis in die jüngste Zeit herauf allein Bedeutung. Ihr Materialobjekt sind die mit den für die internationale Staatengemeinschaft zu ihrem geordneten Zusammenleben geltenden Rechtsnormen.[3] Mit dem Wachstum der multilateralen internationalen Zusammenarbeit nach dem ersten Weltkrieg, im Gefolge des Völkerbundes, werden die internationalen Beziehungen Gegenstand der politischen Wissenschaften, insbesondere der Wissenschaft von den internationalen Beziehungen oder auch der internationalen Politik. Als Teilgebiet der Politikwissenschaft untersuchen sie die Staaten und ihr Verhalten im internationalen Rahmen.[4]

In der Systematik der Wissenschaften haben heute noch nicht viele Disziplinen eigenständige Teilgebiete der wissenschaftlichen Forschung ausgegliedert, die sich Fragen des internationalen Lebens oder der universellen Menschheit zuwenden. Man kann aber immer mehr feststellen, daß sich die Einzelwissenschaften ihrer besonderen Zugänge zum Studium internationaler Phänomene bewußt werden und sich diesen Fragen zuwenden. Die Wirtschaftswissenschaften hatten schon am Beginn ihrer Ausgliederung aus der Sozialphilosophie unter Adam Smith die Weltwirtschaft vor Augen gehabt. Über die damalige Theorie der komparativen Kosten ist man auch heute in der Weltwirtschaftstheorie praktisch noch nicht viel hinausgelangt.

Die vergleichende Forschung in internationalen Dimensionen ist den Sozialwissenschaften und empirischen anthropologischen Wissenschaften ebenfalls bald nach ihrem Entstehen eigen. Auch die weltanschaulich wertenden Wissenschaften haben ihre Zugänge zu den internationalen Problemkreisen. Schließlich gehört zur Gemeinschaft der Wissenschaftler insgesamt und je nach Disziplinen eine internationalistische Ausrichtung der Forschung und Lehre. Die Systemanalyse ist heute auch im rein Empiri-

---

[3] Das Völkerrecht definiert Ignaz Seidl-Hohenveldern, Völkerrecht, Köln [3]1975, 1, als „die Summe der Normen, die die Verhaltensweisen vorschreiben, die zu einem geordneten Zusammenleben der Menschen dieser Erde notwendig ... sind."

[4] Vgl. Heinrich Oberreuter, Art. Internationale Politik, in: Katholisches Soziallexikon, Hrsg. von Alfred Klose, Wolfgang Mantl, Valentin Zsifkovits, Innsbruck [2]1980, (1213-1231), 1223.

schen ohne die internationale Zusammenarbeit und ohne globale Betrachtungsweise im interdisziplinären Verbund nicht möglich.

Daraus ergibt sich die Berechtigung im weiteren Sinne von „internationalen Wissenschaften" zu sprechen, abgesehen davon, daß die Wissenschaftspflege immer deutlicher auf eine internationale Verbundenheit und Verbindung angewiesen ist, und es eine Art „Internationale" der Wissenschaftler gibt. Aus Wissenschaftskreisen sind angesichts globaler Probleme wiederholt und vermehrt Initiativen entstanden, die Zeugnis für ein geschärftes Verantwortungsbewußtsein geben. Andererseits wird auch an die Wissenschaftler vermehrt appelliert, aus ihrer Kompetenz zur Bildung einer „globalen Ethik" bei der Lösung weltweiter Probleme beizutragen. Dabei geht es vor allem um die Verhinderung von mit modernsten Technologien geführten Kriegen, um die Lösung des Nord-Süd-Konflikts oder um Menschenrechtsfragen. Als besonders sensible Gruppen erweisen sich heute dafür Vertreter der Naturwissenschaften oder der Medizin.

Soll die internationale Dimension der betreffenden Wissenschaften den Charakter einer vorläufigen empirischen Feststellung globaler Bezüge überschreiten, so verlangt die Begründung des wissenschaftlichen Materialobjekts dieser Betrachtungsweisen die Fundierung in einer Theorie von universalen menschheitlichen Verbindungen, letztlich in einer philosophisch-anthropologischen Sicht der einen Menschheit als Ganze und deren Glieder bis zum Einzelmenschen hin. So wird die einzelwissenschaftliche Befassung mit internationalen Fragen um die Frage nach dem Menschen, um die philosophische Begründung nicht herumkommen können, außer solche Fragen werden wissenschaftstheoretisch als nicht sinnvoll abgelehnt. Unter dem Gesichtspunkt einer internationalen Ethik (im Verständnis der Tradition) ist die philosophische Grundlegung unentbehrlich, weil von einer universellen Menschheit auszugehen sein wird, aber auch ethisch-normative Aussagen allgemein zu begründen sein werden.[5]

Die Berechtigung, von internationalen Wissenschaften zu sprechen, ergibt sich offenkundig im einzelwissenschaftlichen Sinn nicht nur für das Völkerrecht und die Teilbereiche der Sozialwissenschaften, die sich mit den internationalen Beziehungen bzw. deren Voraussetzungen nach der Methode ihrer Disziplin befassen, sondern auch für die sozialphilosophischen und sozialethischen Grundwissenschaften vom Menschen, dessen geordnetes Zusammenleben ja auch die Völker- und Staatengemeinschaft letztlich zum Ziel hat. Zu Voraussetzungen der Erforschung von internationalen Beziehungen zählen die Kenntnis der geographischen Gegebenheiten und der Umweltverhältnisse (Lebensraum) für die Menschheit durch die entpre-

[5] Zur wissenschafts- und erkenntnistheoretischen Frage vgl. näherhin A. Anzenbacher, R. Weiler, Humanität im Gesellschaftssystem, Sondernummer 7 der Wiener Blätter zur Friedensforschung, Jän./Febr. 1982.

chenden Wissenschaften. Die sozialen internationalen Beziehungen können von den verschiedenen Sozialwissenschaften je unter ihrem Formalobjekt untersucht werden: wirtschaftlich, politisch, soziologisch, psychologisch, kulturanthropologisch, selbst biologisch und in Zusammenschau systemanalytisch und prognostisch-futurologisch. In der Geschichtsbetrachtung[6] kommt stärker noch die geisteswissenschaftliche Ausgangslage zum Tragen,[7] wenn es um die Deutung der Zusammenhänge bis zu geschichtsphilosophischen Ideenlinien geht.

Bei der raschen Zunahme einzelwissenschaftlicher Befassung mit internationalen Fragen und der Fülle neuer empirischer Erkenntnisse dabei fällt auf, daß die Rückfrage an den Menschen und die Orientierungsfrage nach einer humanen Entwicklung der internationalen Beziehungen sehr zugenommen hat. Ein Zeichen dafür ist die starke Sensibilität der Menschheit heute für Menschenrechtsfragen oder Fragen der sozialen Gerechtigkeit oder die Besinnung auf qualitative Lebenswerte entgegen das Vordringen einer technisch-bürokratischen Zivilisation.

Somit kehrt die philosophische und ethische Fragestellung für die Grundlegung des internationalen Lebens vom Menschen her wieder und damit stellt sie die integrative Kraft der betreffenden Geisteswissenschaften auf die Probe ebenso wie ihre Lösungskapazität, was eine humane Weltgesellschaft betrifft.

Im Folgenden sollen die für eine internationale Ethik wichtigsten internationalen Einzelwissenschaften noch kurz gewürdigt werden. Von der Chronologie her sei an der Spitze das Völkerrecht genannt, darauf die aus der Politikwissenschaft hervorgegangene Friedensforschung, deren (weltanschauliche) Umstrittenheit zeigt, wie sehr die geisteswissenschaftliche Befassung mit den Grundlagen des internationalen Lebens durch Philosophie, Ethik und Theologie bedeutsam geblieben ist. Zum Abschluß sei noch auf einige Beiträge zur Erkenntnis des internationalen Lebens durch die empirische Forschung und deren Anwendung eingegangen.

1.1. Das Völkerrecht

Im Zusammenhang mit der Geschichte des Völkerrechts unterscheidet man verschiedene Systeme des Völkerrechts oder völkerrechtswissenschaftliche Schulen. Zur Unterscheidung derselben ist am bedeutendsten

---

6 Vgl. die Thesen zum Zusammenhang von „Friedensforschung und Geschichte" von Wolfgang Huber, in: Internationale Dialogzeitschr. 4/1971, (291-301), 300 f.

7 Es soll hier nicht auf die erkenntnistheoretische Problematik des Terminus „Geisteswissenschaften", etwa im Sinne von Wilhelm Dilthey, eingegangen werden.

die Antwort auf die Frage nach dem Geltungsgrund des Völkerrechts.[8] Es kann als reines Vertragsrecht angesehen werden, hinter dem nur der Vertragswille der Staaten steht, die es für ihre zwischenstaatlichen Beziehungen in Geltung setzen. Schon Hugo Grotius hat in diesem Sinn ein positives Völkerrecht gekannt, aber zugleich das „natürliche Völkerrecht" davon unterschieden unter Berufung auf die Vernunftnatur des Menschen als dessen Quelle. Verbindende Klammer zwischen beiden Systemen war nach ihm der Satz „pacta sunt servanda". Später hat man darin, um die „Einheit des Rechts" zu wahren, in rechtstheoretischer Wendung gegen das Naturrecht einen Dualismus von naturrechtlichem und positivem Völkerrecht gesehen und zwei entgegengesetzte Lehrmeinungen. Hugo Grotius stand noch in der Tradition der spanischen Völkerrechtslehre oder der Kolonialethik der spanischen Spätscholastik, die darauf aber bald in Vergessenheit geriet. Im Völkerrecht dominierte später die positive Rechtsschule, die schließlich in der reinen Rechtslehre nach Hans Kelsen auch die Normen des Völkerrechts als ein in sich logisches System ansah, letztlich auf einer „Grundnorm", nämlich daß Verträge gehalten werden müßten, basiert.[9]

Bezeichnenderweise sieht die Theorie des sozialistischen Völkerrechts im Rechtspositivismus eine Loslösung des Rechts von der gesellschaftlichen Wirklichkeit und von dessen Schaffung durch die souveränen Staaten. „Rechtsordnung" nach dem Marxismus-Leninismus sei ja wesentlich Ausdruck von Macht- und Klassenverhältnissen. Mit der Ablehnung aller „bürgerlichen Völkerrechtstheorie" soll jede imperialistische Machtpolitik, die letztlich durch diese Theorie legitimiert würde, auch unter dem Vorwand von „humanitären Interessen" der Einzelpersönlichkeiten, überwunden werden. So würden die souveränen Staaten der sozialistischen Länder auf der Basis ihres Sozialismus die wahre Völkerrechtspraxis und -theorie herbeiführen und letztlich den Frieden bringen.[10]

Die Entwicklung des Völkerrechts als Vertragsrecht unter Zurückdrängung seiner ursprünglichen naturrechtlichen Wurzel, fällt in die Zeit nach

---

[8] Vgl. Alfred Verdroß, Bruno Simma, Universelles Völkerrecht, Berlin ²1981, 31 ff. Je nach dem Geltungsgrund wird eine individualistische und eine universalistische Konzeption des Völkerrechts vertreten, wobei erstere normativ und letztere soziologisch ausgerichtet sei. Die Autoren vertreten eine vermittelnde Position: die „tatsächlichen Zustände" müßten im Auge behalten werden, aber wichtige Normen dürften kein bloßes „Sollen" ausdrücken, sondern wären zielbewußt von den Staaten anzustreben. (A.a.O. 37).

[9] Vgl. dazu die rechtshistorischen Studien von Erhard Mock, die dies am Beispiel der Wiener Juristenfakultät belegen: Rechtsphilosophie und Rechtsphilosophen an der Wiener Juristenfakultät, in: Zeitschrift für öffentliches Recht, 20, 373-399 (1970), und Die Erschließung der materialen Rechtsphilosophie durch Alfred Verdroß, in: Ius humanitatis, Festschrift für Alfred Verdroß, hrsg. von Herbert Miehsler u. a., Berlin 1980, 9-22.

[10] Vgl. Völkerrecht, Lehrbuch Teil 1 (Autorenkollektiv), Berlin 1973, 114 ff.

der französischen Revolution und den Napoleonischen Kriegen. Nach dem Wiener Kongreß kommt es durch das gesteigerte Nationalbewußtsein zur Dominanz des absoluten Souveränitätsdenkens im Völkerrecht. Hegel hat in seinen Grundlinien der Philosophie des Rechts die Grundsätze der nachgrotianischen Völkerrechtslehre ausgesprochen. Die Überbetonung des Staates erklärt den Erfolg dieser Lehre, die sich also aus dem Rechtspositivismus jener Zeit entwickelt hat. Dazu kam, daß im 19. Jh. dieses System einigermaßen funktionierte: durch die technische und wirtschaftliche Entwicklung, begünstigt durch längere Friedensperioden und nur kürzere kriegerische Konflikte, ohne daß die Existenz wichtiger Staaten bedroht wurde, entstanden internationale Vertragswerke bis Kodifikationen bedeutender Teile des Völkerrechts in den Haager Friedenskonferenzen.

„Es ist daher nicht erstaunlich, daß man weiterhin die Ansicht vom *wertneutralen* Charakter des *Krieges* vertrat," folgert Iganz Seidl-Hohenveldern.[11] Erst die Erschütterungen der Staatengemeinschaft durch den 1. und 2. Weltkrieg und die Entstehung von Weltorganisationen führen zu einer Neubesinnung auf die Grundsätze des Völkerrechts und zur neuen Anknüpfung — neben dem marxistisch-leninistischen Ansatz — an die klassische spanische Völkerrechtslehre.

Wo liegen nun die Hauptunterschiede im Vergleich der beiden Systeme? Nach der spanischen Völkerrechtslehre ist die Staatengemeinschaft eine im Naturrecht wurzelnde universelle Gemeinschaft, in die die einzelnen Staaten eingegliedert sind. Wie der einzelne Mensch von Natur aus ein soziales Wesen ist, so haben auch die Staaten eine soziale Natur und bedürfen ebenso wie die Menschen einer Rechtsordnung, die ihre gegenseitigen Beziehungen regelt. Diese ergibt sich wesentlich bereits aus dem Naturrecht und wird auf Zweckmäßigkeit hin und entsprechend der Entwicklung des zwischenstaatlichen Lebens durch internationale Zustimmung und Vertragsrecht ausgestaltet. Danach — ein besonderes Verdienst der spanischen Kolonialethik! — kommt auch grundsätzlich den heidnischen Völkern das Recht zu, legitime (souveräne) Staatsgewalt zu begründen gleich den christlichen Völkern. So ist die grundlegende Idee für die Organisierung der Staatengemeinschaft die der Gleichberechtigung und nicht die Idee einer kaiserlichen oder päpstlichen Suprematie nach damaligen Begriffen. Gemäß der nachgrotianischen Völkerrechtslehre aber entsteht die Staatengemeinschaft erst durch eine ausdrückliche oder stillschweigende Vereinbarung zwischen den Staaten. Das Völkerrecht erhält seine bindende Gewalt nur durch Selbstbindung der Staaten, eine überstaatliche Grundlage des Völkerrechts gibt es demnach nicht. Das Völkerrecht wird zu einem äußeren Staatsrecht.

---

[11] 29.

Wesentlich unterschieden sind die beiden Systeme durch ihren Begriff vom gemeinsamen Wohl. Gibt es für das naturrechtliche Denken den Gemeinwohlbegriff, von den Spaniern damals ausdrücklich erstmals in weltweiter Dimension als Weltgemeinwohl erkannt und formuliert, wonach das allgemeine Wohl Vorrang hat von dem Wohl der Glieder, so ist für die spätere vertragsrechtliche Tradition das Wohl jedes einzelnen Staates das oberste Ziel, dem Abschluß und Aufhebung zwischenstaatlicher Vereinbarungen zu dienen haben.

Schließlich waren die spanischen Völkerrechtslehrer der Spätscholastik darauf aus, zur Streitschlichtung zwischen den Staaten Schiedsgerichte zu entwickeln und Kriege zu verhindern. Der Krieg zur Ausbreitung der Religion wird ausdrücklich verworfen. Die spätere Tradition aber sah im Krieg das wichtigste Mittel, Streitigkeiten auszutragen. Für den völkerrechtlichen Positivismus und seiner Abkehr von einem ethischen Völkerrecht war, bezeichnender Weise aber die Konsequenzen mildernd, ein pragmatisches Gleichgewichtsdenken, daß Kriegführung und Kriegsrecht darauf abstellten, „den Feind zwar zu überwältigen, aber nicht völlig zu vernichten."[12] Im 19. Jh. freilich, unter der Dynamik des erwachten Nationalbewußtseins, in Verbindung mit der Rechtsphilosophie Hegels, dominiert dann endgültig der Rechtspositivismus. Aus der Überbetonung des Staates kommt es zur Leugnung des ethischen Völkerrechts durch die Lehre von der absoluten Souveränität des Staates. Diesem Trend entgegen wirkten reale Interessen zur internationalen Zusammenarbeit auf technischer und wirtschaftlicher Ebene (z. B. Weltpostverein 1874) oder humanitäre Bestrebungen (Rotes Kreuz 1864, Haager Friedenskonferenzen von 1899 und 1907), bis mit dem 1. Weltkrieg eine Wende zurück zum ethischen Völkerrecht eintrat.

Ist sich auch die heutige Völkerrechtstheorie über den Geltungsgrund des Völkerrechts nicht einig, so weist die ideengeschichtliche Entwicklung wie in keiner anderen Rechtsdisziplin auf die der Völkergemeinschaft immanenten Ziele,[13] nämlich in Frieden und zum allgemeinen Wohl zusammenzuleben, und damit auf die Wahrung inhaltlich-ethischer Werte hin, die der Willkür der Staaten entzogen und wissenschaftlicher Begründung unterzogen werden müßten. So ist zumindest für führende Theorien des Völkerrechts seit Jahrhunderten der Anspruch gerechtfertigt, von einer internationalen Wissenschaft zu sprechen.

---

[12] Ignaz Seidl-Hohenveldern, 29.

[13] Vgl. Georg Picht, Constanze Eisenbart (Hrsg.), Frieden und Völkerrecht, Stuttgart 1973.

1.2. Die Friedensforschung

Mit der Entwicklung einer vordringlich sozialwissenschaftlich analytischen Erforschung der Politik durch die politische Wissenschaft kommt es zur Ausbildung einer eigenen Sozialwissenschaft von den internationalen Beziehungen oder von der internationalen Politik,[14] die allgemein erst nach 1945 zu Ansehen gelangen konnte. Die Schwierigkeit der Begriffsbestimmung für diese Wissenschaft führt Ernst-Otto Czempiel allein schon bei der Umschreibung des Forschungsobjekts vor Augen.[15] Eine gewisse Übereinstimmung dürfte (über die Erforschung von Außenpolitik hinaus) darin bestehen, die „internationale Politik mit dem internationalen System zu identifizieren" und die „Handlungszusammenhänge" der internationalen Politik der Staaten zu systematisieren und auf „erkenntnisleitende Interessen" hin zu untersuchen. So kommt auch Czempiel von der Politikwissenschaft her, als Friedens- und Konfliktforscher ebenso ausgewiesen,[16] zur Befassung mit dem Friedensbegriff und der Friedensforschung.[17]

Die Unschärfe des Friedensbegriffs einerseits und das (neu) erwachte Interesse verschiedener wissenschaftlicher Kreise andererseits am Frieden führt allerdings auch dazu, daß der Begriff Friedensforschung auch von Wissenschaften einfach übernommen wurde, deren Forschungsansatz eben nicht sozialwissenschaftlicher Natur war. Dies kommt zum Ausdruck, wenn

[14] Die Theoriebildung zur internationalen Politik beginnt beim Politikbegriff und damit, mit welchem wissenschaftlichen Instrumentarium die so betriebene Politik faßbar wäre. Die realistische beschreibende Richtung setzt beim (nationalen) Interesse an. (Vgl. Hans J. Morgenthau, Macht und Frieden — Grundlegung einer Theorie der internationalen Politik, Gütersloh 1963). Auf folgende Autoren sei noch auswahlweise verwiesen: Truyol y Serra, Le teoria de las relaciones internationales como sociologia, Madrid ²1973; Daniel Frei (Hrsg.), Theorien der internationalen Beziehungen, München ²1977; Ekkehart Krippendorff, Internationale Beziehungen als Wissenschaft, Einführung, Frankfurt ²1977; Reinhard Meyers, Die Lehre von den internationalen Beziehungen, Ein entwicklungsgeschichtlicher Überblick, Düsseldorf 1977. Unter dem politikwissenschaftlichen Gesichtspunkt behandelt das Friedensproblem die Lehre von den Möglichkeiten und Grenzen der Sicherheitspolitik: vgl. dazu Franz W. Seidler, Krieg oder Frieden, Gütersloh 1980.

[15] Internationale Politik, Paderborn 1981, 11 und 32.

[16] Vgl. sein Buch, Schwerpunkte und Ziele der Friedensforschung, München 1972.

[17] Er kommt damit der neorealistischen Richtung der Politik nahe, die nach Gottfried Kindermann einen besonderen Friedensauftrag für das Fach Internationale Politik sieht „in den Beiträgen, die es zur Analyse des Friedensproblems, zur zwischenstaatlichen Krisenbewältigung und zur Suche nach gewaltlosen Formen zwischenstaatlicher Konfliktregelung leisten kann". (Gottfried-Karl Kindermann, Internationale Politik in Theorie, Analyse und Praxis, in: Gottfried Kindermann (Hrsg.), Grundelemente der Weltpolitik, München ²1981, 54). Lösungen sind danach solche, die multilateral akzeptiert werden, weil sie ebensolchen Interessen entsprechen. Damit wird der praktisch verantwortbaren Lösung der Vorrang vor weltanschaulicher Gesinnungorientierung eingeräumt.

die Neue Bibliographie zur Friedensforschung[18] die Literatur systematisch nach Schwerpunkten gliedert, die sich formal auf verschiedene Zweige der Wissenschaften beziehen. Dennoch wird die Literatur mehr auch nach inhaltlichen Schwerpunkten angegeben, also nach historischen, strategischen, völkerrechtlichen, entwicklungspolitischen, humanökologischen und theologischen Kategorien.

Heinz-Horst Schrey sieht zurecht den Ursprung der modernen Friedensforschung in der Politologie „und zwar in der Lehre von den internationalen Beziehungen."[19] Hier war ein Vorläufer das von US Präsident Hoover Ende der 20er Jahre des Jhs. begründete Institut an der Stanford Universität bei San Francisco „On War, Revolution and Peace", das vor allem Faktenmaterial zusammentrug und einen politisch antirevolutionären Auftrag sah. Nach 1945 waren es französische Politikwissenschaftler wie Gaston Bouthoul und Julien Freund,[20] die vom Postulat wertfreier Forschung, unter dem Begriff Polémologie,[21] dem Friedensproblem nachgingen: man müsse zuerst den Krieg wie eine Krankheit kennen, also mit wissenschaftlicher Methode analysieren. Andererseits gibt es auch Versuche einer Irenologie[22] als Wissenschaft vom Frieden oder einer Paxologie,[23] die im letzten von einem idealen Friedensbegriff ausgehen. Hier zeigt sich zumindest, wie schwierig es ist, über den Frieden zu forschen, ohne ein Mindestmaß an Werturteilen zuzulassen.

Die sechziger Jahre aber brachten erst den Boom der Friedensforschung,[24] als diese den positiven Friedensbegriff herausstellte und engagiert, dennoch

---

[18] Hrsg. von Gerta Scharffenorth, Wolfgang Huber, Stuttgart 1973. Auch diese umfangreiche Bibliographie muß notgedrungen wegen des nicht klar umrissenen Forschungsgegenstandes selektiv vorgehen und kann nicht Vollständigkeit beanspruchen.

[19] Fünfzig Jahre Besinnung über Krieg und Frieden, III. Das Ringen um den Frieden nach 1945, in: Theologische Rundschau (NF), 46. Jg., 1/1981, (58-96), 61.

[20] Entgegen aller Ideologie lehrt Freund: „La paix est un oeuvre du politique"! Vgl. Le Nouvel Age, éléments pour la théorie de la démocratie et de la paix, Paris 1970, 148.

[21] Vgl. Paul M. G. Levy, La verité polémogène, in: Etudes polémologiques, Revue de l'institut français de polémologie, 3. Jg. (1973) Nr. 10, 35-37.

[22] Vgl. J. G. Starke, An Introduction to the Science of Peace (Irenology) Leyden 1968; Bibliographia Irenica 1500-1970, Internationale Bibliographie zur Friedenswissenschaft, Kirchliche und politische Einigungs- und Friedensbestrebungen, Oekumene und Völkerverständigung, hrgs. von Axel H. Swinne, Hildesheim 1977.

[23] Ein Vorschlag von John Sommerville, Durchbruch zum Frieden, Darmstadt 1973, 168.

[24] Einige Titel seien genannt: Anatol Rapaport, Fights, Games and Debates, Ann Arbor 1960; Amitai Etzioni, Der harte Weg zum Frieden, Göttingen 1965; Ekkehart Krippendorf, Hrsg., Friedensforschung, Köln 1968; Georg Picht, Heinz Eduard Tödt, Heinz Theo Risse, Hrsg., Studien zur Friedensforschung, Bd. 1 ff., Stuttgart 1969 ff.;

aber empirisch bleiben wollend, den Friedensbegriff erweiterte und „nach den gesellschaftlichen, ökonomischen, technologischen und psychologischen Aspekten" fragte, „die zur Struktur und Erhaltung von Frieden gehören".[25] Damit will die Friedensforschung nicht mehr bloß den politisch Handelnden Entscheidungsgrundlagen liefern, sondern selbst unmittelbar auf die Politik einwirken und die Gesellschaft verändern. Die Zeitsituation ist geprägt vom Ringen um Aufweichung der verhärteten Fronten des kalten Krieges und den Bemühungen um Entspannungspolitik. Die Kubakrise im Herbst 1962 hatte eine verstärkte Entwicklung der praxeologischen Friedensforschung zur Folge. Der deutsche Friedensforscher Carl Friedrich von Weizsäcker gab dem 1963 anläßlich der Verleihung des Friedenspreises des deutschen Buchhandels an ihn in der Frankfurter Paulskirche Ausdruck, indem er nach einer „Strategie der Friedenssicherung" rief.

Der sozialwissenschaftliche Ansatz ergab zunächst einen interdisziplinären Zugang zum Problem, der auch nicht andere Disziplinen, selbst Philosophie und Theologie, ausschloß, der aber auf die Empirie setzte wie ebenso darauf, daß der Friede für den Menschen machbar sei, indem durch Kritik und Theoriebildung die Daten mit objektivierten Werten in Übereinstimmung gebracht werden könnten. Ein solcher fundamentaler Wertbegriff war für Johan Galtung[26] z. B. der der Gleichheit, aus dem er interaktionistisch die Forderung auf Nichtausbeutung und entsprechenden Strukturwandel bezog. Er entwickelte auch für den Begriff der Friedensforschung als Wissenschaft aus ihrer interdisziplinären Pflege einen eigenen methodischen Ansatz, indem er sie als transdisziplinär charakterisierte.

Aufschlußreich für die Aufbruchstimmung der Friedensforscher dieser Richtung ist ein Rückblick von William Eckhardt[27] auf die Anfänge des Canadian Peace Research Institute im Jahre 1961, in dem auch die vermeintliche Betonung der empirischen Ausrichtung der Friedensforschung angesprochen wird; es war nämlich, berichtet er, erwartet worden, man könnte die theoretischen Forschungsergebnisse auch empirisch überprüfen. So wurden in die eigene Forschungsmethode, hinter der durchaus eine Philoso-

---

Daniel Frei, Kriegsverhütung und Friedenssicherung, Frauenfeld 1970; Bert V. A. Röling, Einführung in die Wissenschaft von Krieg und Frieden, Neukirchen 1970; La Paix par la Recherche Scientifique, Brüssel 1970; Oskar Schatz, Hrsg., Der Friede im nuklearen Zeitalter, München 1970; Erhard Forndran, Abrüstung und Friedensforschung, Düsseldorf 1971, Wolf-Dieter Eberwein, Peter Reichel, Friedens- und Konfliktforschung, München 1976.

25 Horst-Heinz Schrey, a.a.O., 61.

26 Vgl. von seinen Werken insbes.: Modell zum Frieden, Methoden und Ziele der Friedensforschung, Wuppertal 1972; The true Worlds, A transnational Perspective, New York 1980.

27 Vgl. Peace Research, Brief History, in: IPRA newsletter Vol. XX (1982), Nr. 3, 27-29.

phie stand, die aber unter interdisziplinärer Zusammenschau einfach Friedensforschung genannt wurde, große Hoffnungen gesetzt. Die Ergebnisse sollten von den Regierungen und den Völkern „mit offenen Armen" aufgenommen werden und rasch zum Frieden führen. Das Themenspektrum war breit: Friede, Gewalt, Ungerechtigkeit, Krieg, Rüstung, Friedenserziehung, Friedenspläne, Friedensideen, Friedensbewegung, Entwicklung, eine bessere Wertordnung...

Über ein anderes Pionier-Institut aus jener Gründungsphase, das International Peace Research Institute in Oslo und seinen Gründer Johan Galtung (1964) berichtet Helge Hveem, daß dieses Institut seinen Anfang in einem Anti-Kriegs-Protest hatte.[28] Galtung und seine Mitarbeiter kamen darauf, daß Friede, definiert als Abwesenheit von organisierter Gewalt zwischen großen menschlichen Gruppen ein „negativer" Begriff sei und er mehr und mehr von positiven Inhalten her bestimmt werden müßte. Daher sollte Friedensforschung zugunsten der Unterdrückten betrieben werden oder mit anderen Worten „Revolutionsforschung" werden. Denn der negative Friede, ohne Interaktion der Großgruppen in Richtung Integration und Kooperation, würde allein den politisch Mächtigen oder den Unterdrückern nützen und den wahren Frieden verhindern.[29] In der Werkstätte Galtungs entstand dann auch der Begriff von der strukturellen Gewalt, der u. a. eine Leitidee der späteren kritischen Richtung der Friedensforschung in Deutschland geworden ist, besonders propagiert von Dieter Senghaas.[30] Die kritische Friedensforschung verband mit ihrem Anspruch auf Wissenschaftlichkeit den Willen zur „Verbesserung der Wirklichkeit" als der großen Hoffnung der Friedenstheoretiker vom Schlage Galtungs.[31]

Die Merkmale und Gefahren der modernen Friedensforschung hat schon Karl Kaiser systematisch herausgearbeitet, darunter besonders die Gefahren eines optimistischen Szientismus, der Aufsplitterung in Teilbereiche und dann aber der Reduktion der komplexen Phänomene auf eine Dimension entgegen der Wirklichkeit und des Strebens nach Veränderung auf jeden Fall, wofür immer neue alternative Modelle angeboten würden.[32] Es zeigt sich, wie sehr die moderne Friedensforschung, die den Frieden als humanen Wert durchaus erkannt hat, methodisch die anthropologisch-philosophi-

---

[28] The Journal of Peace Research, in: IPRA newsletter, a.a.O., 30-32.

[29] Die „friedliche Koexistenz" erscheint Galtung als die beste Charakteristik des negativen Friedens: „where is no violence but no other form of interaction either". Artikel „Peace", International Encyclopedia of the Social Sciences, Bd. 11 (1968), (487-796), 487.

[30] Vgl. Dieter Senghaas (Hrsg.), Kritische Friedensforschung, Frankfurt 1971.

[31] Vgl. Johan Galtung, Theorien des Friedens, in: o.a. Sammelband Kritische Friedensforschung, 235.

[32] Friedensforschung in der Bundesrepublik Deutschland, Göttingen, 1970.

sche Begründung ihres Strebens verfehlt und trotz vieler Faktenstudien und Detailvorschläge, die jedoch einzelwissenschaftlich ebenso zu bearbeiten wären, eine allgemeine Strategie des Friedens nicht entwickeln kann.

Dieser Gefahr glaubt, angesichts des bisherigen Mißerfolgs der Friedensforschung,[33] Hylke Tromp z. B. mit einer besseren Prioritätensetzung begegnen zu können und, anstatt die Diskussion mit den Politikern und Diplomaten nur zu führen, sich auf die Entwicklung alternativer Verhaltensweisen im politischen Leben zu konzentrieren,[34] wobei er vor allem auf Information und Erziehung setzt. Das Problem bleibt aber bestehen, daß die als Friedensforschung heute meist bezeichnete Wissenschaft vom Frieden eine hohe ideologisch-weltanschauliche Befrachtung vom Friedensbegriff und von ihren Zielsetzungen her hat. So gibt es in der Friedensforschung nicht nur widersprüchliche Richtungen, die teilweise mit Friedensbewegungen unmittelbar in Verbindung stehen,[35] sondern auch zwischen den einzelnen Schulen und Forschern zeitweise harte Konflikte, die man selbst in die Nähe von quasi-religiösen statt wissenschaftlichen Auseinandersetzungen gerückt hat.[36]

Abschließend kann man sagen, daß auch die moderne Friedensforschung in ihrem politologisch-sozialwissenschaftlichen Ansatz nicht zu der schon von der bürgerlichen Friedensbewegung geforderten anerkannten Friedenswissenschaft geworden ist und werden kann.[37] Der Friede als Begriff und

---

[33] Th. Ebert spricht von einer „praxeologischen Ratlosigkeit". (Friedensbewegung und Friedensforschung, Historische und aktuelle Wechselwirkung, 156 f., in: Jahrbuch für Friedens- und Konfliktforschung, Bd. II/1972).

[34] Vgl. H. W. Tromp, Politieke houding en politiek gedrag in crisissituaties, Groningen 1976, Neuestens drse., Priorities in Peace Research, in: Wiener Blätter zur Friedensforschung, Nr. 32/33 (1982), 11-19. Ähnlich schon Marek Thee, On Priorities in Peace Research, in: Bulletin of Peace Proposals, Vol. VII (1976), Nr. 1.

[35] Bezeichnend ist, daß politisch totalitäre oder sozialistische Systeme von der Normsetzung ausgehen, daß die „Friedensforschung" von den dort gepflegten einschlägigen Wissenschaften, auf der Basis z. B. des Marxismus-Leninismus, eo ipso abgedeckt wird. Die Propagierung dieses Forschungsergebnisse ressortiert dann zum Teil, auch organisatorisch, zur Friedensbewegung, die es natürlich nur geschlossen in einer Richtung, nämlich nach der offiziellen Politik, gibt.

[36] Ein kritischer Artikel in der FAZ vom 13. 2. 1982 von Konrad Adam trägt den Titel: Die Kirche der Friedensforscher, Eine wissenschaftliche Weltanschauung neuer Art drängt an die Schule. Valentin Zsifkovits spricht von einer „zerstrittenen Wissenschaft" und von einem „Krieg der Friedensforscher" im Artikel: Der Gewalt den Nährboden entziehen, Friede und Friedensforschung, in: Academia 32/1981, H. 3, 29-31.

[37] Vgl. noch Gertrud Kühnlein, Die Entwicklung der kritischen Friedensforschung in der Bundesrepublik Deutschland, Untersuchung und Kritik einer neuen Wissenschaft, Frankfurt 1978; ferner Hans G. Brauch, Entwicklungen und Ergebnisse der Friedensforschung (1969-1978), eine Zwischenbilanz und konkrete Vorschläge für das zweite Jahrzehnt, Frankfurt 1979.

Wert entzieht sich dem Vermögen *einer* Wissenschaft und bleibt Materialobjekt vieler *Einzelwissenschaften.* Als Friede, verstanden zwischen internationalen Akteuren, gehört er sicher auch zum Forschungsgebiet jener Wissenschaften, die sich den internationalen Problem besonders widmen oder Entscheidendes dazu sagen können, sei es empirisch, sei es philosophisch-anthropologisch.

Je mehr die Friedensforschung daher aus der interdisziplinären Pflege von verschiedenen Disziplinen her sich verselbständigt und praktisch auch institutionell aus dem Verbund der Wissenschaftspflege (z. B. an den Universitäten) heraustritt, desto eher kommt sie in den Randdruck politischer Interessen. So sehr eine Wissenschaft die Handlungsorientierung nicht übersehen darf, so leicht kann die Wissenschaftlichkeit wieder leiden, wenn Auftragsforschung betrieben werden soll, z. B. hier zugunsten einer bestimmten Friedenspolitik. Daraus folgt, daß das Verhältnis der Friedensforschung zu den Friedensbewegungen und deren politischen Zielen der Sache nach, wenn schon nicht den Personen nach, auf Distanz gehalten werden müßte.

1.3. Philosophie als internationale Wissenschaft

Die Bedeutung der Rechtsphilosophie für das Völkerrecht wurde bereits erwähnt. Bei der Besprechung der Friedensforschung wurde es deutlich, daß eine womöglich umfassende Analyse des internationalen Lebens nicht ohne Wertpräferenzen und inhaltliche Aussagen darüber auskommen kann, welche Verhältnisse im Zusammenleben der Menschen in internationalen politischen Bereichen bestehen und welche vorherrschen sollen. Der Bezugspunkt wird letztlich der Mensch sein, wieweit menschenwürdige Beziehungen vorliegen.

Die oben schon genannte Ernüchterung der modernen Friedensforschung bezüglich ihrer Fähigkeit, Frieden zu schaffen durch positive Bedingungen für das Zusammenleben der Völker durch Erforschung der internationalen Beziehungen war aus einem überhöhten Anspruch entstanden: Friede sei eben ein Problem der „sozialen Organisation", so meinte es Johan Galtung, das aber könnten nicht die Philosophen mit ihren Friedensplänen, um Kriege zu verhindern, erreichen, sondern nur die Sozialwissenschafter als Friedensforscher.[38] Damit darf den Friedensforschern dieser Richtung aber nicht unterschoben werden, sie würden beim positiven Friedensbegriff die Bedeutung der Bewußtseinslage, bzw. von Bewußtseinsveränderungen auf friedliche Konfliktregelung hin übersehen. Die Frage ist aber, wieweit wis-

[38] „Peace is a problem of social organization", meint Galtung im Artikel „Peace", 488.

senssoziologische Überlegungen über die Ideologierelevanz von Begriffsinhalten des Friedens in Verbindung mit psychologischen Strategien genügen, um den Frieden machbar zu machen. Mit anderen Worten die interdisziplinäre Zusammenarbeit mit der Philosophie sollte anders gesehen werden, denn als bloße historische Abfolge.[39] Der philosophische Beitrag zum Thema Frieden ist dann immer gefragt, wenn nicht vordergründig nach Konfliktlösungen gesucht wird, sondern nach dem Sinn der Rede vom Frieden für den Menschen gefragt wird,[40] gleichsam nach dem „Naturzustand des unbedrängten menschlichen Geschlechts" (J. G. Herder).

Dennoch kann die internationale Wissenschaft nicht allein von philosophischen Erkenntnissen her aufgebaut werden. Die durch die sozialwissenschaftlichen Analysen erschlossenen Erkenntnisse des internationalen Lebens haben ihre Bedeutung besonders zur besseren Erfassung der Komplexität des Problems und der Dynamik im Ablauf des Prozesses der internationalen Beziehungen. Wenn auch eine allgemeine operativ definierte Konzeption des Friedens nicht gegeben werden kann, so kann doch über Teilziele auf analytischem Wege Einigung erzielt werden, und können Annahmen — wie die Forderung, „abnehmende Gewalt mit zunehmender sozialer Gerichtigkeit und politischer Freiheit im politischen System"[41] zu verbinden — als Arbeitshypothesen allgemein Zustimmung finden. Dieses analytisch-empirische Herangehen an Probleme mit plausiblen Argumenten bedarf aber ebenso der erkenntnis-theoretischen Absicherung wie der Grundüberlegungen über stets implizierte Werte des Friedens, die — auch dies wieder eine Annahme zunächst — maximiert werden sollen.

Selbst Hans J. Morgenthau kommt z.B. bei der Kritik der nuklearen Strategie in Verbindung mit dem gegebenen nationalstaatlichen Denken im internationalen System zum Ergebnis, wir bräuchten eine „radikale Umwertung traditioneller moralischer Werte, der Art zu denken und der Gewohnheiten zu handeln".[42] Es wäre zu wenig, würde man bei einem Plädoyer für die „Wiederkehr der Ideale" stehen bleiben.[43] Gerade der Philosophie kommt heute wieder die Aufgabe zu, die analytische Methode mit Einsichten zu verbinden, die wertmäßig abgesichert und einigermaßen anerkannt

---

[39] Vgl. Karl Kaiser, Friedensforschung in der Bundesrepublik Deutschland, Göttingen 1970, 11.

[40] Vgl. Erwin Waldschütz, Menschsein und Friede, Ein Versuch, philosophisch über den Frieden zu reden, in: Gedanken des Friedens, Hrsg. von Peter Trummer, Graz 1982, 7-37.

[41] So heißt es in der Stiftungsurkunde der Hessischen Stiftung für Friedens- und Konfliktforschung.

[42] Der Friede im nuklearen Zeitalter, in: Gottfried Kindermann (Hrsg.), Grundelemente der Weltpolitik, München ^{2}1981, 187.

[43] Vgl. Wolfgang Kraus, Die verratene Anbetung, Verlust und Wiederkehr der Ideale, München 1978.

sind. Dies wird schwer im Bereich letzter Begründungen möglich sein, hat aber vorläufig Erfolgsaussichten vermittels des Willens zum Dialog und der Intention auf Integration hin. Als Beispiel sei auf Erfahrungen im weltanschaulichen Dialog für den Frieden zwischen Christen und Marxisten[44] hingewiesen und auf die philosophischen Arbeiten zu einem integralen Denken bei Leo Gabriel.[45] Der um die Philosophie des Friedens verdiente christliche Existenzphilosoph beschreibt zuletzt unter dem Titel „Anthropologische Perspektiven der Friedensproblematik" diese Suche des Menschen nach dem Frieden.[46]

Ein Begriff, dessen Ausarbeitung wesentlich mit der historischen Leistung der abendländischen Philosophie und dem Christentum zusammenhängt, der der Menschenwürde, hat heute eine große politische Brisanz erwiesen. Menschenwürde soll hier nach Johannes Messner[47] bezeichnet sein als das „Ausgezeichnetsein des Menschen durch Vernunftbegabung, durch die ihm zur Erfüllung sittlicher Pflichten unmittelbare Verantwortung zukommt, wie er ebenso dadurch Selbstzweck... im Rahmen der gleichen Grundfreiheiten aller ist." Somit konkretisiert sich Menschenwürde in den Menschenrechten wie sie in den Dokumenten der Vereinten Nationen rezipiert vorliegen, der Deklarationen aus 1948 und den Pakten aus 1966. Hiermit existiert eine weltweit anerkannte Umschreibung des Humanums mit politischen Konsequenzen, die sich erst noch im historischen Ablauf weiter entwickeln sollten. Zuerst kommen die klassischen Freiheitsrechte, die auf den Status negativus, den Besitzstand (Leben und Eigentumsrecht) des Individuums abziehen, dann die bürgerlichen Freiheitsrechte, die die politische Gleichheit verankern und dem Bürger einen aktiven Status im Gemeinwesen durch Mitbestimmung sichern. Die Statusposition des Bürgers wird durch die sozialen Rechte, die die Menschenrechte in ihrem Gemeinwohlbezug ausgestalten, erreicht.

Die Entwicklung hat hier nun die Grenzen der einzelnen Gemeinwesen überschritten und die soziale Dimension der Menschheit erreicht. Der

---

44 Vgl. die Publikationen: Christen und Marxisten im Friedensgespräch, Hrsg. Walter Hollitscher und Rudolf Weiler, Bd. I, Wien 1975, Bd. II, Wien 1979 sowie die Berichte über die weiteren Symposien in Stockholm, Detroit, Madrid, Florenz, Wien und Hamburg in den Wiener Blättern zur Friedensforschung, Nr. 22/23 (1979/80), 26/27 (1980/81), 34/35 (1983), 38/39 (1984) und 40/41 (1985). Vgl. auch Paul Mojzes (Ed.), Varieties of Christian-Marxist Dialogue, Philadelphia 1978; Drs., Christian-Marxist Dialogue in Eastern Europe, Minneapolis 1981.

45 Vgl. Integrale Logik, Zur Wahrheit des Ganzen, Wien 1965. Eine kurze Zusammenfassung der Gedanken Gabriels gibt ein Interview wieder, das Erwin Waldschütz mit ihm zum 80. Geburtstag geführt hat, in: Wiener Blätter zur Friedensforschung, Nr. 32/33 (1983), 3-5.

46 In: Festschrift für E. Heintel, Wien 1983, 333-346.

47 Was ist Menschenwürde?, in: Internationale Kath. Zeitschrift 3/1977, (233-240), 238.

Mensch hat zunehmend einen positiven internationalen Rechtsanspruch, nämlich auf Frieden durch Abschaffung des Krieges und der Furcht davor. Hier zeigt sich aber die Klammer zwischen den Begriffen des Humanums und zwischen den daraus folgenden ethischen Imperativen und zwischen den Wegen tatsächlicher Verwirklichung. Im internationalen Bereich wird dies vollzogen im Übergang vom anthropologischen philosophischen Denken zur Ethik, eben zur internationalen Ethik als Gebiet der Sozialethik, zu deren Kernstück sicher die Friedensethik gehört. Die Sozialethik hat aber immer, soll sie Ordnung auch zu verwirklichen trachten, eine realistische Grundeinstellung zu verfolgen und braucht die Ergebnisse der Sozialwissenschaften und die Partnerschaft mit diesen, um sittliche Richtigkeit im Rahmen des Faktischen auf einer Handlungsebene auszusagen, nicht nur allgemeinste Prinzipien zu verkünden. In diesem Sinne wird hier versucht werden, internationale Ethik zu betreiben.

1.4. Theologie und Religionswissenschaft als internationale Wissenschaften

Darüber, daß Religionen und Theologien Einfluß, positiv oder negativ, auf das internationale Leben haben können, herrscht wohl Übereinstimmung.[48] Folglich ist die Betrachtung des Verhaltens religiöser Gemeinschaften und deren Lehren für das internationale Leben, insbesondere das Verhältnis von Kirche und Staaten, bzw. Kirche und internationalen Organisationen heute durchaus auch bedeutsam in theoretischer Hinsicht wie in praktischen Konsequenzen.

Religiöse Lehren, insbesondere hier die theologischen Disziplinen, haben aber auch ihre eigenen Aussagen zu internationalen Fragen über sozialethische und moraltheologische Beiträge hinaus. Dies gilt vor allem beim Friedensbegriff und seinen religiösen Dimensionen und in der theologischen Anthropologie, sofern menschliche Zusammenhänge angesprochen sind, vom Schöpfungsgedanken bis zur Parusieerwartung eines ewigen Reiches Gottes auf Erden.

Hier würde die Philosophie der Geschichte einmünden in eine theologische Deutung der Weltgeschichte, die sich aber ebenso abhebt von Mythen und Reichsideologien.[49] Eine solche Geschichtssicht wird sich aber notwen-

---

[48] Erwähnt sei hier erneut (vgl. Anm. 22) der Versuch einer Friedenswissenschaft, Irenik genannt, die sich als überkirchliche theologische Wissenschaft versteht, hervorgegangen aus Ökumenik. Vgl. die Studia Irenica, Bd. VI, Von der Oekumenik zur Irenik, Hrsg. von Axel Hilmar Swinne, Hildesheim ^{2}1977.

[49] Auf die Arbeiten von Alois Dempf sei verwiesen, z.B. Sacrum Imperium, Geschichts- und Staatsphilosophie des Mittelalters und der politischen Renaissance, München ^{4}1973.

digerweise auseinandersetzen müssen mit den Theorien zahlreicher Vertreter der Friedensforschung, die, wenn sie auch der Bewußtseinsänderung neben oder nach der Sozialorganisation ihre Bedeutung für die friedliche Entwicklung zuschreiben, nur die induktiv-positive Methode als Wissenschaft vom Frieden gelten lassen wollen. Sie betrachten die Religionen und Theologien nämlich nur nach ihren faktischen Auswirkungen und ihren historischen Theoriebildungen zum Frieden, bzw. zum Krieg und seine Rechtfertigung, also durchaus ambivalent und „wertfrei".

Demnach hat die Theologie keinen Erkenntniswert für den Frieden und ist selbst ein Faktor, der von den Staaten in der Gestaltung ihrer Beziehungen zu Kirchen und Religionsgemeinschaften instrumentell zu benützen versucht wird. In historischer, aber auch psychologischer Betrachtung kann das zur Erfahrung führen, Religionszugehörigkeit vergrößere eher die Bereitschaft, Konflikte kriegerisch zu lösen, insbesondere beim Kampf gegen Andersgläubige und Andersdenkende.[50]

Einer solchen Sicht wirken neben wissenschaftstheoretischen Erkenntnissen sowohl die rasch zurückgeschraubten Erwartungen unter den Friedensforschern selbst praktisch entgegen als auch die solide Darstellung der Entwicklung der Lehre von Krieg und Frieden in der Theologie wie das Engagement der Kirchen für den Frieden parallel zur historischen Entwicklung, zuletzt unter dem Eindruck der möglich gewordenen totalen Kriegführung. So gibt es eine Friedenslehre und einen Friedensdienst der Kirchen wie ebenso erkennbar wird, daß die Friedensförderung nicht nur Sache der Politik ist.[51]

Eine Theologie des Friedens[52] kann, ausgehend vom biblischen Friedensbegriff (Schalom),[53] die viel weiter gefaßte Dimension des Friedens auf Erden und mit Gott ebenso zeigen wie den Frieden als Frucht eines Kampfes gegen die Sünde und kann vom Friedenswirken Christi des Erlösers ausgehend auf die Bedeutsamkeiten kirchlichen, sakramentalen Wirkens für die Befriedung der Welt hinweisen.[54] Ferner wird es notwendig sein, den politischen Gehalt

---

50 Vgl. Hubertus Mynarek, Der Einfluß der Religion auf Krieg und Frieden, in: Rudolf Weiler, Valentin Zsifkovits, Unterwegs zum Frieden, Wien 1973, 157-170.

51 Vgl. Ernst-Josef Nagel und Harald Overhem, Dem Frieden verpflichtet, Konzeptionen und Entwicklungen der katholischen Friedensethik seit dem Zweiten Weltkrieg, München 1982, 9.

52 Vgl. Heinz-Horst Schrey, a.a.O., den abschließenden Beitrag: Was ist Friede? — Theologische Bemühungen um einen Friedensbegriff. Vgl. ferner: Eberhard Jüngel, Zum Wesen des Friedens, München 1983, eine Darstellung des Friedens als Kategorie theologischer Anthropologie.

53 Vgl. Jacob Kremer, Der Friede — eine Gabe Gottes, in: Wiener Blätter zur Friedensforschung, Nr. 31 (1982), 10-18, sowie in: Stimmen der Zeit, 1982, 161-173.

54 Vgl. Raphael Schulte, Friede mit Gott, Zur Aufgabe der Friedensforschung in dogmatischer Sicht, in: Theologisch-praktische Quartalschrift 1974, 122-142.

der Theologie für die Praxis darzulegen und von politischen Anweisungen abzuheben, die manche Theologien oder Vertreter derselben geben möchten.[55]

1.5. Die Ethik als internationale Wissenschaft

Die internationale Dimension der Ethik ist zweifelsfrei mit der Anerkennung allgemeinmenschlicher sittlicher Normen verbunden, deren Begründung fundamentalethisch verschieden, bzw. verschieden verbindlich und einsichtig gesehen werden kann. Jede Ethik zielt aber auf die Verallgemeinerung sittlicher Normen hin, die im Zusammenhang der Rechtskultur auch zu grundlegenden Rechtsprinzipien werden. Am deutlichsten trifft dies auf die Naturrechtstradition zu, die schon im Altertum ein ius gentium kannte, Rechtsprinzipien, die sich allgemeiner Anerkennung erfreuten. Das weithin als Vertragsrecht entstandene neuzeitliche Völkerrecht war zudem auf der Basis einer abendländischen christlich-moralischen Kultureinheit gewachsen, abgesehen davon, daß Hugo Grotius auf der Rechtsschule von Salamanca und der spanischen Kolonialethik (16. Jh.) sein für das 17. Jh. bestimmendes Werk über das Völkerrecht (De iure belli ac pacis, 1625) aufbaute.

Auch heute werden als Quelle des Völkerrechts „die von den Kulturvölkern allgemein anerkannten Rechtsgrundsätze" neben den internationalen Übereinkünften und dem internationalen Gewohnheitsrecht angesehen. So drückt es das Statut des Internationalen Gerichtshofs[56] aus. Als „Kulturvölker" müssen aber nach allgemeiner Lehre zumindest alle Mitglieder der OVN gelten, da sie ja als solche auch Mitglieder des gesamten Statuts sind. Damit ist aber im Völkerrecht ausdrücklich die Existenz von Rechtsprinzipien anerkannt, deren Begründung nicht im Völkerrecht selbst liegt, sondern in die wissenschaftliche Kompetenz der Ethik fällt. Diese Prinzipien werden zwar vom Völkerrecht aus dem innerstaatlichen Recht geschöpft, sie sind aber Kulturgut der internationalen Rechtsordnung. Dazu führt Ignaz Seidl-Hohenveldern aus:[57] „Man stützt sich ... auf die Überlegung, daß solche Rechtssätze, wenn sie überall dem innerstaatlichen Recht zugrunde liegen bzw. in ihm gelten, in der Regel entweder so große moralische Grundgedanken verkörpern, daß sie praktisch allen Rechtsordnungen, den innerstaatlichen ebenso wie dem Völkerrecht, zugrunde liegen (z. B. das Verbot des Rechtsmißbrauchs) oder so billig, vernünftig und zweckmäßig sind, daß sie

[55] Neben der politischen Theologie sind besonders Theologien der Befreiung hier zu beachten.

[56] Art. 38, Z. 1, Buchst. c.

[57] 107.

aus diesen Günden allen innerstaatlichen Rechtsordnungen gemeinsam sind (z. B. die Verpflichtung zur Leistung von Verzugszinsen)."

Die Ethik als internationale Wissenschaft hat, anders als das Völkerrecht, diese international bedeutsamen Rechtsprinzipien nicht nur zu begründen, sondern sie auch umfassend zu beschreiben und über den strengen Rechtsbereich hinaus im Sinne einer sittlichen Grundordnung auf ihre weiteren sittlichen Pflichten im Zusammenleben der Menschen und Völker hin zu entwickeln und auszuarbeiten. Insofern ist die Beziehung jenes Teilbereichs der Sozialethik, der sich mit den sittlichen Rechtsprinzipien befaßt, die Rechtsethik,[58] auch in diesem Zusammenhang sehr angebracht, weil die Völkerrechtsethik somit den Bereich der Geltung der internationalen Rechtsprinzipien betrachtet, die internationale Ethik aber die gesamte sittliche Ordnung der Weltgesellschaft als Teil der Sozialethik behandelt.

Der Begriff internationaler Ethik[59] ist noch nicht allgemein eingeführt, obwohl das Anliegen der Sache nach in der Ethik sehr an Bedeutung gewonnen hat. Große Beachtung hat bei den Sozialethikern im Laufe der sechziger Jahre die Problematik der Entwicklungsländer gefunden. War mit der Arbeiterfrage des 19. Jhs. die sittliche Forderung nach sozialer Gerechtigkeit laut geworden, so sprach man jetzt von internationaler sozialer Gerechtigkeit.[60] Die totalitären Systeme des Faschismus und Nationalsozialismus und der Kampf der Alliierten im 2. Weltkrieg gegen diese Ideologien namens der Demokratie waren mindestens auch Anzeichen für den Einfluß von sittlichen Prinzipien auf das Verhalten der Staaten. Auch die Existenz und das Vordringen der kommunistischen Ideologie innerhalb der Völkergemeinschaft führte zu einem Konkurrenzverhältnis von Staaten mit verschiedenen Gesellschaftssystemen und damit zu Wertfragen von letztlich sittlich-rechtlichem Belang.

Immer stärker trat auch eine andere Forderung in das sittliche Bewußtsein der Menschen, das Recht, in Frieden zu leben. Der Friede wurde immer mehr als umfassende sittliche Frage und Gegenstand der Ethik erkannt, wobei die Erkenntnis über die furchtbaren Folgen moderner Kriegführung

---

[58] So wie die Sozialphilosophie in praktische Philosophie mündet, nach dem sittliche Gesollten in der Gesellschaft als Sozialethik fragt, wird die Rechtsphilosophie zur Rechtsethik, indem sie die Rechtsgrundsätze menschlichen Handelns untersucht und soziales Verhalten auf Gerechtigkeit hin überprüft. Von Rechtsethik und Völkerrechtsethik spricht ausdrücklich besonders Johannes Messner. Vgl. seinen Artikel Sozialethik, in: Kath. Soziallexikon, (2673-2681), 2679 f.

[59] Einer der Ersten, die im deutschen Sprachraum den Terminus internationale Ethik für diesen Sachbereich der politischen Ethik eingeführt hat, dürfte Max Huber gewesen sein.

[60] Johannes Messner publizierte schon 1962 einen Artikel zur Internationalen sozialen Gerechtigkeit, in: World Justice, III/3, Louvain 1962, 293-309.

für die Menschen (zuletzt mit Kernwaffen), das sittliche Bewußtsein schärften. Weiterer entscheidender Faktor war der Fortschritt im Rechtsbewußtsein der Menschheit durch die Kodifizierung der Menschenrechte. All das wirkte auf die Herausbildung einer internationalen Moral hin, die Standards entwickelte nicht nur für zwischenstaatliches Verhalten, sondern in den einzelnen Menschen ein sittliches Bewußtsein für ganz allgemeine internationale Dimensionen menschlichen Zusammenlebens. René Coste hat schon in den sechziger Jahren in einem Buch unter dem Titel Internationale Moral[61] auf das Bewußtwerden solcher internationaler Regeln des Verhaltens im Bewußtsein der Menschen hingewiesen. Einer weiteren Untersuchung gab er die Überschrift: Internationale Ethik.[62]

Unter internationaler Ethik soll daher im folgenden die Wissenschaft von der sittlichen Ordnung der die Staaten übergreifenden zwischenmenschlichen Beziehungen, insbesondere aber der Völkergemeinschaft verstanden werden. Sie ist ein spezieller Bereich der Sozialethik im Bezug auf die internationale Dimension sozialen Verhaltens des Menschen vom Einzelwesen über die sozialen Gruppen bis zur Menschheit und bezieht sich auf die wirtschaftlichen ebenso wie die politischen sittlichen Ordnungen. Man kann daher auch von internationaler politischer oder wirtschaftlicher Ethik reden ebenso wie von internationalen sittlichen Tugenden oder Pflichten des Einzelnen wie der Gesellschaft. Die Grundlegung erfährt die internationale Ethik durch die Sozial- und Rechtsphilosophie und die Anwendung von deren Einsichten in das soziale Wesen des Menschen und in die Sozialprinzipien im Bezug auf die gesamte Menschheit.

Die internationale Ethik läßt sich nicht nur nach Teilbereichen der internationalen Ordnung, wie Politik und Wirtschaft, gliedern. Eine weitere Gliederung ergibt sich durch die Hauptfrage und den Grundwert der internationalen Ordnung überhaupt, das ist der Friede. So behandelt die *Friedensethik* die sittlichen Ursachen und Bedingungen des Friedens mit dem Ziel, den Frieden umfassend zu erhalten (sichern) und zu fördern.[63] Da die Friedensethik offenbar die Grundforderung ausspricht, Friede soll sein, wird sie sich auch mit Konfliktregelung und Kriegsverhinderung befassen. Ihre Hilfswissenschaften sind dabei die Militärwissenschaften ebenso wie die Konfliktforschung durch Soziologie, Psychologie und Biologie. Zugeord-

---

[61] Morale internationale, Paris 1965. Vgl.: Une morale pour un monde en mutation, Gembloux 1969.

[62] International Ethics, Present Survey and future Prospects, in: World Justice, Vol XI, 1969/70, 5-27. Die Zeitschrift World Justice führte bis zur Einstellung ab dem Jg. 1967/68 in der Bibliographie eine eigene Rubrik ein mit dem Titel: International Ethics.

[63] Yoshitaka Toyama hat gezeigt, daß Kant seine Theorie vom ewigen Frieden im Anschluß an seine Ethik konzipiert hat. (Kants praktische Philosophie mit Rücksicht auf eine Theorie des Friedens, Hamburg 1973, 165).

net kann ihr weiter die Friedenserziehung werden, integral vor allem dann, wenn die Pädagogik auf einer anthropologischen Wertbasis aufbaut.

Je nachdem wie umfassend der Friede definiert wird und wiesehr eben der Friede als Grundgut der Menschheit angesehen wird — also nach einer Wertentscheidung — könnte die Friedensethik auch begrifflich ident mit internationaler Ethik gesehen werden und alle deren Themenbereiche umfassen. Hier wird es vorgezogen, die Friedensethik als Kernstück und Hauptfrage der internationalen Ethik zu bezeichnen, den anderen Fragen der sittlichen internationalen Ordnung vorangestellt. Dadurch ergibt sich ein allgemeiner sozialphilosophischer und -ethischer Teil der internationalen Ethik, der die Friedensethik begründet und auf den sie aufbaut, der aber auch Grundlage für die anderen sittlichen Problemkreise des internatiolen Lebens sein kann.

Die Bedeutung der empirischen Sozialwissenschaften für die internationale Ethik ergibt sich schon daraus, daß die Entwicklung der internationalen Ethik durch die Ausweitung des menschlichen Erfahrungshorizonts auf internationale bis menschheitliche Zusammenhänge bedingt ist. Daher ist auch ein analytischer Ansatz für die Ethik als Wissenschaft denkbar, bei dem Empirie und empirische Forschung konstitutiv für ethische Bedeutsamkeiten im internationalen Kontext sein können. Für eine naturrechtliche Sicht wird trotz des Festhaltens an einer Sozialmetaphysik der induktive Weg sehr wichtig sein. In diesem Sinne soll noch über die Sozialwissenschaften als Hilfswissenschaften der internationalen Ethik gesprochen werden.

Doch gehört es zu den Voraussetzungen einer internationalen Ethik, zuerst die grundlegenden Bedingungen des internationalen Lebens und dessen Möglichkeiten zu kennen: das sind die geopolitischen und politischen Verhältnisse ebenso wie der Stand an vorhandenen Machtpotentialen: Bevölkerung, Handel, Industrie, Ressourcen, Rohstoffe, militärische Stärke, Rüstung und Waffentechnologie sowie die dahinter stehenden Interessen, auch im Bezug auf deren internationale Verflechtung. Die komplizierte Faktenlage jeweils auch nur einigermaßen zu erkennen und aufzuarbeiten, ist gewiß nicht leicht, aber notwendig für die ethische Argumentation.

1.6. Empirische Ansätze zur Erklärung des internationalen Lebens

Die ausschließliche Betonung eines Ansatzes der Sozialwissenschaften und ihrer Methoden zur Erklärung internationaler Probleme und deren Lösung führt zu einer szientistischen Verengung dieser Disziplin. Aber auch die Theoriebildung der allgemein sozialwissenschaftlich orientierten Friedensforschung genügt allein nicht, um dem Szientismus zu entgehen. Das zeigt schon die Widersprüchlichkeit zweier Konzeptionen derselben, der „realistischen Schule" und der „kritischen Friedensforschung". Die entscheidenden Begriffe für das internationale System von politischer Gewalt bis sozialer Gerechtigkeit, um Frieden operational zu machen, sind eben nicht bloß sozialwissenschaftlich — z. B. im Gleichgewichtsmodell der Interessen — adäquat erfaßbar. Noch viel weniger ist es möglich, Kritik an der internationalen Gesellschaftsordnung mit positiven Zielen verbunden zu üben, ohne ein qualitativ anderes Maß für Gerechtigeit zu haben als statistische Daten.

Gerade beim zentralen Begriff der internationalen Beziehungen, beim Friedensbegriff, wird das erkenntnistheoretische Dilemma der Sozialwissenschaften deutlich, wenn sie nicht den „philosophischen Beistand" zulassen.[64]. So soll der heute viel berufene Methodenpluralismus nicht nur für die einzelne Disziplin[65] gelten, sondern auch für die wissenschaftliche Behandlung eines Gesamtzusammenhanges.

Die Ethik als Normwissenschaft hat in ihrer Kompetenz das sittlich Gebotene zu erarbeiten unter Verwendung der sozialwissenschaftlichen Erkenntnisse. Dabei hat die Ethik methodisch und erkenntnistheoretisch ihre Kompetenz selbst zu erweisen. Im gegebenen Zusammenhang der Ordnung des internationalen Lebens und seines zentralen Wertes, des Friedens als eines menschlichen Urbegriffs, zeigt sich besonders die Unentbehrlichkeit der Erkenntnis aus Vernunftgründen.

Das für die internationale Ethik bedeutsamste Gebiet der sozialwisenschaftlichen Analyse ist der Konflikt, der zum Ausbruch des Krieges führen kann.[66] Wie und warum brechen Kriege aus? Wie und warum gehen sie zu Ende? Wie verlaufen sie? Das Instrumentarium quantitativer sozialwissenschaftlicher Forschung umfaßt dazu: Statistiken, Agressionstheorien, Spieltheorie, Simulation, Bündnis- und Krisentheorien, Theorien des Wettrüstens[67] usw. Gegenstand der Forschung ist dabei das menschliche Einzelwesen mit seinem Verhalten ebenso wie ganze Völker, Großgruppen oder politische Systeme. Konfliktstrategien, Kompromißmodelle und Verhaltensanpassungen bis Konflikterziehung können hier als Lösungswege

---

[64] Darauf hat Werner Ernst hingewiesen: Probleme der Friedensforschung, in: Wiener Jahrb. für Philosophie, Bd. IX/1976, (235-249), 244.

[65] Hanspeter Neuhold, Internationale Konflikte — verbotene und erlaubte Mittel ihrer Austragung, Wien 1977, widmet z. B. den einführenden Abschnitt (1-54) Stand und Notwendigkeit methodenpluralistischer Völkerrechtsbetrachtung.

[66] Zur Konfliktsoziologie vgl. Hans Jürgen Krysmanski, Soziologie des Konflikts, Reinbek bei Hamburg 1971.

[67] Vgl. Michael Nicholson, Konfliktanalyse — Einführung in Probleme und Methoden, Düsseldorf 1973; Wilhelm Kempf, Konfliktlösung und Aggression, Zu den Grundlagen einer psychologischen Friedensforschung, Bonn 1978.

entwickelt werden. Je solider aber die einzelwissenschaftliche Untersuchung vorgeht, desto vorläufiger sind ihre Ergebnisse und desto vorsichtiger wird man ihren praktischen Nutzen beurteilen.

An Gewicht kommt, rein schon durch die Zahl der einschlägigen Untersuchungen, der Soziologie hier der Vorrang zu, gefolgt von der Psychologie (Psychoanalyse) und Biologie (Verhaltensforschung). Die Gewichtung der Ergebnisse, wie sie meist schon die Friedensforschung vornimmt, ist das Problem. Mit Ausnahme der Richtung der Friedensforschung, die wie Johan Galtung ein „transdisziplinäres" Selbst- und Kompetenzverständnis für sich beansprucht, wird doch der jeweilige Forscher vom analytischen Ansatz seiner hauptsächlich betriebenen Wissenschaftdisziplinen an die Fragen herangehen.

Abschließend soll für die Pflege einer sozial-realistischen Richtung der internationalen Ethik methodisch die genügende Kenntnis der Faktenlage ebenso verlangt werden wie die Beachtung der analytischen sozialwissenschaftlichen Forschungen, ohne auf die der Ethik eigene Methode der Vernunfterkenntnis zu verzichten, nämlich der Einsicht aus Gründen in sittliche Normen. Weder ein abstrakt-deduktives Verfahren hätte Aussicht auf allgemeine Anerkennung noch könnte ein handlungsorientierter ethischer Pragmatismus Ordnung in das internationale Kräftespiel bringen. Es wird aber Aufgabe des folgenden allgemeinen Teils der internationalen Ethik sein, die sittlichen Begriffe in ihrer Anwendbarkeit auf die internationale Ordnung grundlegend auszuweisen, bevor an die Detailprobleme herangegangen werden kann.

1.7. Die internationale Ethik als normative Sozialwissenschaft

Die bestehende Ordnung des internationalen Zusammenlebens ist letztlich das Ergebnis handelnder Menschen auf Grund von Einsicht und ist damit sittlichen Gestaltungskräften unterworfen. Die Untersuchung faktischer Normativität in diesem umfassenden Bereich des menschlichen Zusammenlebens durch die Sozialwissenschaften bedarf der Ergänzung durch die ethische Forschung. Die internationale Ethik versteht sich vom Namen her jedenfalls — gleich welcher ethischen Richtung im Ansatz verbunden — als normative Wissenschaft eigener Art. Der in dieser Einführung bezogene naturrechtliche Ansatz und Standpunkt sieht in der empirisch-analytischen Untersuchung eine sozalwissenschaftliche Methode, die erst im Zusammenhang mit der sittlichen Grundwertordnung auch im Bereich der internationalen Beziehungen zu normativen Handlungsaussagen mit Sollensanspruch kommen kann.

Damit hat die internationale Ethik aber eine entscheidende Bedeutung. Ebenso haben die einzelwissenschaftlichen Aussagen zum internationalen Leben eine Offenheit zur ethischen Dimension: sie können als praktische Wissenschaften nicht um die Normfrage herumkommen. Also ist jede internationale Wissenschaft in der Tendenz normativ und bekommt ihren letzten Aussagewert durch ihren Beitrag zur Lösung der internationalen Probleme auf die Ordnung hin im Dienste der Menschen, insofern sie die Weltgesellschaft bilden.

Dieser normative Charakter kommt voll zum Ausdruck, wenn die betreffende Wissenschaft — wie das Völkerrecht — einen sittlich relevanten Begriff zum Gegenstand hat oder aber einem Wertziel schon vom Namen her verbunden ist, wie dem Frieden im Falle der (positiv wertenden) Friedensforschung oder der Friedenserziehung.

Internationale Wissenschaften, die vom Namen her den Frieden als Erkenntnisobjekt ausgeben, müssen sich daher der normativen Befragung unterwerfen, oder sich methodisch auf die Faktenlage beschränken. Etwa müßte dies eine Friedensforschung, die nur Konfliktsoziologie betreibt, als ihr Vorverständnis ausgeben. Zugleich haben solche normativ wirkende internationale Wissenschaften ihren Standpunkt zur Norm im allgemeinen und zum Frieden als Grundwert, also zur Normativität im internationalen Leben auszusagen. Damit kommen wir wiederum um eine Stellungsnahme — zumindest implicite — zur internationalen Ethik nicht herum. Alle internationale Wissenschaft mündet also in die Ethik, weil eben ihre Ansätze im Menschen als soziales Wesen liegen. Schließlich ist der mit Friedensethik bezeichnete Teil der internationalen Ethik und der internationalen Wissenschaften die aus einer Wertsicht ranghöchste wissenschaftliche Disziplin, weil sie Ursachen und Bedingungen des Friedens erforscht und die wissenschaftliche Förderung des Friedens zu ihrem wesentlichen Ziel erhoben hat.

2. Internationale Ethik: Fundament und Prinzipien

Als Wissenschaft von der Sittlichkeit ist Ethik im allgemeinen auf das Tun des Menschen ausgerichtet, sucht es dieses unter die Begriffe von gut und böse zu stellen. Dem Empirismus der neuzeitlichen Ethik war es zuzuschreiben, daß hier die Wahrheitsfrage im Bereich des Ethos immer mehr auf das äußere meßbare Verhalten des Menschen eingeschränkt wurde und das sittlich Gesollte den Charakter und Erkenntniswert einer Norm im allgemeingültigen Sinn verloren hat. Dies geschah zu einer Zeit, wo sich die Zusammenhänge der gesellschaftlichen, wirtschaftlichen und politischen Beziehungen innerhalb der Menschheit fortschreitend mit der kulturellen und technischen Entwickung verdichtet haben zur Schicksalsgemeinschaft der Erdenvölker auf Leben und Tod.

Das Wort vom Wertverfall und Wertverlust, um die Kulturkrise unserer Zeit zu kennzeichnen, nimmt damit den Aspekt des Tragischen für die Menschheit am Vorabend ihres 3. nachchristlichen Jahrtausends an. Zugleich steigt die Chance auf die Rückbesinnung auf die sittlichen Grundwerte als Lebenswerte kommender Zeiten, hat doch das Denken und Hoffen des Menschen einen großen Verbündeten in seiner menschlichen Natur als Person und Mitmensch, in der Orientierung seines Gewissens auf das hin, was er zur menschenwürdigen Gestaltung seines individuellen wie sozialen Lebens braucht.[1]

Es geht im folgenden darum, ob hinter den Ethosformen im internationalen Leben tragfähige Werte für alle stehen und sich auch als praktikabel unter den Herausforderungen der Zeit erweisen. Die Ethik wird wissenschaftlich versuchen, Grundnormen und nähere Prinzipien für die Gestaltung der Weltgesellschaft zu erheben und zu begründen. Diese Prinzipien haben sich dann gegen die Gewalten des im Sozialen oft noch potenzierten Bösen zu bewähren, für das einige bewegende historische Kräfte wider und für den Geist des Guten und der rechten internationalen Ordnung angeführt werden sollen.

---

[1] Zur Lage einer Naturrechtsethik heute, vgl. Rudolf Weiler, Logos und Ethos, in: Alfred Klose, Herbert Schambeck, Rudolf Weiler, Das neue Naturrecht, Berlin 1985, 9-19.

2.1. Das internationale Ethos

Die Frage nach der internationalen Moral hängt mit der Frage nach der Begründung der Moral zusammen. Standards der im internationalen Leben zu beobachtenden und beobachteten sittlichen Verhaltensweisen geben zunächst Auskunft über die gelebten Formen des Verhaltens der Staaten und Völker innerhalb der organisierten Menschheit. Letzter Träger der Moral kann freilich nur jeder bewußt sittlich agierende Mensch sein, insoferne er gemäß seiner Sozialnatur das Verhalten von Großgruppen bestimmt. Die Frage ist also nach der Sozialnatur des Menschen gestellt, wie sie zur Sittlichkeit veranlagt ist. Ist sie aus dem Gewissen und aus dem Geist gewirkt oder Ergebnis eines materiellen Prozesses bzw. eines willkürlichen Vertragsabschlusses? Nach diesen Auffassungen richtet sich die Beurteilung der Möglichkeiten, das internationale Ethos als gelebte internationale sittliche Ordnung zu beeinflussen und zu entwickeln, nämlich auf Grund von Einsicht in sittliche Wahrheit, oder aber mittels pragmatischer oder organisatorischer Maßnahmen das internationale Leben auf vernünftige Ziele im Bereich der Notwendigkeit zu steuern.

Je nach dem grundsätzlichen Menschen- und Gesellschaftsverständnis unterliegt das internationale Ethos der Beurteilung und kann es Gegenstand von sittlichen Anstrengungen selbst sein. Ist dem Ablauf des internationalen Lebens ein Sinnziel unterstellt oder entzieht es sich Wertvorstellungen, je nachdem ergeben sich geschichtsphilosophische Sinnzusammenhänge, oder es werden die Abläufe der Menschheitsgeschichte nur nachträglich systematisch betrachtet.

Nach Max Huber ist Ethos in dreifacher Gestalt denkbar: 1. als geoffenbartes Ethos, gegründet auf die Religion eines Volkes, 2. als philosophisches Ethos, als auf der Vernunft des Menschen begründetes Sollen und 3. als „Ethos der tatsächlichen, historischen Erscheinung, als Resultat voraussetzungsloser Beobachtung des Verhaltens von Menschen und Völkern". Bei letzterem freilich liegt nach ihm kein wirkliches Ethos vor, „da hinter ihm nicht ein im Transzendenten oder in der autonomen Vernunft des Menschen begründetes Sollen" stehe.[2]

2.1.1. Ethosformen der Menschheit

Für die hier vertretene naturrechtliche Richtung der Ethik steht das Verhalten der Staaten als Großgruppen im internationalen Leben unter

[2] Prolegomena und Probleme eines internatinalen Ethos, in: Politik und Ethik, hrsg. von Heinz-Dietrich Wendland, Darmstadt 1969 (352-382), 357.

Normen, deren Geltung jeder Mensch grundsätzlich aus seinem Gewissen heraus erkennen kann. Nun wird selbst nur über die Möglichkeit, zu universal verbindlichen Normen im internationalen Leben zu kommen, schwer ein grundsätzlicher Konsens zu erzielen sein. Dennoch lassen sich für Sittlichkeit im allgemeinen wie für die internationale Sittlichkeit im besonderen gewisse gelebte Verhaltensweisen als Ethosformen nachweisen, die von den Akteuren des internationalen Lebens erlernt und ebenso beeinflußt werden können. Es scheint weder ein „geschlossenes" Ethos das internationale Verhalten der Menschheit zu bestimmen noch der Pluralismus der Ethosformen so „offen" zu sein, daß der Konsens ein Zufallsprodukt wäre. Das Menschheitsethos, das Wolfgang Kluxen in seiner „Ethik des Ethos" anspricht,[3] ist tradierbar ebenso wie erlernbar und nicht rein willkürlich, es ist geschichtsmächtig. Es wächst mit den Herausforderungen der Zeit. Es wird vielfach im internationalen Leben berufen. Man spricht von „Weltgewissen", appelliert insoferne an die „Weltöffentlichkeit". Die Staaten suchen ihr Verhalten zu rechtfertigungen vor ihrer eigenen Bevölkerung wie vor der „Welt".

Für die Grundlegung der folgenden sittlichen Überlegung soll es hier genügen, daß gerade in einem Bereich, wo der Normenpluralismus so offenbar ist wie im internationalen Leben und wo hinter dem Verhalten noch so wenige Sanktionsmöglichkeiten einer Durchsetzung bestehen, dennoch eine sittliche Dynamik steht auf Verhaltensregeln hin, die ein Überleben der Menschheit in Wohlfahrt zum Ziele haben.[4] Allein die Fähigkeit der Menschheit, das internationale Leben zu organisieren und alte wie neu anstehende Probleme zu erkennen und Maßnahmen dagegen zu ergreifen — als Beispiele seien genannt Staaten überschreitender Umweltschutz oder Zusammenarbeit im Weltgesundheitssystem —, zeigen, daß es gemeinsame Anstrengungen im Konsens gibt, die nicht bloß aus technischer Rationalität hervorgehen. Die sittliche Natur derselben wird allein schon aus dem Willen zur Zusammenarbeit deutlich.

Für ein internationales Ethos sprechen folgende Herausforderungen an die Menschheit:

Das Überleben der Menschheit hängt heute bereits von der sittlichen Verantwortung einzelner Menschen ab. Nicht nur einzelne Menschen in politischer Spitzenverantwortung einer Supermacht können durch Knopfdruck eine atomare Weltkatastrophe auslösen, wenn auch noch Kontrollmechanismen dazwischengeschaltet sein mögen, auch genetische Manipulationen können ungeahnte Katastrophen auslösen. Die Menschheit hat mit

---

[3] Freiburg, 1974. Nach Kluxen stellt sich die Frage an die praktische Vernunft, „die Pluralität der Ethosformen in einer Einheit zu sammeln, die sittliche Kommunikation aller personalen Vernunft zu ermöglichen". (49).

[4] Vgl. René Marcic, Mensch, Recht, Kosmos, Wien, 1965.

dem wissenschaftlich-technischen Fortschritt eine Reihe von tödlichen Risiken mitübernehmen müssen, die zu steuern ihr aufgegeben sind, im Vertrauen auf die sittliche Haltung einzelner ihrer Vertreter.

Die Verweigerung des Lebensrechts für einen Teil der Menschheit, wie es die Unterlassung der Hilfe für Hungergebiete der Erde in den Entwicklungszonen sein kann oder auch krasse Ausbeutungserscheinungen darstellen, können zu Spannungen führen und zu einem Holocaust der Menschheit werden. Die Norm der Nächstenliebe hat weltweite Dimensionen angenommen!

Bekannt ist das Argument, daß das Tötungsverbot im Atomzeitalter, zur unbedingten Ächtung des totalen Krieges geworden, eine weitere Überlebensfrage der Menschheit darstellt.

Schließlich ist in der Entwicklung der Erkenntnis der allgemeinen Menschenwürde und der damit verbundenen Menschenrechte eine brisante Dynamik des Rechtsbewußtseins der Menschheit erwiesen, die jede reine Willkürordnung politischer Natur vor das Tribunal eben dieser Menschheit stellt. Zumindest hat der Mensch ein Bewußtsein entwickelt für die Beurteilung politischer Macht, wenn sie zu totalitärer Zwangsgewalt wird.

Der schon zitierte Max Huber sucht das Entstehen des internationalen Ethos besonders im geschichtlichen Rückblick zu erweisen, das dann im Völkerleben und Völkerrecht gestaltende Kraft zu gewinnen habe. Daraus formuliert er „Elemente eines internationalen Ethos" als Ansätze zu ethischen Prinzipien. Er nennt die Vorstellung von Treu und Glauben, betont die Wichtigkeit von Selbstkritik und Gerechtigkeit im Verkehr der Staaten untereinander, die Hauptfrage sieht er in der Gewalt bzw. Gewaltlosigkeit bei den internationalen Beziehungen, behandelt die Solidarität und die Pflicht zur gegenseitigen Hilfe, schließlich den Schritt von den Menschenrechten zu den Völkerrechten.[5]

Dem Aufbruch eines neuen Problembewußtseins in der Menschheit wie ebenso als ihr auslösendes Moment entsprechen immer auch Bewegungen, die aus dem nicht politisch etablierten Bereich in erster Linie kommen. Als solche seien Initiativen der Hilfe an die Dritte Welt genannt, Friedens- und Menschenrechtsbewegungen und Zusammenschlüsse von Wissenschaftern. Ein traditionelles Wächteramt in Krisenzeiten haben „Philosophen und Priester" inne.[6]

Solche Probleme sind nicht nur technischer Natur! Sie sind mit dem Freiheitsrisiko gegeben und mit der geschichtlichen Bedingtheit des Menschen als Gattung, daß es ihn eben nicht geben muß. Um solchen gesell-

---

[5] a.a.O. 359 ff.

[6] Vgl. Rudolf Weiler, Soziale Krise und soziale Erneuerung, in: Wissenschaft und Weltbild 1/1975 (65-73), 65 f.

schaftswirksamen Fehlentwicklungen im organisatorischen ebenso wie im geistigen Bereich, im Bereich verfehlter Institutionen wie im Bereich zerstörerischer Ideologien zu entgehen, bedarf der Mensch und die Menschheit Ordnungsnormen, die funktionsfähig ebenso wie einsichtig sind und daher auch befolgt werden, die also sittlich-rechtlicher Natur sind.

Diese sittlich-rechtliche Dynamik des internationalen Ethos hat einen wichtigen Verbündeten, nämlich das Interesse des Menschen selbst an der Leistungsfähigkeit solcher Normen. Sozialethische Normen drücken wohlverstandene Eigeninteressen der Menschen aus und ihre Befolgung ist daher auch, zwar dem freien Willen als der menschlichen Natur entsprechend, der reinen Willkür entzogen, will der Mensch überleben und gut leben, hier als sinnvoll leben auch verstanden.

Von daher kann der Mensch auch nach Sinnzielen der Menschheitsentwicklung fragen. Solches ist nur unter der Annahme möglich, daß der Mensch am Gang der Geschichte wesentlich mitbeteiligt ist. Sinnzusammenhang der Geschichte und sittliche Idee in und mit der Weltgeschichte gehören zusammen. Das hat nicht zuletzt Hegels geschichtsphilosophisches Denken erwiesen. Im Anschluß an ihn weist auch die materialistische Geschichtsauffassung von Marx und Engels auf ein Sinnziel der Geschichte hin, das im schon von Engels apostrophierten Vulgärmarxismus zu einseitig ökonomisch interpretiert wird. Insoferne hat diese Geschichtsphilosophie, wonach der Mensch seine Geschichte, unter materialistischen Voraussetzungen zwar, aber selbst mache,[7] ihre Faszination selbst auf neue Theologien ausgeübt, wie z. B. auf die Befreiungstheologie eines Gustavo Gutierrez,[8] nach der Geschichte im Zusammenhang mit dem christlichen Erlösungsgedanken als Befreiungsprozeß verstanden wird.

Christopher Dawson hat den Zusammenhang von Christentum und Marxismus in ihrer Auffassung von Geschichte schon herausgearbeitet. Beide hätten die Wirklichkeit des Tages und die Zukunft in einem Blick: „Denn der Christ hat, ebenso wie der Marxist, eine geschichtliche Auffassung und kennt, wenn auch nur dunkel, das Ziel, dem sich die Welt zubewegt."[9] Und Dawson leitet aus einer solchen Zielstrebigkeit der Geschichte den Hinweis ab, daß dahinter eine Ordnungsidee stünde, die der Welt eine geistige Einheit schaffe, aus deren Geistesmacht Rettung käme. Für ihn ist diese Macht, deren Heraufkunft er in dieser Weltstunde beruft, die Religion. Tatsächlich stehen auch heute zwei Ordnungs- und Einheitsideen innerhalb

---

[7] Siehe Engels an Joseph Broch, 21./22. September 1890, Werke Bd. 37, 463-465: „Die ökonomische Lage ist die Basis, aber die verschiedenen Momente des Überbaus... üben auch ihre Einwirkungen auf den Verlauf der geschichtlichen Kämpfe aus und bestimmen in vielen Fällen vorwiegend deren Form." (463).

[8] Theologie der Befreiung, München [5]1980.

[9] Die Revolution der Weltgeschichte, Wien 1960, 105.

der Menschheit in Konkurrenz, die christliche und die marxistische, wobei die letztere durchaus ein säkularistischer Abkömmling der jüdisch-christlichen Tradition des Abendlandes ist. Im folgenden soll daher dem internationalen Ethos als Einheits- und Ordnungsidee am Beispiel des christlichen und des marxistischen Internationalismus nachgegangen werden.

Dabei entsteht vorweg ein methodisches Problem, das die beiden Positionen beim Herangehen an die Deutung von Geschichte schwer vergleichbar macht. Zwei Traditionen stehen im abendländischen philosophischen Denken von Geschichte einander gegenüber: erstens die aristotelisch-thomistische Sicht von Geschichte, deren Gegenwart vor allem durch die Vergangenheit bestimmt ist, bei der in ontologischer Sicht und Methode die Entwicklung der Dinge auf ihre Zukunft hin von einem inneren Frieden durchwaltet ist, weil sie mit ihrem Sein identisch sind und Einheit ein Zeichen des Friedens ist.[10] So ist der Friede ontologisch auch in Einheit begründet, „unitas" eine geschichtsphilosophische Kraft und wirkt die Geschichte auf diese Einheit hin. Mit Hegel hat zweitens die Methode der Dialektik den Vorrang, die Erklärung der Gegenwart aus der Zukunft, auf die hin die Dialektik der Gegensätze wirkt. So bestimmt der Kampf, nach Heraklit Vater aller Dinge, eben auch — anders als Friede, Ordnung, Einheit —die Gegenwart.

Diese methodische Verschiedenheit in der Geschichtsauffassung trifft sich mit dem Problem der inhaltlichen Bestimmung des Humanum als Leitbegriff über den Sinn der Geschichte und der Zukunft. Beide Ebenen müssen vor Absolutsetzungen bewahrt werden und für einen Konsens offen gehalten werden. Nicht die absolute Dialektik, nicht die volle Einheit, nicht die absolute Zukunft, nicht die Identität mit der vollen Wahrheit gilt es zu behaupten, sondern die Sicht der jeweiligen Position, ohne den Ausschluß des Anderen, gilt es zu bewahren. Die Einheit der Menschheit ist eine dialogische, ist im Dialog zu erringen, wie es Leo Gabriel nennt, „im Dialog der Positionen".[11] Oder wie Alfred North Whitehead es nennt: es gibt keine Möglichkeit eines adäquaten philosophischen Systems. Daraus leitet er die Pflicht zur Toleranz ab als einen „Tribut des Endlichen", während er die Intoleranz als das „chronische Laster der moralischen Inbrunst" bezeichnet.[12] Damit kann auch die Dimension des religiösen Glaubens und der christlichen Offenbarung in den Geschichtssinn eingebracht werden und auf dieser Ebene die absolute Zukunft im christologischen Bezug, ohne den Atheisten und Agnostiker und seine Mitverantwortung an Geschichte und Weg der Menschheit auszuschließen. Tatsächlich hat der internationale

[10] Vgl. Bernhard Lakebrink, Klassische Metaphysik, Freie Auseinandersetzung mit der existentiellen Anthropozentrik, Freiburg i. Br. 1967, 260.

[11] Vgl. 1. Teil, Anm. 45.

[12] Abenteuer der Ideen, Frankfurt a. M. 1971, 147 ff.

Gedanke sich zu politisch-weltanschaulichen Größen verdichtet und so dem internationalen Ethos als Internationalismus verschiedentlich Gestalt verliehen von mehr inspirativem Gewicht bis zu konkreten politischen Unternehmungen.

Zum Begriff des Internationalismus ist zunächst geschichtlich festzuhalten, daß er Mitte des 19. Jahrhunderts an die Stelle des Kosmopolitismus getreten ist. Damals bezeichnete er alle geistesgeschichtlichen Bewegungen, welche die nationalen Kulturen und nationalstaatlichen Zusammenschlüsse gemäß dem nationalistischen Zeitgeist zu überwinden suchten. Man kann etwa unterscheiden in einen humanitären, pazifistischen, wirtschaftlichen, sozialreformerischen und einen sozialrevolutionären oder proletarischen Internationalismus. Dementsprechende Bewegungen entstanden auch in der Folge.

Insoferne als es internationale integrative Bestrebungen zum Zwecke übergreifender Zusammenarbeit auf allen Ebenen der menschlichen Kooperation in Verbindung mit Ideen von allgemeiner Menschlichkeit seit dem Bestehen der menschlichen Zivilisation gibt, kann man auch von einem Internationalismus in einem weiteren Sinn und nicht nur als modernes Phänomen sprechen.[13] Andererseits wird es sich auch um einen Sammelbegriff bestimmter Internationalismen handeln, für die sich die Wahrheitsfrage erheben läßt. Zwei Ausprägungen des internationalistischen Gedankens sollen im folgenden exemplarisch für internationale Ethosformen dienen, der christliche und der marxistische Internationalismus.

2.1.2. Der christliche internationale Gedanke[14]

Die christlich-abendländische Idee von der einen Menschheit hat ihre Wurzeln sowohl in der Offenbarung des Alten und Neuen Testaments als auch im Erbe der Antike.

1. Der Ausgangspunkt — die christliche Botschaft und das Erbe der Antike:

Die Offenbarung des Alten und des Neuen Bundes sieht den Einzelmenschen in eine universale Solidarität verflochten, sowohl in horizontaler Verbundenheit als in der Vertikale des geschichtlichen Ablaufes durch das allgemeine Heil, das Gott in Jesus Christus anbietet. Alle, die mit ihm

[13] Vgl. Miklós Molnár, Internationalismus, in: Sowjetsystem und demokratische Gesellschaft, Bd. 3, Freiburg i. Br., 1969 (265-291).

[14] Der Verfasser verweist auf seine frühere Publikation zu diesem Thema unter dem Titel Christlicher und marxistischer Internationalismus, in: Unterwegs zum Frieden, 235-259.

solidarisch werden, erben das Heil. Im Alten Bund steht noch die „Abstammung" im Vordergrund, im Neuen Bund wird jeder Sünder durch den Glauben zum neuen Leben in Christus berufen. Die Kirche setzt die Sendung Jesu fort zur Auferbauung des einen Leibes Christi (vgl. Eph 4, 12) durch die Taufe, gleich ob Juden oder Heiden, Sklaven oder Freie (vgl. Kor 12, 13 Gal 3, 28).[15]

In der Bibel ist schon in der Genesis die theologische Anthropologie grundgelegt: der Mensch als Imago Dei, Ebenbild Gottes (Gen 1,26 f u. 9,6). In der Folge hat das Neue Testament die Gnade der Berufung zur Kindschaft Gottes im universellen Sinn auch verstanden: alle, die den Willen Gottes erfüllen, sind Söhne Gottes (Röm 8,14 ff. Gal 4,6); alle Menschen aber untereinander sind Brüder (1 Jo 3,10 ff. Gal 3,26 ff.).

Die griechische Antike hat insoferne einen zukunftsträchtigen Beitrag zur Erkenntnis der Einheit der Menschen geleistet, als sie in einer philosophisch-ethischen Anthropologie einen Wesensbegriff des Menschen herausgearbeitet hat und keinen bloßen Durchschnittsbegriff. Freilich war der große Bruch hier die Verweigerung der Teilhabe dieses Menschseins an die Sklaven und Barbaren. Staatenbildung, Herrschaft im politischen Sinn begrenzt daher z. B. Aristoteles auf die freien Griechen.[16] Eine die Polis überschreitende politische Gemeinschaft der Menschen ins Universale hinein kennt er selbst für die Freien nicht. Die Idee der einen Menschheit blieb eine philosophische, auch als die Stoa erstmals vom „Weltstaat" sprach. Doch ist dieser nach Alfred Verdroß[17] „ein rein geistiges Reich ohne jedwede politische Gestalt, soweit es nicht mit dem Imperium Romanum identifiziert wird".

Diese Identifikation allerdings bahnt sich mit der römischen Reichsideologie schon früh an. Bereits Cicero hat das aristotelische Denken weitergeführt und als ein besonderes Merkmal des Staates das Recht herausgearbeitet, durch das er zur Gemeinschaft verbunden ist.[18] Gerade die umfassende Rechtsgemeinschaft der Völker um das Mittelmeer war später auch für die Entwicklung der christlichen Reichsideologie, als die die Christenheit umspannende politische Idee, von entscheidendem Einfluß. War bei Cicero noch eher die stoische Idee vom Recht und seiner Bezogenheit zur Universalität als Teilhabe an der kosmischen Ordnung apolitisch gefaßt, finden sich bei Augustinus erste konkrete Hinweise auf eine Staatenfamilie. Bis dahin hat die christliche Imago-Dei-Lehre und die Idee der Brüderlichkeit aller Menschen keine politische Ausformung gefunden. Dies ist insoferne auch bedauerlich, da das Christentum von seiner biblischen Botschaft her im Gegensatz zu allen antiken Religionen universal und international, nämlich

[15] Vgl. z. B. H. Haag, Bibel-Lexikon, Einsiedeln 1968, Art. Mensch, 1124-1128.

[16] Vgl. Politik, I, 2.

[17] Abendländische Rechtsphilosophie, Wien ^{2}1963, 48.

[18] Vgl. De civitate VI, 13.

an keinen Staat, an keine spezifische Kultur gebunden, und daher von Haus aus auch mobil und „weltstädtisch" war.[19]

2. *Die geschichtliche Entwicklung der christlichen Lehre über die Völkergemeinschaft:*

Von überragender Bedeutung erscheint auch hier einmal mehr der hl. Augustinus. Er knüpft an Cicero an und wird in seinem „Gottesstaat" nicht nur zum ersten politisch konkreten Kritiker des römischen Imperalismus und seiner Eroberungskriege,[20] sondern hält es für die internationale Ordnung besser, wenn zahlreiche kleine Staaten (regna plurima gentium) bestünden, die in friedlicher Nachbarschaft nebeneinander lebten.[21] Er argumentiert, daß es drei Stufen menschlicher Gemeinschaft gibt: das Haus, den Staat und den Erdkreis.[22] Die Vielheit der Staaten aber lebt, der menschlichen Völkergemeinschaft eingegliedert, in einer Rechtsgemeinschaft, deren Einhaltung mit dem Ziel, den Frieden auch zu erzwingen, der einzige Rechtsgrund des Krieges (bellum iustum) ist. Alfred Verdroß bemerkt zu diesen Gedanken: „Beim hl. Augustinus finden wir . . . den ersten Ansatz einer christlichen Völkerrechtslehre."[23]

Anders als Augustinus entwickelt Thomas v. A. die christliche Staatslehre von der aristotelischen Lehre von der societas perfecta her und kennt daher anscheinend keine Dynamik hin auf eine politisch-universale Gemeinschaft der Völker und ein Weltgemeinwohl.[24] An der theologisch begründeten Einheit des Menschengeschlechts freilich (Abstammung, Erbsünde) hält er fest wie er ebenso, aus der Verfaßtheit des Menschen als animal sociale, die wesenhaft gleiche Würde aller Menschen betont.[25] Im dem damaligen Mittelalter bekannten Orbis der christlichen Völker wirkt die Einheitsidee des Sacrum Imperium und der beiden höchsten Gewalten, kommt es zum Potestas-Streit und zum supranationalen Machtanspruch der Kirche, d. i. der päpstlichen Gewalt. Doch schon auf dem Höhepunkt kirchlicher Suprematie, mit dem 14. Jh., setzt der Gegentrend zum Nationalstaat und damit zur neu sich bildenden Souveränitätsidee ein.[26] Diese mittelalterliche politisch

---

[19] Vgl. Hans Paul Bahrdt, Wege zur Soziologie, München 1966, 52f.

[20] De civitate Dei XIX, c. 5.

[21] IV, c. 15.

[22] XIX, c. 5.

[23] Abendländische Rechtsphilosophie, 67.

[24] S.th. I, II, 90, 2c.

[25] I, 96, 3 und 4.

[26] Vgl. Jean Gaudemet, Le rôle de la papauté dans le règlement des conflits entre états aux XIIIe et XIVe siècles, in: La Paix II, Bruxelles 1961, 79-106.

wirksame Reichsideologie führt z. B. zur interessanten Erscheinung der Schiedsgerichtsfunktion des Papsttums als eines Vorläufers moderner Schiedsgerichte. Sie wirkt de facto der Auflösung in absolut souveräne (nationale) Staaten entgegen. Sie hat ihre Ausläufer bis in das Staatsdenken Leo XIII. (Immortale Dei, 1885), das noch an der Societas-perfecta-Lehre für Kirche und Staat festhält im Sinne zweier höchster Gewalten und das die Einheit des christlichen Europa beschwört, indem es im Glauben das Bindemittel der Staaten sieht. Ein unmittelbar politischer Auftrag der Kirche wird von ihm aber endgültig aufgegeben und die Entwicklung zur Trennung von Kirche und Staat freigegeben.

Schon in der umfassenden Reichsideologie des Mittelalters ist aber verdeckt noch ein anderer Internationalismus lebendig[27] als ein unmittelbar politisch-kirchlicher oder ein rein unpolitisch kosmischer: die Idee der (sozialen) Gerechtigkeit und der Menschenwürde im Lichte der christlichen Offenbarung, ihre Ausformung in einer gesellschaftlichen Freiheitsordnung der Menschenrechte und der Freiheit von Not und Krieg bis zur universalen Völker- und Staatenfamilie.[28]

Nach Augustin bricht die politisch wirksame Kraft der christlichen Lehre vom Menschen als Imago Dei und der Implikationen seines Sozialseins aus seiner Brüderlichkeit im Denken des christlichen Humanismus zur Zeit der Renaissance (Pico della Mirandola, Thomas More, Tommaso Campanella, Erasmus v. Rotterdam) durch wie ebenso in der spanischen Spätscholastik, die konkret den meisten Einfluß auch auf die Entstehung des modernen Völkerrechts gewann. Bei letzterer war entscheidend, daß mit der Entdeckung der Neuen Welt das alte Imperium Sacrum an seinen Grenzen nicht nur den Kampf und den „gerechten" Krieg um die heiligen Stätten gegen die heidnischen Mauren und Mohammedaner führte,[29] sondern neue heidnische Reiche und Völker in den Blick traten.

---

[27] Joseph Höffner, Christentum und Menschenwürde, Das Anliegen der spanischen Kolonialethik im goldenen Zeitalter, Trier 1947, 15 ff., spricht von einem Universalismus und einem „Zug ins Universale", der trotz der imperialen, von Rom überkommenen Ideologie und seiner Identifikation von Reich und Kirche — man könnte wohl von einem christlichen Imperialismus sprechen! — auf die gesamte Menschheit hin lebendig war. Das Konzept von Dantes Monarchie, der Traum vom universalen orbis christianus in einer Universalmonarchie, hätte an sich historisch auch Wirklichkeit werden können. Vgl. a.a.O., 24 und 36.

[28] Einen ideengeschichtlichen Aufriß, der in diese Richtung auch drängt, gibt James J. Shotwell, The Long Way to Freedom, New York 1960.

[29] Innerhalb des Orbis Christianus, so war die Erkenntnis zumindest theoretisch im Mittelalter durchgebrochen, konnte es keinen „gerechten" Krieg mehr geben. Nur mehr gegen Heidevölker wurde ein Kriegstitel als gerecht angesehen und bestand noch volles Kriegsrecht, wenn sie sich der christlichen Mission widersetzen sollten. Darauf verwies bes. schon Joseph Höffner, 52 ff.

Der Anbruch der Neuzeit und die Probleme der Kolonisation der Neuen Welt hatten dann auch einen „Aufbruch des christlichen Gewissens" in internationalen Fragen, näherhin der Kolonialethik zur Folge. In der Praxis waren die Dominikanermissionare in Mittelamerika hier voran, der Niederschlag ihres Erfolges eine erste (koloniale) Sozialpolitik und die rechtliche Gleichstellung der Indios mit den spanischen Siedlern.[30]

Theoretisch verarbeiteten die neue Entwicklung vor allem Francisco de Vitoria und Francisco Suárez. Die Ablehnung der direkten Herrschaftsgewalt der Päpste im Orbis Christianorum machte es auch möglich, der Lehre von der päpstlichen Weltherrschaft überhaupt entgegenzutreten. Nach der *natur*rechtlich begründeten *Volks*souveränität sind ja heidnische Staaten ebenso rechtmäßig und souverän wie die der Christen. Diese Konsequenz basiert durchaus auf der Tradition einer naturrechtlichen Sozial- und Staatsphilosophie seit Thomas v. A. und ist eine jetzt reif gewordene Frucht von ihr.[31]

An die Stelle eines theokratisch begründeten christlichen Weltstaates[32] und imperialen Universalismus tritt als einigendes Band die verbindliche Herrschaft des Rechts im Sinne oberster Rechtssätze für alle Staaten, ob der Christen oder der Heiden. Damit ist sofort wieder die Souveränität der Staaten beschränkt und nach oben relativiert, aber nicht erst durch die Konzeption eines Weltstaates unter einem bestimmten Souverän. Das ius gentium wird weiters folgerichtig nach seiner naturrechtlichen Begründung auch zum ius inter gentes,[33] als solches wird es auch geschriebenes Recht und begründet in diesem Sinne „una res publica" der Menschheit.[34] Antonio Truyol y Serra spricht von einem „universalisme de structure pluraliste".[35] Die universale Gemeinschaft des Menschengeschlechts konstituiert über die Verbundenheit der in Staaten organisierten Völker eine einzige politi-

[30] Dies durch die „Neuen Gesetze" Karl V. vom 20. XI. 1542, nachdem schon vorher Paul III. 1537 über alle, die den Indianern Freiheit und Eigentum nähmen, den Kirchenbann verhängt hatte. Zit. bei Joseph Höffner, 154 f.

[31] Vgl. S.th. II II, 10, 10 c. Ausführliche Besprechung bei Joseph Höffner, 50.

[32] Die politische Brisanz der Lehre eines Francisco de Vitoria z. B. wird deutlich, wenn Kaiser Karl V. in Salamanca wegen der dort an der Universität erhobenen Zweifel an der Rechtsmäßigkeit seiner Ansprüche auf Amerika in einem scharfen Brief intervenierte! Abgedruckt bei Joseph Höffner, 223 f.

[33] A. Verdroß, Abendländische Rechtsphilosophie, 93: „Das Hauptverdienst Vitorias besteht darin, daß er mit dem schon von der Stoa verkündeten Gedanken der moralisch-rechtlichen Einheit der Welt ernst macht, daß für ihn die ganze Welt (totus orbis) eine umfassende Rechtsgemeinschaft bildet, die aber nicht mehr — wie bei der Stoa — als eine bloße Idee, sondern als eine durch das Naturrecht verbundene Gemeinschaft betrachtet wird. Dieses, die Beziehungen aller Völker untereinander regelnde Recht nennt Vitoria erstmalig jus inter gentes."

[34] De potestate civicli (Getino II, 207), 21.

[35] La Conception de la Paix chez Vitoria, in: La Paix II, (241-273), 257.

sche Wesenheit, die wiederum nicht einfach ein Produkt menschlichen Willkürwillens ist, sondern „in einer Realität begründet ist gemäß der Natur des Menschen".[36]

Ganz klar artikuliert diese so im Völkerrecht nun begründete Einheit der gesamten Staatenfamilie Francisco Suárez, der auch als erster ausdrücklich vom Gemeinwohl der Menschheit[37] spricht. Dieses Wohl zu erreichen erfordere, daß die Staaten untereinander in Gerechtigkeit und Frieden lebten. Das Gemeinwohl der Menschheit konstituiert also, an Stelle einer direkten Potestas von Papst oder Kaiser, als Ausdruck der „universalitas hominum",[38] eine gewisse Einheit (aliqua unitas) der Staaten spezifisch eigener Art, nämlich in einem politischen und moralischen Sinn (politica et moralis).[39] Ausdruck für diese so gesehene Einheit ist der Teil des ius gentium, der nun ausdrücklich für den zwischenstaatlichen Rechtskreis als verbindlich entwickelt von Suárez erkannt wird, also das „Völkerrecht".

Schon Francisco de Vitoria hatte bestimmte Rechtsinhalte dieser Art aber formuliert: das Einwanderungs- und Siedlungsrecht; die erste Fremdenrechtstheorie; die Freiheit des Handels, da die Staatengemeinschaft eine natürliche Verkehrs- und Handelsgemeinschaft darstellt; fließendes Wasser, das Meer und die Häfen seien allen Völkern gemeinsam.[40] In der Dynamik eines solcher Art aus dem Naturrecht gefolgerten Weltgemeinwohls und seiner Erfordernisse ist aber auch über den erkannten Fragestand von damals jede weitere völkerrechtliche Entwicklung im Sinne des Naturrechts einbeschlossen, auch die moderne Entwicklung internationaler Organisationen und weltweiter Zusammenschlüsse wie heute die OVN. Schon Suárez hat auch auf die Möglichkeit der Organisation der Staatengemeinschaft hingewiesen und es an anderer Stelle als offenbaren Mangel bezeichnet, daß die Zustände noch so unvollkommen wären, „daß die Streitigkeiten zwischen den Souveränen nicht anders als durch Krieg entschieden werden können, daß das der Vernunft und dem Gemeinwohl der Menschheit und daher auch der Gerechtigkeit widersprechen würde".[41]

Nach dem Zerfall der Einheit des Abendlandes in der Reformation und der Glaubenskrise im Geiste der Aufklärung wurde diese große Leistung christlicher Naturrechtslehre durch nahezu drei Jahrhunderte — so Alfred Verdroß

---

36 a.a.O., 265.

37 De legibus III c. 20 n. 8: „bonum commune omnium nationum"; De bello Tract. Tertius Disp. XIII sect. 6 n. 5: „bonum commune generis humani". Die Texte von Francisco de Vitoria und der Schule von Salamanca sind leicht zugänglich gemacht im Corpus Hispanorum de Pace, 25 Bde., Madrid, 1963 ff.

38 De legibus III c. 2 n. 6.

39 II c. 19 n. 9.

40 De Indis III 1-2. Vgl. Joseph Höffner, 236 ff. und A. Verdroß, Abendländische Rechtsphilosophie, 93 ff.

41 A. Verdroß, a.a.O. 98 (mit Belegstellen).

— in den Hintergrund gedrängt und erwachte erst gegen Ende des 19. Jhs. „allmählich wieder zu neuem Leben".[42] Als es besonders unter Leo XIII. zu einer Erneuerung der Sozialphilosophie nach der aristotelisch-thomistischen Tradition kam und zur Ausbildung einer kath. Soziallehre, findet sich zunächst noch öfter ein romantischer Rückblick auf die Zeit, wo das „heilige Band der Eintracht" die christlichen Völker des Abendlandes untereinander verband und die Päpste sich als Bollwerk erwiesen, „das die menschliche Gesellschaft vor dem Zurückgleiten in Aberglaube und Wildheit bewahrte".[43] Das Elend der Zeit, Mangel an Gerechtigkeit und Frieden unter den Völkern sei im Verlassen der Lehre Christi gelegen und im Ungehorsam gegen die Kirche. Leo XIII. erwähnt auch noch lobend die Gründung des Sacrum Imperium durch die Päpste als Einrichtung der Staatengesellschaft.[44] Noch unter Leo XIII. setzten aber auch, von ihm vorausschauend gefördert (Graves de Communi, 1904), ausgehend von der Arbeiterfrage und vom Kampf gegen den Sozialismus, parallel in den verschiedenen katholischen Ländern Volksbewegungen ein mit dem Ziel christlicher Sozialreform oder des politischen christ-demokratischen Engagements.

In der Lehre erneuert Leo XIII. die aristotelisch-thomistische Auffassung vom Staat als societas perfecta und nimmt die entsprechende oberste geistliche Gewalt für die Kirche in ihrer Sorge für das Menschengeschlecht voll in Anspruch. Über das Zusammenwirken der Staaten als Träger oberster weltlicher Gewalt fehlt aber jede Aussage.[45] Abgesehen vom praktischen Wirken der Päpste in der Friedensfrage zur Zeit des ersten Weltkrieges kommt es innerhalb der Kirche erst sehr spät zu Konsequenzen aus dem vorhandenen Gedankengut eines christlichen Universalismus. Interessanterweise fehlt auch dieser Hinweis in der Auseinandersetzung mit dem Sozialismus oder dem Freimaurertum. Nach dem ersten Aufbruch im Spanien des Kolonisationszeitalters war als Voraussetzung dafür auch im christlichen Bewußtsein die Erkenntnis notwendig, *„das der kulturelle, wirtschaftliche und soziale Fortschritt aller Nationen von ihrer Kooperation abhänge"*.[46] Wohl erstmals in der Enzyklika Quadragesimo anno, über die gesellschaftliche Ordnung, weitet sich daher im Zusammenhang der wirtschaftlichen Kooperation der Völker, in deren gesellschaftlichem Zusammenleben soziale Gerechtigkeit und soziale Liebe walten sollten (Nr. 88), der Blick auf entsprechende internationale Vereinbarungen und Organisationen (Nr. 89).

Schon vorher hat in der Praxis des Vereinskatholizismus unter einer gewissen Protektion der vatikanischen Diplomatie des Staatssekretariats eine Welle der Gründung katholischer internationaler Organisationen ein-

---

[42] a.a.O., 99.

[43] Leo XIII., Inscrutabili Dei Concilio (1978) Nr. 7.

[44] Vgl. Diuturnum illud (1881) Nr. 27.

[45] Vgl. Immortale Dei (1885) Nr. 24.

[46] Johannes Messner, Das Naturrecht, Berlin [7]1985, 666.

gesetzt, allerdings von einem starken katholischen Integralismus geprägt. Man sprach von einer „Schwarzen Internationale“[47] oder auch von einer „Weißen“, wenn die kath. Arbeitervereine gemeint waren.[48] 1923 kam es zum internationalen Zusammenschluß letzterer. Bereits 1920 gründeten die christlichen Gewerkschaften ein internationales Büro. Damals gründeten auch die kath. Sportverbände einen internationalen Verband. Im Wesentlichen waren zunächst alle aber auf Europa beschränkt. Die Entstehung der Katholischen Aktion brachte eine weitere Welle internationaler katholischer Gremien und Kongresse, die sich parallel mit der Zunahme an Bedeutung und Einfluß anderer internationaler Organisationen und Kommissionen, im Zusammenhang vor allem mit dem Völkerbund und später den Vereinten Nationen, verstärkte. Ein weiterer Ansatzpunkt ist die internationale Zusammenarbeit und Koordination in Verbindung mit Entwicklungshilfe und Caritas. Die durch das Vaticanum II gestärkte Stellung der internationalen Bischofskonferenzen erleichtert die internationale Beweglichkeit der Kirche und ihrer jeweiligen entsprechenden nationalen Organisationen oder Referate.

Die entscheidende Wende zu einem vertieften Verständnis der Möglichkeiten und Notwendigkeiten internationaler Zusammenarbeit in der Kirche hat Pius XII. gebracht.[49] Schon im Krieg, im Jahre 1942,[50] betont er den Zusammenhang zwischen der Sicherung des Friedens und einer katholischen internationalen Gesinnung. Der *eine* Glaube der Kirche sei das mächtigste Mittel, die Schäden des Krieges zu heilen, die Völker zu versöhnen und zu befrieden, führt er später aus. Vor der sehr empfohlenen Mitarbeit der Christen in internationalen Organisationen betont er die Pflege dieser internationalen Gesinnung aus katholischem Glauben heraus.[51] An anderer Stelle[52] geht er den Ursachen dieser neuen Aktualität internationaler Zusammenarbeit nach, die er in den tiefgreifenden Umformungen seiner Zeit findet, aber ebenso letztlich grundgelegt in der Natur des Menschen, nämlich in der Verwirklichung einer gemeinsamen Aufgabe der Menschen. Davor könnten sich die Völker nicht mehr abschließen, die neue Interdependenz des Lebens aller Völker wirke sich auch in internationalen Strömungen aus. Die Internationalität freilich der Kirche sieht Pius XII. als von unten,

---

[47] Vgl. Staatslexikon Bd. 2, Freiburg i. Br. [5]1927, 1552.

[48] Vgl. a.a.O., 1510.

[49] Vgl. Henri de Riedmatten, Die Völkergemeinschaft, Köln 1969, 10 ff. Über die Entwicklung der Politik der Kirche unter Pius XII. und Johannes XXIII. vgl. besonders W. A. Purdy, Die Politik der katholischen Kirche, Gütersloh, 1967.

[50] Vgl. Acta Apostolicae Sedis (1942), 142.

[51] Brief über die Bedeutung der katholischen internationalen Organisationen vom 8. 4. 1957, Utz-Groner, Soziale Summe Pius XII., Bd. III, 6473.

[52] VII. Internationaler Kongreß kath. Ärzte (1956), Utz-Groner, 5391.

vom Menschen her begründet, aus der Freundschaft, die alle verbindet — hier zitiert er Thomas v. A.[53] — im Gegensatz zum modernen Imperialismus, der nicht auf den Menschen an sich seine Bestrebungen richte, sondern auf die Dinge und Kräfte, denen er dann den Menschen dienstbar mache.[54]

Johannes XXIII. hat in seiner Sozialenzyklika Mater et Magistra erstmals ausführlicher unter dem Aspekt sozialer Gerechtigkeit als *das* internationale Problem die Tatsache behandelt, daß es wohlhabende Völker gibt und solche, die in „bitterer Not" leben (Nr. 157). Nachdem er Wege der Soforthilfe und weiterer Entwicklungshilfe besprochen hatte und dabei die Rolle internationaler Institutionen, kommt er aber zu einer ganz allgemeinen Schlußfolgerung mit dem Ziel, „alle Staaten zu einer Gemeinschaft zu verbinden, deren einzelne Glieder im Bewußtsein ihrer Rechte und Pflichten übereinstimmend zur Wohlfahrt aller beitragen." (Nr. 174) Nochmals kommt er später auf die Notwendigkeit zu sprechen, weltweit „Einvernehmen und Zusammenarbeit" zu pflegen (Nr. 200-204). Sein Rundschreiben Pacem in terris ist schließlich für unser Thema das wichtigste Dokument. Das natürliche Sittengesetz gilt auch für die Beziehungen zwischen den Staaten (Nr. 80), jeder christliche Imperialismus ist hier aufgegeben. In der Ordnung des Gemeinwohls wird das „universale Gemeinwohl" (Nr. 100) zum Anlaß genommen, zu seiner Wahrung im Dienste des Wohles der Staaten der Menschheitsfamilie selbst wieder nicht nur einander nicht zu schaden, sondern sich zusammenzuschließen und zusammenzuarbeiten. Demnach sieht auch Johannes XXIII. in der Ordnung der Schöpfung und Erlösung als letztes Ziel, daß alle Menschen eine einzige „christliche Familie" bilden (Nr. 121), folgert aber daraus nur die Mahnung zur gegenseitigen Hilfe (Nr. 120).

Den Gedanken aber, aus der theologischen Sicht von der menschlichen Gesellschaft und ihrer Universalität nicht unmittelbar politische Ansprüche zu folgern, sondern die Kirche hier auch als *Dienst* an der Gesinnung anzubieten, hat das Vaticanum II. dann weiter ausgeführt. Die Hilfe- und Dienststellung der Kirche sowohl in der Erkenntnis der „Einheit der menschlichen Familie" aus dem Glaubensgut von der „Einheit der Familie der Kinder Gottes"[55] als auch der neue, indirekte politische Auftrag der Kirche werden vom Konzil neu eingeschärft.[56] Von der klar gewordenen Erkenntnis der Einheit der „gesamten Menschheitsfamilie"[57] ausgehend befaßt sich das

---

53 S.th. I II, 22, 2.

54 Ansprache an das Heilige Kollegium, 20. 2. 1946, Utz-Groner, Bd. II, 4088 ff. Weitere wichtige Hinweise Pius XII., vgl. Utz-Groner Bd. I, 52 ff., Bd. II, 3294, 4143 ff., 4198 ff., 6446.

55 Gaudium et spes Nr. 42, Lumen gentium Nr. 9.

56 Vgl. Gaudium et spes Nr. 42 und 76.

57 a.a.O., Nr. 77.

Konzil in einer lange verabredeten Aussage mit dem Wesen des Friedens und der Vermeidung des Krieges.[58] Dem Aufbau der internationalen Gemeinschaft werden allgemeine und praktische Ausführungen gewidmet.[59]

Paul VI. hat diese Akzente mutig verstärkt. Er hat die erstmals von Johannes XXIII. erhobene entschiedene Forderung nach einer „universalen politischen Gewalt"[60] in einer nuancierten Form[61] sowohl in seiner Rede vor den VN im Herbst 1965 als auch in der Enzyklika Populorum Progressio (im gleichen Wortlaut)[62] fortgesetzt. De facto hat Paul VI. aber vor allem in Wort und Geste[63] sich bemüht, die bestehenden internationalen Organisationen und vor allem die VN zu unterstützen.[64]

Gemäß dieser Tendenz hat sich die praktische internationale Aktivität des Hl. Stuhls und der katholischen internationalen Organisationen in der gleichen Zeit weiter verstärkt. Im allgemeinen betrifft das den starken Akzent, den der Papst auf die solidarische Entwicklung der Menschheit durch den Appell zur Entwicklungshilfe gesetzt hat,[65] im besonderen sein ständiges Bemühen (man denke an seine Reisen oder an die von Paul VI. eingeführte jährliche Feier des Friedenstages am 1. Jänner)[66] im Dienste der Friedenserhaltung zur Weckung und Erziehung des Weltgewissens zum Frieden. Die notwendige Solidarität der Völker in dieser Welt sieht er bedroht vom Nationalismus[67] und vom ideologischen Konflikt. Für letzteres bedeutsam ist sein Apostolischer Brief Octogesima adveniens. Bei aller, jetzt mehr differenzierenden Ideologiekritik bleibt Paul VI. seiner in der Antrittsenzyklika Ecclesiam suam geäußerten Idee vom Dialog und der Zusammenarbeit aller Menschen guten Willens treu und bewahrt damit die zwei konkreten Linien politisch-sozialen Handelns angesichts der Friedens- und Entwicklungsproblematik der Menschheit auf die Solidarität dieser Menschheit hin: die Stärkung eines universalen Internationalismus im institutionellen

---

[58] a.a.O., Nr. 78-82.

[59] a.a.O., Nr. 83-90.

[60] In: Pacem in terris Nr. 137.

[61] Vgl. Heinrich Krauss in seinem Kommentar in der Ausgabe „Über den Fortschritt der Völker", Freiburg/Br. 1967, 118.

[62] Nr. 78.

[63] Vgl. auch den Besuch bei den VN oder in Genf beim ILO.

[64] „Que cette Organisation représente le chemin obligé de la civilisation moderne et de la paix mondiale", Rede vor den VN vom 4. 10. 1965, zit. nach A. F. Utz, La Doctrine sociale de l'église, Bâle 1970 T. IV, 2861, Nr. 307.

[65] Populorum progessio Nr. 43.

[66] Vgl. Donato Squicciarini (Hrsg.), Die Weltfriedensbotschaften Papst Paul VI., Berlin 1979.

[67] Vgl. Paul VI., Rede bei der Generalaudienz, anläßlich des Jahrestages der zwei Weltkriege, v. 26. 8. 1964, in: A. F. Utz, 2847.

Bereich der internationalen Organisationen und den Dialog unter den ideologischen Strömungen dieser Welt auf eine gemeinsame Wertbasis hin.

Diese Linie hat durch das Wirken Johannes Paul II., des ersten Papstes aus dem Osten Europas, eine geradezu dramatische Verdichtung erfahren. Seine weltumfassende Reiseaktivität, als apostolische Reisen bezeichnet, verdeutlicht die universale Sendung der Kirche und dient ebenso der Stärkung der Ortskirchen und regionalen Bischofskonferenzen. Trotz des Schwerpunkts seiner sozialen Lehren auf den universalen Menschenrechten und im Dienste des Friedens und der sozialen Gerechtigkeit ist der Papst bemüht, die eigentliche Sendung der Kirche als nicht unmittelbar politische zu betonen und die Lösung der gesellschaftspolitischen Fragen bei den zuständigen Autoritäten einzumahnen gemäß der Ordnung der sittlichen Grundwerte und im Licht des Evangeliums Christi.

Die internationale Gemeinschaft der Völker wird in der Lehre der Kirche umso deutlicher und konkreter betont,[68] je mehr, durch die Zeitprobleme bedingt, die Kirche zur gerechten Lösung der internationalen Fragen aufruft, z. B. beim Problem der Abrüstung: nur Bemühungen aller, unter Nutzung der bestehenden höchsten internationalen Gremien, könnten allgemeine Sicherheit gewährleisten und gegenseitiges Vertrauen aufbauen.[69] Johannes Paul II. steht ganz in der Fortsetzung der Bemühungen Paul VI., den Willen der einzelnen Völker zu vereinigen und den gemeinsamen Anstrengungen für den Weltfrieden die entsprechende internationale Organisation zu geben.[70]

3. *Die internationale Botschaft der Weltkirche heute:*

Bei der relativ kurzen Wortgeschichte des Begriffs „Internationalismus" mag es gewagt erscheinen, von einem christlichen Internationalismus zu sprechen.[71] Man kann den Begriff in einer Antithese oder auch nur polaren Spannung zur „naturgesetzlichen Einrichtung des Staates" sehen und ihn als moderne Fortentwicklung des Kosmopolitismus verstehen, indem er entweder die Schaffung einer staatenlosen Gesellschaft und Wirtschaftsordnung

---

[68] Vgl. Otto Hermann Pesch (Hrsg.), Einheit der Kirche — Einheit der Menschheit, Perspektiven aus Theologie, Ethik und Völkerrecht, Freiburg, 1978.

[69] Vgl. Vaticanum II, Pastoralkonstitution über die Kirche in der Welt von heute, Gaudium et spes, Nr. 82.

[70] Vgl. Johannes Paul II., Botschaft zum Weltfriedenstag 1982 v. 9. 12. 1981.

[71] Das Wort entstand in der 2. Hälfte des 19. Jhs., als politischer und juridischer Begriff und trat dann an die Stelle des Kosmopolitismus, indem es „alle geistesgeschichtlichen Bewegungen, welche die gegebenen nationalen, kulturellen und nationalstaatlichen Einheiten zu überwinden suchen", umfaßt. So M. Molnár, 266.

mittels der Internationale einer Klasse zum Ziele hat oder dies durch Ablehnung „völkisch-nationaler Eigeninteressen" erreichen will.[72] So kommt es zum Internationalismus im engeren Sinn, sei es als Internationalismus bürgerlicher oder proletarischer Prägung, nicht zuletzt als einer Antithese zum modernen Nationalismus. Es erscheint aber heute besonders berechtigt, von einem *Internationalismus im weiteren Sinn* zu sprechen als Inbegriff aller jener Bestrebungen, die die Überwindung partikulärer Bestrebungen zum Ziele haben, die der Entwicklung der zum Weltgemeinwohl nötigen Kooperation der Völker und Staaten entgegenstehen, mittels geistig-kultureller Zusammenarbeit und internationaler Institutionen.[73].

Das christliche Denken von der Völkergemeinschaft hat nach der langen Periode eines starken Einflusses einer integralistisch-imperialistischen Ideologie vom Imperium Sacrum zu einem christlich motivierten, aber nicht mehr unmittelbar politisch ausgeübten und insoferne authentischen christlichen Universalismus geführt, einschließlich der Forderung nach einer universalen Weltgewalt.[74] Aber ebenso wie die selbständige Existenz von Staaten damit anerkannt wird, gilt als geistiges Fundament eines universalen Gemeinwohls allein das natürliche Sittengesetz und die allgemeinen Menschenrechte, um deren Erkenntnis und Anerkennung ein ideologiekritischer, der Zusammenarbeit offener Dialog zu führen ist, dessen höchstes Gut der „gute Wille" der Menschen ist. Dieser christliche Internationalismus ist aber Ergebnis und Ausdruck der wesentlich menschheitlich-universalen Orientierung des Christentums aufgrund seiner ihm eigenen Grundprinzipien im Bereich der Anthropologie, Sozialphilosophie und Soziallehre.

Die aktuelle Aufgabe eines christlichen Internationalismus liegt heute auf dem Gebiete der Entwicklung der internationalen sozialen Gerechtigkeit und, eng damit verbunden, im friedlichen Ausgleich des Konfliktpotentials durch das Bestehen zweier konkurrierender sozialer Systeme auf der weltpolitischen Bühne. Diese sind ideologisch gewachsen aus einem liberalen Kosmopolitismus und aus der Anwendung des marxistischen Klassenkampfschemas auf die weltweite Entwicklung und die folgliche Option für den Internationalismus unter Führung des Proletariats.

Der ideelle Inhalt des internationalistischen christlichen Auftrags und dieser im Wachsen begriffenen Strömung in den christlichen Kirchen, besonders eben in der katholischen Kirche, wird aber treffender mit dem Terminus *Universalismus* wiedergegeben. Christlicher Universalismus ist

---

[72] So J. M. Bumiller, Internationalismus, in: Staatslexikon, Freiburg/Br. [5]1927, Bd. 2 (1552-1554), 1552. Die 6. Auflage dieses Lexikons hat auf das Stichwort „Internationalismus" gänzlich verzichtet, auch nicht der proletarische Internationalismus scheint dort auf!

[73] Vgl. auch M. Molnár, 267.

[74] Vgl. Pacem in terris Nr. 137.

heute sowohl Ausdruck des Willens zur Einheit der Menschen und der Menschheit selbst über alle ideologischen Konflikte als auch über alle institutionellen Grenzen hinweg zu einer Gemeinschaft der Staaten dieser Erde. Die politischen, ökonomischen und kulturellen Entwicklungen sind dazu Bedingungen, stellen aber nicht die Basis im Sinne von Wesensgrund dieses Universalismus dar, der vielmehr in der menschlichen Natur selbst[75] — in Schöpfungsordnung und Erlösungsordnung[76] — grundgelegt ist.

Die Sendung der Kirche, die mit allen Menschen guten Willens in der internationalen Gemeinschaft für den Frieden zusammenarbeiten möchte, trifft allerdings hier auch mit dem Sendungsbewußtsein anderer Internationalismen zusammen, die ihrerseits ihre Kooperationsfähigkeit erweisen müssen, ihre Offenheit für die Basierung der Idee von einer Menschheit, die eben auch geistig-sittliches Ordnungsstreben zuläßt. Hier besteht ein besonderes aktuelles Problem mit dem marxistischen Internationalismus. Am Beispiel der gesamteuropäischen Integration wird dies deutlich, wenn kommunistische Staaten in Europa hinter dem Sprechen von christlichem Erbe und Zukunft Europas schon gegenrevolutionäre Bemühungen des Papstes vermuten. Damit bestärkt die etablierte Form des gegenwärtigen realen marxistischen Internationalismus die Annahme, er sei in der Tendenz (noch immer) weltanschaulich geschlossen und politisch expansiv und sähe in der christlichen Einheitsidee Gefährdung und Kontraposition für seine Interessen. Es sei daher auch auf das politisch und nicht nur weltanschaulich sehr wirksame internationalistische Denken im Marxismus eingegangen.

2.1.3. Der marxistische Internationalismus

1. Ausgangspunkt und geschichtliche Entwicklung:

Der marxistische Internationalismus geht vom Gedanken der internationalen Solidarität und von der gesamtmenschlichen Sendung des Proletariats aus. Unter dem unmittelbaren Einfluß der Aufklärungsphilosophie stehend ist er auch ein Ergebnis des aufklärerischen Kosmopolitismus. Diesem Kosmopolitismus, etwas romantisch verschwommen in der Formulierung, aber

[75] Ein gemeinsamer Wesensbegriff vom Menschen, der jedem menschlichen Wesen zuerkannt werden muß, kann letztlich allein auch den Wertgrund der *einen*, panhumanen Kultur bilden. Er allein vermag die sichere Grundlage für einen universalen und sozialen Humanismus abzugeben. Vgl. Johannes Messner, Kulturethik, Innsbruck 1954, 463 ff.

[76] Die Bedeutung der eschatologisch-theologischen Sicht auf die endzeitgewirkte und erwartete Einheit der Menschen und die Hereinholung dieser Dimension durch Christus und die Kirche in das Jetzt und Heute zu erheben, wäre ein weiterer Ansatz.

die Geister jener Zeit vielfach beeinflussend bis in die konkreten Auswirkungen im Freimaurertum, haftete eine gewisse bildungsmäßige Exklusivität an. Er war vorzüglich unter den bürgerlichen Schichten als Elite jener Epoche verbreitet. Der Ausgangspunkt der marxistischen Konzeption eines Internationalismus ist daher nach der historisch-dialektischen Analyse des Gesellschaftsprozesses von Marx die neue Rolle des Proletariats, das die Bourgeoisie abzulösen berufen ist.

An die Stelle des bourgeoisen Internationalismus tritt in der revolutionären Phase der proletarische Internationalismus. So sah Karl Marx „die Emanzipation" der Arbeiterklasse weder als eine lokale, noch als eine nationale, sondern als eine soziale Aufgabe an, „welche alle Länder umfaßt, in denen die moderne Gesellschaft besteht".[77] Der Nationalismus wird von ihm als ideologischer Überbau gewertet, eine vorübergehend nützliche Entwicklung der Bourgeoisie, indem sie große Handels- und Zollräume schafft. Über die revolutionäre „Vereinigung der Proletarier aller Länder", die bereits auf einer internationalistischen Entwicklung durch die Bourgeoisie also aufbauen kann,[78] kommt es unter der Herrschaft des Proletariats immer mehr zum Verschwinden nationaler Gegensätze: „In dem Maße wie die Exploitation des einen Individuums durch das andere aufgehoben wird, wird die Exploitation einer Nation durch die andere aufgehoben."[79]

Friedrich Engels zog 1890 in seiner Vorrede zur neuen deutschen Ausgabe des Kommunistischen Manifests Bilanz: Nur wenige Stimmen hätten auf die Parole an die Proletarier vor nunmehr 42 Jahren geantwortet, die erste Internationale nur neun Jahre gelebt. Aber der „ewige Bund der Proletarier aller Länder" lebte nun kräftiger denn je. In der Tat seien „heute die Proletarier aller Länder ... vereinigt". Im selben Vorwort prognostiziert Engels, daß eine russische Revolution, wiewohl in einem Bauernland, zum „Signal einer Arbeiterrevolution im Westen" werden könne.[80]

W. I. Lenin hielt an dieser Erwartung fest, „eine internationale Allianz der Arbeiter, eine internationale Bruderschaft der Arbeiter" sei nötig.[81] Es sprang aber der Funke revolutionärer Solidarisierung von Rußland nicht auf den Westen über, es blieb bei den Nationalstaaten der Industrieländer, und die Erwartung weltweiter „antiimperialistischer Kämpfe" mußte realisti-

---

[77] Provisorische Statuten der Internationalen Arbeiter-Assoziation (1884), MEW, Bd. 16 (Berlin 1964), 14.

[78] „Die nationalen Absonderungen und Gegensätze der Völker verschwinden mehr und mehr schon mit der Entwicklung der Bourgeoisie." Karl Marx im Kommunistischen Manifest, London 1848, 14.

[79] Kommunistisches Manifest, 14.

[80] Zitate nach der Ausgabe des Kommunistischen Manifests im Faksimiledruck, eingel. von Hermann Weber, Hannover, 1966, 50 ff.

[81] Lenin Werke, Bd. 30 (Berlin 1961), 282 f.

scher Weise auf die nationalen Befreiungsbewegungen in den Entwicklungsländern verlagert werden.[82] Selbst der „ewige Bund" der in den KPen organisierten Proletarier und Kommunisten zeigte in immer neuen Anläufen zu organisierten „Internationalen" wenig Dynamik zur Einheit.

Die Erste Internationale (Internationale Arbeiter-Assoziation), die stark unter dem persönlichen Einfluß von Karl Marx selbst stand, führte zu keiner wirklichen repräsentativen Einigung der damaligen linken Arbeiterbewegungen. 1864 in London gegründet kommt es schon nach wenigen Jahren zu Krisen, und 1876 beschloß man formell die Auflösung. Ab 1889 festigte sich die Zusammenarbeit der Sozialisten wieder in der sogenannten Zweiten Internationale (mit einem zentralen Büro in Brüssel), die jedoch nie eine größere einheitliche Schlagkraft erreichte und schließlich mit dem Ausbruch des Ersten Weltkrieges (1914) vollständig lahmgelegt wurde.

1919 auf einem Kongreß in Moskau konstituierte sich die Dritte Internationale (Kommunistische Internationale, Komintern), die bis 1943 bestand und unter den Säuberungswellen Stalins immer mehr ein Werkzeug der sowjetischen Außenpolitik geworden war, denn ein „Generalstab der proletarischen Revolution." Die Wiederbelebung nach dem Krieg in Form eines Informationsbüros (Kominform) im Jahre 1947 beendete Chruschtschow 1956. Über den machtpolitisch verklammerten Bereich der sozialistischen Staaten unter sowjetischer Führung hinaus gibt es nur sehr verschieden dicht gefügte freie Bindungen zwischen den kommunistischen Parteien der Welt bis zu ideologisch feindseligen Beziehungen. Selbst an den bisher zwei Mal versammelten Kongressen in Moskau in Form einer „internationalen Beratung" der kommunistischen und Arbeiterparteien nahmen nicht einmal alle eingeladenen Parteien teil. Die vielbeschworene Idee von der internationalen Arbeiterklasse und ihrer weltgeschichtlichen Führungsrolle hat sich in der Realität nie als stärkere politische Kraft erwiesen. Der sozialistischen Bewegung sind Zersplitterung und Fraktionskämpfe inhärent. Nur dort, wo es zu einem politisch-staatlichen Herrschaftsmonopol einer kommunistischen Partei gekommen ist, übte sie namens des (internationalen) Proletariats ein

---

[82] Es sei wenigstens in Anmerkung darauf verwiesen, daß Lenin ursprünglich schon in seinem Schweizer Exil die nationalistische Zuspitzung der Situation vor dem 1. Weltkrieg erfaßt hatte und die Probleme der europäischen Kolonialmächte auch mit den nationalistischen Bewegungen in Übersee kommen sah. Konsequent haben die Bolschewiken bei ihrer Machtübernahme in Rußland auch das Selbstbestimmungsrecht proklamiert und das Recht jeder Nation, einen Vielvölkerstaat wieder zu verlassen. Diese ursprüngliche Kombination von Antiimperialismus und sozialistischem Internationalismus übte anfänglich eine große Faszination aus auf Kreise über die KP hinaus. Heute sind große Kolonialreiche verschwunden, während gerade die Sowjetunion eine ganze Reihe von Staaten zu einer Art Imperium in einem neokolonialistischen Stil vereinigt! Vgl. Hugh Seton-Watsen, Nationalism and Imperialism, in: The Impact of the Russian Revolution 1917-1967, London 1967, 134-205.

Machtmonopol aus, allerdings immer realpolitisch auf diesen Staat und seine außenpolitischen Eigeninteressen bezogen.

Mit dem Ausbleiben der weltweiten Revolution des Proletariats vor allem in den hochentwickelten Staaten mußten die Länder, in denen das Proletariat nominell die Führung besaß, die Theorie der Wirklichkeit zweifach anpassen: 1. mußte die Möglichkeit der Errichtung der kommunistischen Gesellschaft in ihren eigenen Ländern trotz vorwiegend noch agrarischer Struktur betont werden; 2. galt es, den Führungsanspruch in der nun langfristig prognostizierten Besiegung des „Kapitalismus" und Befreiung des „Proletariats" für die Partei und ihren Staat zu sichern, der sich im Falle der UdSSR als erster sozialistischer Staat und damit zugleich Anwalt des Weltproletariats versteht.

Hierbei komplizierte sich die Lage im internationalen Kommunismus, sobald neben die UdSSR als etablierter Welt- und Atommacht ein zweiter sozialistischer Staat als zumindest potentielle Weltmacht trat, China. Die machtpolitischen Interessen der sozialistischen Staaten, ihre nur partiellen Bündnissysteme und ihre inneren Gegensätze im sozialistischen „Lager", der marxistische Pluralismus in den kommunistischen Parteien und die neomarxistischen Erneuerungsversuche außerhalb des kommunistischen Machtbereiches haben die ursprüngliche Vision eines proletarischen sozialistischen Universums aus der Kraft der proletarisch-internationalistischen Idee heute praktisch aufgelöst. Wir stehen hier vor dem Ende einer „Reichs-Ideologie" zur Einigung der Menschheit aus dem Glauben an die revolutionäre Kraft des Weltproletariats. Der Glaube erwies sich als Mythos, das Weltproletariat als eine Fiktion.

Es läßt sich zeigen,[83] daß Karl Marx, Friedrich Engels und W. I. Lenin je eine gewisse Ambiguität in ihrem Denken zwischen ihrer internationalistischen Idee von der Sendung des Proletariats und ihrer Zugehörigkeit zu einem Volk und Staat aufweisen, übrigens damit auch in ihrer Einstellung zum Krieg-Friedensproblem und zum Pazifismus! Die Lösung suchten sie gemeinsam in der Formel vom antiimperialistischen Krieg als dem fortschrittlichen und gerechten Krieg. Marx und Engels hielten daher lange einen Krieg eines geeinten demokratischen und fortschrittlichen Deutschland gegen das reaktionäre Rußland für erstrebenswert;[84] ähnlich war Lenin 1904/05 über den japanischen Sieg im fernen Osten begeistert.[85] Erst die bolschewistische Machtübernahme in Rußland unter Lenin und die Isolierung dieses ersten sozialistischen Staates änderte Lenins Einstellung zum

[83] Bertram D. Wolfe, Marxism, One Hundred Years in the Life of a Doctrine, London 1965, ist dem nachgegangen.

[84] Vgl. Bertram D. Wolfe, 3-29.

[85] Vgl. Bertram D. Wolfe, 85.

Nationalitätenproblem, eine Änderung, für die Stalin[86] noch zu Lenins Lebzeiten gegen die Autonomielösung der Austromarxisten[87] Stellung genommen hatte und die dann von ihm politisch konsequent verfolgt wurde.

Konnte die 2. Internationale ihre pazifistische Tendenz angesichts des ersten Weltkrieges nicht effektivieren, so scheiterte die 3. Internationale endgültig daran, eine weltweite, zentral autorisierte Bewegung des Kommunismus und eine verpflichtende Orthodoxie aufzubauen. Es gibt keinen „Weltkommunismus" mehr, nur einen Kommunismus in der Welt![88] Es war das Schicksal des marxistischen Internationalismus, im Jahrhundert der Idole von Rasse, Nation und Klasse[89] entstanden zu sein auf Grund einer Idee von der Mission der Arbeiter, die dieses „Klasse"-Sein nie angenommen haben, letztlich weil es nur in der Theorie der historisch-dialektischen materialistischen Geschichtsinterpretation existierte.[90]

In der Weltpolitik aber gibt es den internationalistischen Anspruch der sozialistischen Staaten als eine Mischung von Ideologie und Realität weiter. Es wäre trotzdem falsch, nicht auch hier in Theorie und Praxis Ansätze zu integrativen Entwicklungen der Staaten und der Völkerfamilie zu erkennen.

2. *Die marxistisch-leninistische Lehre vom Internationalismus heute und ihre internationale politische Realität:*

Nach der offiziellen Lehre des Marxismus-Leninismus gehört der Internationalismus zu seinen wichtigsten Prinzipien. Gemäß der ökonomischen sozialen Basis und der Entwicklung der Klassenverhältnisse, bzw. des Klassenkampfes hat er Stufen des Fortschrittsprozesses: vom proletarischen zum sozialistischen Internationalismus. An der Idee der „internationalen Einheit der Arbeiterklasse im Kampf zum Sturz des Kapitalismus" wird (trotz allem) weiter festgehalten wie am Ziel der „Errichtung des Sozialismus und Kommunismus" und am Kampf für die „nationale Unabhängigkeit aller Völker und für Demokratie". Die höchste Stufe des proletarischen Internationalismus, nämlich der sozialistische, ist aber bereits „in der wirksamen ökonomischen und politischen Freundschaft der sozialistischen Staaten verkörpert." Als unumgängliche Bedingung der Organisation der Klasseneinheit des

[86] Vgl. sein Werk Marxismus und nationale Frage, Werke, Bd. 2, 266-333. Die jetzt herrschende Sicht der leninistischen Lehre findet sich im Buch eines Autorenkollektivs (P. N. Fedossejew u. a.), Der Leninismus und die nationale Frage in der Gegenwart (deutsche Übersetzung), Moskau, 1974.

[87] Otto Bauer, Die Nationalitätenfrage und die Sozialdemokratie, Wien ^{2}1924.

[88] Richard Löwenthal, zit. nach Bertram D. Wolfe, 290.

[89] Vgl. Bertram D. Wolfe, 10.

[90] Vgl. Bertram D. Wolfe, 317-333.

Proletariats im nationalen wie im internationalen Maßstab erscheinen „der entschlossene Kampf gegen den bourgeoisen Nationalismus, Chauvinismus, Rassismus und Kosmopolitismus, die internationale Erziehung der Werktätigen".[91] Der Nationalismus der „geknechteten Nation" unterscheidet sich wesentlich von demjenigen der „unterdrückenden Nation". Die „sowjetische KP betrachtet den kommunistischen Aufbau in der UdSSR als hohe internationale Aufgabe des Sowjetvolkes im Interesse des ganzen sozialistischen Weltsystems, des internationalen Proletariats, der ganzen Menschheit".[92]

Diese Theorie stellt offenbar den Versuch dar, die dogmatische Lehre aufrechtzuerhalten angesichts der Realitäten der Entwicklung der internationalen Beziehungen heute bald 70 Jahre nach der Oktober-Revolution und angesichts der politischen Schwäche des „einen" Proletariats ebenso wie des angeblich bereits erreichten „Sozialistischen Internationalismus" im sozialistischen Lager. Sie legitimiert einen Führungsanspruch — als Dienst ausgegeben! —, nämlich den der sowjetrussischen Partei.

Die These aus dem Kommunistischen Manifest, „die Arbeiter haben kein Vaterland", bereitet den modernen Theoretikern des marxistischen Internationalismus Schwierigkeiten ebenso wie der Gedanke an einen „Weltstaat" angesichts der Tatsache, daß anscheinend noch länger mit dem Nebeneinander zweier „Internationalismen", des bourgeoisen (angeblich imperialistischen, kolonialistischen usw.) und des sozialistischen (angeblich proletarischen, friedlichen usw.) zu rechnen ist. Dies führt zu einer dialektischen Position der „unverletzlichen Einheit der souveränen sozialistischen Staaten", einer Einheit je nach den Erfordernissen ihres Kampfes zur Verteidigung von Friede und Sozialismus.[93]

Im sozialistischen Lager der Welt ist die Entwicklungsstufe der „Brüderlichkeit" erreicht, und folglich herrschen laut Theorie brüderliche Rücksichtnahme und brüderliche Hilfe. Für ersteres dient als ein Beispiel die militärische Last, die die UdSSR für die kleineren sozialistischen Länder trägt, um ihren Aufbau zu beschützen, für letzteres der russische Einmarsch in die ČSSR, 1968.[94] Weltweit freilich gilt ein anderes dialektisches internationalistisches Prinzip für das sozialistische Lager, das für die Zeit des Nebeneinanders von sozialistischen und kapitalistischen Ländern dazu dient, den (nuklearen) Krieg zu vermeiden und die mögliche Zusammenarbeit zu

[91] Filosofskaja Enziklopedija, Bd. 2 (Moskau 1962), 293-295.

[92] Programm der KPdSU 1961, 43-44, zit. nach Filosofskaja Enzyklopedija, 296.

[93] Vgl. P. Fedossejev, The Principle of Proletarian Internationalism, in: Social Sciences, Vo. I/1970, 52-65.

[94] Vgl.: Das sozialistische Weltsystem und der Antikommunismus I, Potsdam-Babelsberg 1970; F. T. Konstantinow, Raswitie internationalism na opyte sozialistischeskogo sodruschestwa, Moskau, 1970; N. F. Schitow, Sozialistitscheskij internazionalism i patriotism, Moskau 1971.

sichern: die friedliche Koexistenz! Sie enthält sowohl Elemente der Zusammenarbeit (wirtschaftliche) wie Elemente des Kampfes (ideologische) und stellt keinen Widerspruch zum proletarischen Internationalismus dar, weil sie dem Aufbau des Kommunismus diene.[95] Insoferne der Marxismus-Leninismus die fortschrittlichste Ideologie der Gegenwart ist, steht er im Dienste der friedlichen Zivilisation aller Völker und jeder Persönlichkeit, wird behauptet.[96]

Es kann hier nur erwähnt werden, daß neomarxistische Strömungen des Westens, die realpolitisch unbekümmert ihren Utopien nachhängen können, wie z. B. Herbert Marcuse, eine marxistische Erneuerung des Internationalismus von der alten kosmopolitischen Wurzel her betreiben mit Blick auf die Outsider der Gesellschaft z. B., oder auf die Intellektuellen. Letzteres hat auch Roger Garaudy versucht nach seiner Abwendung von der neostalinistischen Linie der sowjetischen Innen- und Außenpolitik. Auch die von Milovan Djilas so bezeichnete „neue Klasse" in Jugoslawien wird trotz revisionistischem Kurs mit den Nationalismen im eigenen Lande nicht fertig.

Im Maoismus, heute besser in der Interpretation des Marxismus-Leninismus durch die Führung des kommunistischen China, ist die Drei-Welten-Theorie auf der internationalen Ebene aufgestellt worden: die beiden Supermächte (USA und UdSSR), die industriell entwickelte Welt und die Entwicklungsländer bilden die 3 Welten. Die 1. Welt besteht aus den imperialistischen Supermächten, die die gemeinsamen Feinde der Welt sind und deren Rivalität unausweichlich zu einem neuen Weltkrieg führen würde. Die 2. Welt ist im Widerspruch zu den Supermächten ebenso wie zur 3. Welt, von den einen ausgebeutet und selbst wieder die anderen ausbeutend. Zugunsten des Weltfriedens hat sie sich im Kampf gegen die Supermächte mit der 3. Welt zu vereinigen. Dieser Einteilung liegt ein dynamisches Weltbild zugrunde, das hinter den Interessensphären von heute Wege der Entwicklung der Welt zu erkennen meint. Krisen und selbst Kriege — als „Papiertiger" bezeichnet — sind dabei fruchtbare Elemente der

---

[95] Vgl.: Die Prinzipien des Internationalismus und die friedliche Koexistenz, in: Der Leninismus und die Einheit der internationalen kommunistischen Bewegung, Moskau 1970. Vgl. ferner: Waleri N. Jegorow, Friedliche Koexistenz und revolutionärer Prozeß, Berlin 1972.

[96] Solche und ähnliche Schlußfolgerungen stehen am Schluß vieler politischer oder philosophischer Publikationen aus der UdSSR. Vgl. z. B. M. P. Mtschedlow, Sozialism stanowlenie nowogo tipa zivilisazii, Moskau 1980, oder Drs., Rasjadka meschdunarodnoi napraschenosti i ideologitscheskaja borba, Moskau 1981; unter dieser Annahme wird die Entwicklung der Gesellschaft außerhalb des kommunistischen Weltsystems analysiert und beobachtet, eine Hauptaufgabe ganzer Akademieinstitute der UdSSR, z. B. im bezug auf die USA: Autorenkollektiv (J. A. Samoschkin u. a.), Protiworetschija sowremennogo amerikanskogo kapitalisma i idejnaja borba w SSchA, Moskau 1984.

Entwicklung hin auf eine gerechtere internationale Ordnung. Dies gilt zugleich als Ermutigung für die schwachen Staaten.[97]

China hält zwar am revolutionären Pathos und seiner weltweiten Solidaritätsidee mit allen unterentwickelten Ländern fest, hat aber in der Realität in den Beziehungen selbst mit den USA auf die Prinzipien der friedlichen Koexistenz — der Begriff wurde erstmals in diesem Zusammenhang auf der Konferenz von Bandung (1955) formuliert — zurückgegriffen.

So erweist sich in der Spätphase einer dogmatisch-scholastischen politischen Ideologie der marxistische Internationalismus angesichts der Realitäten des internationalen Lebens durchaus als Hülse und Hülle. Innerhalb derselben aber gehen gemeinmenschlich und völkerrechtlich bedeutsame Entwicklungen auf Grund der Erfordernisse und Möglichkeiten einer Zeit vor sich.

Der harte Kern der Idee des marxistischen Internationalismus kann aber darin gesehen werden, daß er doch auf die Erkenntnis der universellen Einheit des Menschengeschlechtes und der Brüderlichkeit aller Menschen hinwirkt, insbesondere auf die soziale Dimension der internationalen menschlichen Entwicklung und auf die Erkenntnis der Notwendigkeit und Möglichkeit der Friedenserhaltung bereits unter den gegebenen Bedingungen. Die marxistischen Begriffe für beide Dimensionen, Befreiung (Emanzipation) und friedliche Koexistenz, sind im Kern der Sache ebenso wie das gesamte Anliegen der Entwicklung der Welt und der Völker zur Brüderlichkeit — m. a. W. auf die Erstellung eines umfassenden Weltgemeinwohls hin, Friede als Werk der Gerechtigkeit! — dadurch vergleichbar dem christlichen Denken und seinem heute entwickelten Bewußtsein. Insofern sind hier Entwicklungen im Gange, die historischen Notwendigkeiten entsprechen und im sittlichen Bewußtsein der Zeit aufbrechen, Zeugnis gebend für das Wirken sittlicher Ideen und deren Erkenntnis als Bedingungen des Überlebens und damit als Einsicht in Wirklichkeit. Hinter diesem Ethos wirkt nicht nur die Suche nach Wahrheit, sondern sittliche Wahrheit selbst.[98]

Es sollen damit nicht die heute in der Welt bestehenden sehr tiefen Unterschiede in der Begründung der sittlichen Überzeugungen, insbeson-

---

97 Vgl. Werner Gabriel, Bündnis und Widerstand, Die Theorie der drei Welten als Grundlage der chinesischen Außenpolitik, in: Wissenschaft und Weltbild, 2/1978, 81-95.

98 In der neueren Literatur in der Sowjetunion ist eine deutliche Hinwendung zu den humanen Werten im Entwicklungsdenken der Kulturgeschichte feststellbar, das sich vom vereinfachten materialistischen Weltbild deutlich abhebt. Als Beispiel sei ein Sammelband eines Autorenkollektivs (L. P. Buyeva u. a.) genannt, Civilisation and the Historical Process, Moskau 1983, mit einem Beitrag der Herausgeberin unter dem Titel, Man as an End in Himself Within Social Development (154-168), wonach der Mensch als Individuum kraft seiner Natur natürliche ebenso wie soziale Rechte besitzt, die die Gesellschaft ihm garantieren müsse. (168).

dere in den philosophischen Systemen, geleugnet werden. Diese Menschheit mit ihren gewaltigen Möglichkeiten zur positiven wie negativen Entwicklung steht auf einer klein gewordenen Welt aber nicht bloß unter dem Druck der Realität für das internationale Leben und seine Ordnung, sondern auch unter der Dynamik einer wirksamen Idee auf der Basis der allen gemeinsamen menschlichen Natur und dem Drängen des allen zugänglichen Wissens um Werte, Rechte und Verpflichtungen und daher auf der Basis des Gewissens auch als international wirkender Fortschrittskraft. Daraus soll im Folgenden versucht werden, die internationale Ethik in ihren Grundlagen systematisch darzustellen.

2.2. Die internationale Ethik in ihren sozialphilosophischen Grundbegriffen

2.2.1. Die internationale Sittlichkeit

Aus der Tatsache eines internationalen Ethos schließen wir auf das Vorhandensein einer materialen normativen internationalen Sittlichkeit. Diese ist nicht einfach deduziert, sondern muß erfahren werden, ist damit Ergebnis eines historischen Prozesses, der in die Entwicklung der internationalen Dimension menschlichen Zusammenlebens eingebettet ist. Das Menschheitsethos erweist sich aber auch in der Einsicht in erste sittliche Sätze, wie der „goldenen Regel",[99] als tatsächlich von allgemeiner Gültigkeit. Die Idee eines Menschheitsethos ist, wie Wolfgang Kluxen betont, auch ein Leitgedanke jeder Ethik, wenn sie die Ethosproblematik bedenkt, daß nämlich „die konkrete Normierung durch philosophische Reflexion im Horizont des Gedankens der *Menschheit* zu geschehen hat".[100] Die Frage der Normativität der internationalen Sittlichkeit entsteht nicht zuletzt aus dem Problem des Pluralismus der Ethosformen, wie ebenso Kluxen zeigt,[101] daß nämlich trotzdem, um Kommunikation auch zu ermöglichen, ein umfassendes Gemeinsames in Frage steht. Dieses kann nicht einfach deduziert werden, steht im Kommunikationsprozeß, setzt den Dialog voraus, ist dennoch eine Wirklichkeit, die zumindest als Ziel einer historischen Dynamik in Umrissen erkennbar wird.

Unter dem Druck neuer internationaler Probleme, wie der Entwicklungsproblematik, und den raschen Veränderungen in der Weltgesellschaft von

[99] Vgl. Siegfried A. Lesnik, Die goldene Regel, Heiligenkreuz 1974, 48-54. Dort Hinweise auf die Bedeutung der goldenen Regel auch im völkerrechtlichen Leben.

[100] a.a.O., 25.

[101] a.a.O., 94 f.

heute mag es durchaus richtig sein, von einer globalen Moral im Gegensatz zu einer kleinbürgerlichen Moral etwa zu sprechen oder von einer Moral für eine Welt in Veränderung[102] gleichsam als „neuer" Moral, so sehr sind neue Bezüge und Werte ins Bewußtsein getreten, so sehr lassen weltweite Dimensionen auch traditionelle Rechtfertigungen — wie die des „gerechten Krieges" etwa — als überholt erscheinen. Völlig neu ist die internationale Moral als Menschheitsmoral vom Standpunkt einer materialen normativen Ethik, zumindest im traditionellen (naturrechtlichen) Sinn, nicht. Es ist nur eine Fülle neuer Anwendungsbereiche und Einsichten hinzugekommen, die auch die sittliche Grundidee weiter verdeutlichen. Erst der theoretische Grundsatz einer prinzipiell sich evolutionistisch oder rein von materiellen Bedingungen her (wie beim Marxismus-Leninismus) sich formierenden Moral führt zur Annahme von völlig neuen Anpassungen des Menschen im internationalen Kontext seines Verhaltens. Eine so basierte Ethik ist dann allerdings nicht geeignet eine internationale Ordnung wirksam aus der letzten Verantwortung des Menschen zu begründen. Freilich ist für die Befolgung neuer notwendiger oder als praktikabel wenigstens erkannter Regeln nicht erst die prinzipielle Übereinstimmung Voraussetzung, wie ebenso die Attraktivität internationalen sittlichen Verhaltens nicht nur vernunftmäßig erstrebt werden kann, ja emotionelle Vorgänge oft rascher und wirksamer die internationale Sittlichkeit befördern können.

2.2.2. Die Träger internationaler Sittlichkeit

Erster Träger internationaler Sittlichkeit ist jeder sittlich handelnde Mensch, soweit sein Verhalten unmittelbar gemeinschaftsbezogen ist und Relevanz für die internationale Gesellschaft hat. Damit scheiden individualethische Fragen in unserer Sicht aus. Sofern allerdings Tugenden für die Entfaltung einer internationalen Moral bedeutsam sind, also die sozialen Tugenden, sollen sie als wichtig für die Höhe der internationalen Kultur im Rahmen der Grundwerte internationaler Sittlichkeit behandelt werden. Eine Frage der subjektiven Anrechenbarkeit ist es, ob jemand die internationale Dimension seines sittlichen Verhaltens auch erkennt und verantwortet.

Internationale Ethik wird sich also nur mit jenem Verhalten befassen, das die Dimension der Beziehungen wenigstens einer staatlichen Gemeinschaft überschreitet. Dies gilt aber für alle Akteure in der internationalen Politik, Wirtschaft und Gesellschaft, seien es Einzelpersonen oder seien es Gemeinschaften und deren legitime Leiter. In den meisten Fällen wird die internationale Sittlichkeit von sozialen Gruppen getragen sein. Neben die Staaten und

---

[102] Vgl. René Coste, Une morale pour un monde en mutation.

internationalen staatlichen Organisationen treten heute immer mehr die internationalen Interessenverbände oder die Nicht-Regierungs-Organisationen. Der Interessenpluralismus ist zur weltweiten Erscheinung geworden und damit auch der internationale Verbandsfunktionär.[103] Seine Rückbindung an die sittliche Verantwortung der Verbandsmitglieder bedeutet aber wieder einen verstärkten Hinweis auf die internationale Verantwortung der vielen Einzelnen, die auf dem Weg über die innerverbandliche Selektionierung diese Funktionäre beauftragen, international tätig zu werden.

Sozialethisch ist von einem Pluralismus von Gemeinschaften auszugehen, die zusammen über ihr jeweiliges Wohl das internationale Wohl oder Weltgemeinwohl aufbauen. So kann man bei der Weltgesellschaft Gemeinschaftsgebilde erkennen, die — wie die Staaten — unmittelbar mit der Sozialnatur des Menschen zusammenhängen und gleichsam auf natürliche Weise die Organisation des internationalen Lebens ergeben. Es gibt aber auch freie Vereinigungen im internationalen Ausmaß, die für das Leben der Weltgesellschaft oft in verschiedenen Bereichen eine höhere oder geringere Bedeutung von ihrem Zweck her haben, z. B. Weltverbände des Sports. Wir sprechen dann von freien internationalen Vereinigungen, die nicht naturnotwendig sind. Ihre Wurzel ist das Koalitionsrecht als Menschenrecht. Gerade im Bereich der Nicht-Regierungs-Organisationen herrscht heute, abgesehen von deren Zulassung in einzelnen Staaten, ein hohes Maß an freier Gesellschaft. Ihre Zulassung im internationalen Bereich ist eher eine Frage ihrer praktischen Kompetenz. Dennoch haben sie einen Gemeinwohlbezug und Gemeinwohlverantwortung als Basis des Geflechtes internationaler Verbände und deren Kooperation.

Wichtige Träger für internationale Sittlichkeit sind Gemeinschaften, die vor allem im Bereich der sittlichen Kultur wirksam sind, zumal das internationale Ethos noch in weiten Bereichen nicht schon organisatorischen Niederschlag gefunden hat und nicht legistisch festgeschrieben ist. Entscheidendes Merkmal ist dabei, ob eine Kultur für den interkulturellen Austausch offen ist. So erweist sich die Höhe und Bedeutung ethischer Kultur gerade daran, ob sie die Begegnung der Kulturen fördern kann. Auch kann hier der Einzelne mitgestaltend besonders aktiv werden. Daraus ergibt sich auch die besondere internationale Verantwortung von kulturellen Institutionen, wie es Religionen und Kirchen sind. Deren Fähigkeit als Träger internationaler Kultur erweist sie umgekehrt auch als positiver Faktor künftiger Weltgestaltung. Je weniger die Religionen und die Kirchen heute unmittelbar politische Macht ausüben, umso stärker wird ihr moralisches Gewicht. Selbst atheistische politische Systeme anerkennen heute zumeist ihre Friedensmission. Im internationalen Bereich endet selbst für Groß-

[103] Vgl. Johannes Messner, Der Funktionär, Innsbruck 1961.

mächte die Durchsetzung ihrer Ziele allein mit politischer Gewalt, und sind sie auch auf Zusammenarbeit angewiesen. Hierbei zeigt sich die Einflußkraft moralischer Institutionen, die sich prinzipiell über die gesamte Menschheit erstrecken, wenn ihr Einfluß auch auf den Appell an den guten Willen, vor allem der ihnen Angehörenden, beschränkt erscheint.

Im Kleinen und von allgemeinmenschlicher fundamentaler Bedeutung zeigt sich schließlich die Wichtigkeit einer gesellschaftlichen Einrichtung, die überall in der Weltgesellschaft anzutreffen ist, nämlich der Familie. Die Familie ist auch Kern- und Keimzelle für die sittliche und soziale Personwerdung und somit von entscheidender Bedeutung für die Erkenntnis, Einübung und Entfaltung sozialer Sittlichkeit bis zu ihrer internationalen Dimension.[104]

2.2.3. Die Grundwerte internationaler Sittlichkeit

1. Das Gewissen:

Es ist üblich geworden, vom „Weltgewissen" zu reden und sich darauf zu berufen oder an ein solches zu appellieren. Allein die Tatsache, daß Regierungen oder sonstige politische Instanzen sich vor dem Forum der internationalen öffentlichen Meinung bemühen, ihre Ziele und ihr Verhalten als sittlich einwandfrei zu legitimieren, und als gerecht oder richtig darzustellen, zeigt, daß es Kriterien des politisch Richtigen innerhalb der internationalen Gemeinschaft geben muß. Ereignisse auch innerhalb eines Staates, wie Katastrophen und das Verhalten dabei, oder die Beachtung der Menschenrechte jeweils finden heute weltweite Aufmerksamkeit und führen zu Beurteilungen des Verhaltens der jeweils verantwortlichen politischen Instanzen. Hierbei kann auch die moralische Autorität von einzelnen Personen, die in solchen Fällen an das Weltgewissen appellieren, noch eine besondere Rolle spielen.

Diese Tatsachen sind daraus erklärlich, daß bei internationalen Ereignissen hinter jedem Staat und jeder Regierung immer Völker, Gruppen von Menschen, schließlich konkrete Personen stehen, deren Verhalten auf ein Grundgesetz menschlicher Sittlichkeit von universaler Geltung hin geprüft wird. So sind die Formen internationaler Sittlichkeit nicht rein willkürlich, sondern weisen auf eine Grundbestimmung des Menschen hin, jedes Menschen, in Würde und personaler Verantwortung zu leben. Diese Menschenwürde beinhaltet Grundrechte, die im Gewissen einmal erkannt, überall und

[104] Von Emil Zola stammt die Bezeichnung der Familie als „Menschheit im kleinen". Vgl. auch Rudolf Weiler, Familie: Tor zur Humanität, in: Rudolf Weiler, Valentin Zsifkovits (Hrsg.), Familie im Wandel, Wien 1975, 184-195.

für jedermann eingefordert werden können. Diese Erkenntnis und dieses Recht als Grundwert in der internationalen Gemeinschaft zu entwickeln, wäre ein erstes und unbedingtes Erfordernis internationaler Sittlichkeit. Das muß noch nicht bedeuten, daß über das Wesen und die Begründung dieser Grundwerte im Ansatz theoretische Übereinstimmung herrschen muß. Die universal geltende Tatsache eines solchen Weltgewissens ist aber ein Zeichen, daß die Menschheit eine sittliche Kommunikationsgemeinschaft ist.[105] Sollte sie sich denn nur über Technisches verständigen können? Die menschliche Kreativität erweist sich nicht nur im Bereich der internationalen Verflechtung der technischen Zivilisation des Lebens der Menschheit auf der klein gewordenen Erde, sondern auch im Bereich der hinzukommenden anthropologisch-sittlichen Institutionen.[106] Das ist die soziale Innovationskraft des menschlichen Gewissens gemäß der conditio humana, für die heute gerade der internationale Bereich vielfach Zeugnis ablegt. Wenn vom Weltgewissen die Rede ist, sollte daher besser noch von der weltweiten Fähigkeit jedes menschlichen Gewissens zur sittlichen Ordnung gesprochen werden.

Für dieses Weltgewissen zeugen heute eine Reihe von Fakten, die einzeln genommen widersprüchlich sein mögen, dennoch für eine ethische Sicht grundlegend sein können. Nennen wir ein empirisch analytisches Herangehen, von dem aus z. B. Raoul Naroll[107] auf eine internationale moralische Ordnung, die sich so abzeichne, schließt. Er findet zehn große soziale und personale Übel, die nur durch ein moralisches Netzwerk im weltweiten Kontext überwunden werden könnten. Er nennt u. a. Geschlechterrollen und Kindermißbrauch. Wir würden vom wachsenden Bewußtsein für die Menschenrechte sprechen, die erst in einer umfassenden internationalen Rechtsordnung unter Einbindung der jeweils staatlichen Ordnungen gesichert erscheinen.

Abgesehen von einer philosophischen Sinndeutung des Ganges der Geschichte gibt es viele Hinweise auf die faktisch anwachsende Bewußtseinslage der Menschen unserer Zeit und Erde von deren großräumigen Verflechtung und gegenseitigen Angewiesenheit, Hinweise auf ein historisches Zusammenrücken der Menschen. Auch der kritische Rationalismus, der sich gegen internationalistische Ideologien wendet, spricht sich selbst für einen weltweiten Prozeß aus, rational die „Macht unter Kontrolle zu bringen". So könne man „sogar die Geschichte rechtfertigen", was dringend nötig wäre! Spricht aus dieser „Einstellung zu Ideen wie der Idee des ‚Fortschritts'" bei Karl R. Popper nicht doch ein Ethos und eine Sinnfrage?[108]

[105] Schon Francisco de Vitoria betont für die Menschheit, sie sei „naturalis societas et communicatio". (De indis, Sec III, 1).

[106] Siehe Herman Heering, Creativity and social life: a theological contribution, in: Dialectics and Humanism, Nr. 4/1978, 55-58.

[107] The moral order, London 1983.

[108] Falsche Propheten, Bern ^{2}1970, 346 f.

Schließlich ist die Berufung auf eine Interesseneinsicht, die zu einem Verhalten zugunsten gemeinsamer Problembewältigung mit gemeinsamen Standards führen soll, ein Vorgang der Anwendung kritischer Rationalität, dessen anthropologische Basis zwar verschieden deutbar sein mag, aber immer wieder berufen wird. Die internationale Dimension menschlichen Verhaltens wird immer deutlicher und daher deren rationale Reflexion immer mehr erfaßt. So ist z. B. das generative Verhalten des Menschen Gegenstand internationaler Konferenzen geworden und entsprechender Appelle. Die Technik der Massenkommunikation hat dafür auch die Möglichkeit der Verbreitung solcher Appelle im elektronischen Dorf „Erde" geboten.[109]

Man mag die ethische Frage nach dem Gewissen als „Hypermoral" abtun und auf die Säkularisierungsthese setzen[110] oder ein wahres ökumenisches Fortschrittsethos der Menschheit mit dem Sieg des Atheismus gleichsetzen.[111] Jeder Idee, besonders der sittlichen Idee, bleibt die Last ihrer „Realisierung" nach Alfred North Whitehead, aber sie ist ebenso Triebkraft des Fortschritts. Und so gibt es keine „Zivilisation ohne metaphysische Voraussetzungen"[112] und keine Sittlichkeit ohne Gewissen. Gerade das Gewissen ist Zeichen und Ort der menschlichen Ökumene.

2. Die internationale Verantwortung:

Für das Bewußtwerden sittlicher Verantwortung in internationaler Dimension gibt es heute viele Anzeichen. Verantwortung erstreckt sich in Raum und Zeit, erfaßt Notstandsregionen der Erde ebenso wie das Los kommender Generationen. Der Gebrauch der Worte Brüderlichkeit für weltweite Solidarität und besonders der Ausdrücke Menschheitsfamilie oder Völkerfamilie — hier ist bis in neueste Zeit das Wirken des christlichen Gedankens äußerst spürbar[113] — zeigt die Einbettung des Erlebnisses der

[109] Vgl. Marshall Mac Luhan, Die magischen Kanäle, Düsseldorf, 1968.

[110] Vgl. Arnold Gehlen, Moral und Hypermoral, Frankfurt 1969.

[111] Die atheistische Propaganda gebraucht als Argument, die Religion würde die Spaltungen der Menschheit in Klassen, Rassen und Nationalismen unterstützen, weil jede Religion ferner auch ihren Gott hätte. Erst der Atheismus der Massen brächte die wahre Gesellschaft der Internationalisten. So schreibt z. B. M. Dschunusow, Obschtschestwo internazionalistow — obschtschestwo massowo ateisma, in: Nauka i Religia Nr. 9/1972, 21-23. Vgl. auch A. F. Schischkin, Grundlagen der marxistischen Ethik, Berlin 1965, 161-178.

[112] Abenteuer der Ideen, Frankfurt/M. 1971, 106 und 260.

[113] Vgl. Joachim Giers, „Familie" als Ausdruck des Humanum in der Gesellschaft, in: Humanum, Moaraltheologie im Dienste des Menschen, Hrsg. von J. Gründel, F. Rauh u. V. Eid, Düsseldorf 1972, 299-319.

Verantwortlichkeit bis zu dieser äußersten Dimension in den Einübungsraum und Entstehungsraum der Sittlichkeit, nämlich der Familie als grundlegende Sozialeinheit.

Die internationale Verantwortung betrifft zunächst jeden Menschen. Seine Tugend gehört der Menschheit, wie er ebenso die Interessen der Menschheit rational und verantwortlich vor seinem Gewissen mitbedenkt. Man könnte mit einem Ethiker der Barockzeit, Gracian y Morales, von der „Kunst der Weltklugheit" sprechen.[114] Individualethisch wird Weltverantwortung besonders deutlich für Menschen, die beruflich oder durch ihr Schaffen im Geflecht der internationalen Beziehungen hervortreten, Politiker, Verbandsfunktionäre, Wirtschaftsführer, religiöse Führungspersönlichkeiten,[115] aber auch Wissenschaftler und Künstler von internationalem Einfluß. Waren im Feudalzeitalter Menschen durch Abstammung für die internationale Ebene prädestiniert, ist der Zugang zu internationalen Verantwortlichkeiten heute stark demokratisiert. Das betrifft sowohl den Zugang zum internationalen wirtschaftlichen „Management" als auch die wachsende Zahl der Positionen in internationalen Organisationen und Verbänden. Dennoch ist der Bildungsweg für diese Aufgaben weniger vorgezeichnet als früher. Hinzukommt, daß die große Zahl der internationalen Funktionäre unter dem Druck der Verbandsmitglieder stehen, die sie entsenden und kontrollieren. Daher ist internationale Bildung auf breiter Basis nötig, um im Zeitalter des Interessenpluralismus die internationale Verantwortung schon von der Basis her aufzubauen. So setzt z. B. die entsprechende Wahl und Beauftragung eines internationalen Gewerkschaftssekretärs voraus, daß innerverbandlich demokratisch die internationale Verantwortung bei den Mitgliedern schon vorhanden ist.

Es gibt heute so etwas wie eine „internationale Gesellschaft" von Leuten, die bunt gemischt sind, neben den Repräsentanten der internationalen Politik: die vielen Lobbyisten der Interessenverbände von Wirtschaft, Kultur und Wissenschaft, die Repräsentanten und die Funktionäre der Nicht-Regierungsorganisationen und die überall dazu tätige Bürokratie, der „Jet-set" von alten und neuen Reichen, die unstet die internationalen Treffpunkte abwandern und solcher, die es gelegentlich tun. Schließlich gibt es im Schlepptau der Politik eine Art von Berufs-Emigranten, die mitunter, aus verschiedenen Quellen finanziert, als Paradevertreter von internationalen Krisengebieten wie Söldner allenthalben in Erscheinung treten und nicht schlecht davon zu leben scheinen. Durch solche „Internationalisten" können die internationalen Sitten auch sehr negativ beeinflußt werden, von der internationalen Terror-Szene oder Drogen-Szene als reinen Negativ-Beispielen ganz zu schweigen!

[114] Balthasar Gracians Handorakel, Die Kunst der Weltklugheit, Wien 1965.

[115] Vgl. z. B. das Memoirenwerk des langjährigen Generalsekretärs des Weltkirchenrates in Genf, W. A. Visser t'Hooft, Memoirs, London 1973.

Daß auch Einzelpersonen durchaus besondere Anstöße für internationale Vorgänge geben können, die nicht direkt aus der Politik kommen, denen aber dann internationale Verantwortung in hohem Maß zukommt, läßt sich aus manchem Beispiel zeigen. Zugleich hat eine solche Verantwortung dann immer mit Konsequenzen für die internationalen Beziehungen zu rechnen. Auch wird durch organisatorische Folgen bei der Verwirklichung einer internationalen Idee es meist zu einer bürokratischen Verfestigung derselben kommen. Ein Beispiel ist die olympische Idee, die bis heute von einem freien Personenkreis getragen ist, der mit vielen Kompromissen den Realitäten des internationalen Lebens zwar nachgibt, dennoch aber an seinen Gründungsideen — wie die Amateurfrage zeigt, in Auseinandersetzung mit den einzelnen Weltverbänden des Sports, oder die Betonung einer eigenen Friedens- und Einheitsidee des Weltsports entgegen den Staatseinflüssen — noch festzuhalten vermag.

So hat internationale Verantwortung durchaus Chancen sich gegen das internationale System durchzusetzen, ist dieses nicht nur eine Folge der realen Machtvorgänge. Es wäre ethisch zu wenig, würden internationale Vorgänge und Institutionen nur nach ihrem Funktionieren betrachtet werden oder würde man integrative Entwicklungen einfach der Automatik gesellschaftlicher Prozesse überlassen, abgesehen davon, daß es für die Ursachen dieser Prozesse z. B. vom dialektisch-materialistischen Denken her sehr starke ideologische Festlegungen gibt. Die These des Funktionalismus reicht ebenso wenig aus, wenn angenommen wird, daß aus der wachsenden transnationalen Zusammenarbeit bei der Lösung gemeinsamer Probleme eines Tages eine internationale Gemeinschaft von selbst entstünde.[116]

Auch die internationale Verantwortung des Menschen bleibt eine Rahmenbedingung für die Entwicklung des internationalen Lebens und des Systems internationaler Organisation selbst, aber natürlich auch für die Gestaltung des internationalen Lebens im entstandenen System. In der immer mehr weltweit sich entwickelnden pluralistischen Gesellschaft, die zur Verbreitung und Durchsetzung von Interessen auch geistig-sittlicher Art Verbände entwickelt, entstehen neue Möglichkeiten und Verantwortlichkeiten für solche Menschen und Gruppen, die eine bessere Verantwortung entdecken. Ein Beispiel sind Wissenschaftler, die in der Forschung an Entwicklungen teilnehmen oder darum wissen, welche Gefahren für die Menschheit bedeuten, und die davor warnen. Besonders hat sich das bei der Entwicklung der Atombombe erwiesen im Kreise von Naturwissenschafter, wenn man an Albert Einstein[117] denkt oder an die „Göttinger Erklärung"

[116] Vgl. Hans Zwiefelhofer, Internationale Organisation und internationales System, in: Stimmen der Zeit, 1/1973, 14-22.

[117] Über den Frieden, Weltordnung oder Weltuntergang? Hrsg. Otto Nathan, Heinz Norden, Bern 1975. Vgl. ferner C. F. Barnaby and G. P. Thomas (ed.), The

deutscher Atom-physiker aus 1957. Ähnlich haben viele Mediziner hier eine Aufgabe entdeckt, zur Verhütung eines Nuklearkrieges aktiv zu werden. Auch die Päpstliche Akademie der Wissenschaften hat mit dem Ansehen der Wissenschaft sich als Warner vielbeachtet betätigt.[118] Im international überstaatlichen Zusammenleben, wo es an den organisatorischen Voraussetzungen zur Bildung eines ethischen Konsenses besonders mangelt, kommt der Dynamik hin auf allgemeine Anerkennung von Normen im gesellschaftlichen Zusammenleben erhöhte Bedeutung zu. So wirkt im Bereich von Wissenschaft und Technik heute das Bedürfnis nach einer Art Weltkonsens in ethischen Fragen, die für die Entwicklung einer „Ethik der Weltgesellschaft" im Zusammenwirken mit den großen ethischen Traditionen der Menschheit auch zu einem Konsens in den Grundwerten beitragen kann, der erst zu einer ethischen Stabilisierung führen sollte.[119]

In einem berechtigten Sinn kann man auch von kollektiv eingebrachten Beiträgen ganzer Völker und Großgruppen in die sittliche Dynamik des internationalen Zusammenlebens sprechen. Schon Aristoteles kennt in seiner Politik Eigenschaften der Völker je nach Klimazonen.[120] Man spricht auch oft von einem Nationalcharakter. Es ist eine kulturethische Erfahrung, daß gesellschaftlich geprägte Formen des Verhaltens eine überindividuelle Bedeutung erlangen und damit eine Eigendynamik, die nicht mehr in der direkten Verantwortung der Individuen liegen, bzw. von ihnen nicht mehr voll kontrolliert werden können. Solche „nationale Eigenschaften" als Zeichen nationaler Kultur können für das internationale Leben die Qualität von Tugenden oder Lastern, von Gut und Böse, annehmen. Trotz ihrer Eigendynamik und ihres psychologisch oder soziologisch mitbedingten Charakters ist die sittliche Verantwortung bis zum Individuum als Träger der Gemeinschaft gegeben. Und in diesem Sinne ist ethisch auch die Verantwortung zur Pflege internationaler Tugenden und Überwindung internationaler Laster auch im kulturellen Verband von internationalen gesellschaftlichen Gruppierungen, von Staaten und Völkern und von kulturellen Großräumen zu sehen.

Im Zusammenhang von internationalen Tugenden gehört heute besonders das Gerechtigkeitsdenken gepflegt im Sinne der Menschenrechte für

---

nuclear arms race, Control or Catastrophe, London 1982. Ferner: Engelbert Broda, The Dilemma of Scientists in the Nuclear Age, in: Wiener Blätter zur Friedensforschung, Nr. 32/33, 1982, 58-66.

[118] Vgl. Resolution der Wissenschaftler — Treffen an der Päpstlichen Akademie der Wissenschaften vom 24. 9. 1982, in: Wiener Blätter zur Friedensforschung, Nr. 32/33, 1982, 9-11.

[119] Vgl. Günter Howe, Die Christenheit im Atomzeitalter, Stuttgart 1970, 174-179. Weitere Überlegungen aus christlicher Sicht bringt Heinrich-Jürgen Schulte-Vieting, Technik und Verantwortung, in: Stimmen der Zeit, 6/1975, 409-419.

[120] Politik, 7. Buch, 7.

alle Erdenbewohner. Entgegen Traditionen des Denkens in nationaler Ebene sind Verhaltensweisen des Anteilnehmens und des Teilens mit anderen Kulturen und Völkern wichtig. Dies hat Auswirkungen auf die nationalen Bildungssysteme und den Gebrauch der Kommunikationsmittel zur Hebung der internationalen Sensibilität und des internationalen kulturellen Bewußtseins bis zu Formen der Gastfreundschaft und des internationalen Verkehrs miteinander einschließlich der Entwicklung aller Verständigungsmöglichkeiten über Schranken wie Sprache und Gewohnheiten hinweg.

Nationale Eigenheiten haben natürlich auch ihre positive Seite. Diese zu pflegen, in Hinsicht auf eine Integration in der Vielfalt der Kulturen, ist wichtig. Es wäre daher falsch beim Betreiben einer Weltgesellschaft, diese ihres kulturellen und gesellschaftlichen Pluralismus zu berauben und das Werden der internationalen Tugenden aus ihrem natürlichen Entstehungsraum und aus der sittlichen Erkenntnis und Anstrengung jedes Menschen als Personwesen herauszulösen.

Für die ethische Sicht der Weltgesellschaft ist es grundlegend wichtig, die Tugenden als personale Leistungen allgemein zu rehabilitieren. So wird Tugend nicht als Schwäche diskreditiert werden dürfen. Die (falsche) Formel „lieber rot als tot" z. B. unterstellt, daß die sittliche Suche nach Konfliktlösung Verzicht auf Heroismus wäre und auf Tapferkeit. Tugend ist immer auch das Mitbedenken des guten Willens der Mitmenschen, die Suche nach sozialer Verbindung statt Zerstörung. Zum guten Willen, also zum Willen der Tugend, gehört aber immer Sinnfindung des Menschen, damit nicht aus einem existentiellen Vakuum heraus Aggression und falsches Heldentum entstehen. Viktor Frankl hat darauf hingewiesen und die Frage verallgemeinert, „ob nicht auch für das Überleben der Menschheit die einzige Chance letzten Endes in einer allen gemeinsamen Aufgabe liegt, in einem gemeinsamen Willen zu einem gemeinsamen Sinn?"[121] Der Ethiker darf ergänzen: in gemeinsamer Tugend!

3. Aktuelle internationale soziale Tugenden:

Unter sozialen Tugenden sollen solche Tugenden verstanden werden, die von besonderer Bedeutung für die Gemeinschaft sind, welche — von einzelnen Menschen geübt — soziokulturell durch entsprechende Verbreitung wirksam werden. Max Huber spricht zwar nicht schon von internationalen Tugenden, sieht aber beim internationalen Ethos eine „Vermischung" von individuellem und kollektivem Ethos, wobei er die folgenden Haltungen zwar im persönlichen Ethos begründet, aber mit besonderer Nähe zum

---

[121] Der Mensch auf der Suche nach Sinn, Freiburg 1972, 22.

kollektiven Ethos sieht: 1. sei die Vorstellung von Treu und Glauben irgendwie in jedem Menschen verankert, menschlicher Verkehr komme ohne ein Mindestmaß von Vertrauen nicht aus (wir sehen bei der heutigen Weltsituation z. B., daß Entspannungsprozesse zuerst durch Maßnahmen der Vertrauensbildung initiiert und begleitet werden); 2. nennt er Selbstkritik und Gerechtigkeit „wichtige Voraussetzungen eines dauernden friedlichen und geordneten Verkehrs wie zwischen den einzelnen Menschen, sowie zwischen Völkern".[122] Hier kommt sicher den Trägern von Erziehung und Meinungsbildung durch Kommunikationsmittel über die Wertung des eigenen Staates und der anderen Staaten eine besondere Verantwortung zu.

An erster Stelle der sozialen Tugenden auch in der internationalen Dimension, steht die *soziale Liebe.* Sie geht von der Einsicht in Wert und Würde jedes menschlichen Lebens aus und der deraus folgenden Solidarität unter allen Menschen ohne Ausnahme, die sich bei so vielen Anlässen heute zu beweisen hat. Mit Bezug auf die Nächstenliebe als Grundlage aller Sozialordnung definiert Johannes Messner die soziale Liebe als „gefestigte Bereitschaft des Denkens und Handelns" aller Glieder der Gemeinschaft hinsichtlich der „Sorge um die Gemeinschaft und ihr Wohl".[123] Der Gemeinsinn ist letztlich vom Individuum getragen, verpflichtet besonders aber die sozialen Gruppen untereinander auf die je größere Gemeinschaft hin bis zur Völkergemeinschaft.

Bezeichnend ist, daß ein individualistisches ebenso wie ein totalitäres und kollektivistisches Gesellschaftsverständnis auch nach aller Erfahrung nicht aus sich zum Gemeinsinn führt, der die Wohlfahrt aller auch unter eigenen Opfern voranstellt. Nur ein sittlich erkanntes und dem eigenen Wesen gemäßes Gemeinwohl ist geeignet, den Egoismus ebenso wie die Unpersönlichkeit des Kollektivgeistes in Schranken zu weisen. Beim Ausgleich von Gegensätzen kommt es nicht zuletzt auf den Verständigungswillen an. Die soziale Liebe durchwirkt weiters den Pluralismus der Vielheit von Gemeinschaften insgesamt, weil sie über allen die Einheit in der Liebe sieht und durch die Achtung der Gleichwertigkeit aller Glieder der Menschheitsfamilie niemand ausschließt durch Klassen- oder Kastengeist, durch Rassismus oder Nationalismus.

Die soziale Liebe kann wirksam werden, wenn gemeinsame Güter der Menschheit bedroht sind, bevor noch völkerrechtliche Regelungen sich durchsetzen können, wie z. B. bei der Reinhaltung der Meere. Gerade in Bereichen, wo noch keine Regelungen gefunden sind, gilt doch die Regel der sozialen Liebe. Wo aber Regelungen gefunden sind, wäre dieses Rechtsminimum ebenso vom Geist der Liebe zu erfüllen. Papst Paul VI. hat dazu das

[122] a.a.O., 265 f.

[123] Das Naturrecht, 449.

Wort von der Zivilisation der Liebe geprägt. Die Liebe strebt nach Wahrheit und fördert die Gerechtigkeit. Insofern sind alle jene geistigen Kräfte der Menschen so wichtig, die die soziale Liebe fördern. Unglücklich ist der Einfluß jener Ideologien, die die Menschen trennen und gegen den Geist der Liebe, ihren Ideologien von Klassenkampf oder sozialen Spaltungen folgend, den Haß predigen.

Oft wird die Befreiung von Unrecht als Tat der sozialen Liebe heute gepriesen. Dazu kommt die Förderung und Bewahrung der Menschenrechte und der sozialen Sicherung gerade der schwachen Glieder der menschlichen Gemeinschaft. Wenn daraus nicht ein Kampf für den Sieg einer Idee oder einer politischen Einheitsvorstellung werden soll, sondern der Andere immer auch akzeptiert und respektiert werden soll, wird die soziale Liebe gerade die Einheit in der Vielfalt suchen und die Liebe höher stellen als eine bestimmte soziale Weltstruktur, in der dann — wie es die marxistische Klassenideologie nahelegt — Liebe erst ermöglicht würde.

Andere für das soziale Leben wichtige Tugenden haben ihre Bedeutung ebenso im Weltmaßstab. Da internationale Politik auf dem freien Handeln der Staaten beruht und noch dazu die Verrechtlichung vielfach nicht genügend entwickelt ist, spielen allgemeinmenschliche Tugenden ihre besondere Rolle, so Treu und Glauben bei Verträgen oder überhaupt Ehrlichkeit und Wahrhaftigkeit im internationalen Verkehr, die Bereitschaft zur kritischen Prüfung auch der eigenen Position, die Enthaltung von Gewaltanwendung wie ebenso Toleranz und Bereitschaft zum Kompromiß.[124] In Notfällen und vorübergehend lassen sich noch am ehesten Hilfsbereitschaft und gegenseitige Hilfe wecken. Doch bedarf es auch hier eines besonderen Maßes an Verständnis füreinander, um die besten Wege dafür aufzufinden. Feinfühligkeit für Position und Situation des Anderen, partnerschaftliche Grundhaltung ebenso wie Achtung vor fremden Kulturen sind heute Tugenden, die als Voraussetzung andere soziale Tugenden im Geflecht der internationalen Beziehungen mit Klugheit einführen und fördern können.

Eine weitere Voraussetzung für notwendige internationale Entwicklungen der nötigen Gemeinsamkeiten ist die Tugend der Selbstbeherrschung und des Verzichts. Nicht als ob damit gerechte Forderungen schon durchgesetzt werden könnten. Aber viele internationale Probleme lassen sich erst angehen, wenn die entsprechende Gesinnung und asketische Haltung den Egoismus der Völker steuert. Das Weltgemeinwohl verlangt Verzichte auf der einen Seite und Bescheidenheit, hemmt im Fordern auf der anderen Seite.

---

[124] Vgl. Lothar Roos, Friedensrelevante Haltungen: Gerechtigkeit — Wahrhaftigkeit — Toleranz — Vertrauen, in: Rudolf Weiler, Valentin Zsifkovits, Unterwegs zum Frieden, Wien 1973, 545-566.

Dafür soll hier noch eigens die Haltung internationaler Askese betont werden. Das Ziel der Askese ist zunächst die selbstbeherrschte Eigenvervollkommnung und sehr indirekt die Rücksicht auf den Nächsten, z. B. bei der Konsumaskese. Dennoch sind die gesellschaftlichen Auswirkungen, wird sie verbreitet geübt, nicht zu unterschätzen. Viel mehr noch ist die Auswirkung auf die kulturelle Werthöhe und Lebenskraft einer Gesellschaft zu veranschlagen. Materielle Güter werden verfügbar und geistige Kräfte werden ebenso geweckt. Für die internationale Auswirkung von Askese ist die begleitende weltweite Sozialgesinnung sehr förderlich, da die Motive zur Askese auch den Willen zum Verzicht im Dienste der Verteilung knapper Güter bewegen oder die Kraft zur Durchsetzung wichtigen sozialen Verhaltens in ihrer internationalen Dimension fördern. Mit der räumlichen Ferne des durch die Askese begünstigten Nächstenmenschen nimmt die soziale Motivation ab. Umso notwendiger erscheint es, dem Menschen auch den internationalen Wert z. B. sparsamen Umgangs mit Ressourcen einsichtig zu machen als Persönlichkeitsbildung wie als Zeichen sozialer Gesinnung. Ohne in Opfern sich erweisender Askese bleibt die Rede von internationaler Solidarität leere Phrase.

Erst in Verbindung mit solchen Gesinnungen wird es im Verhalten der Völker möglich, traditionelle Rivalitäten oder erfahrenes Unrecht von einer Seite, das oft auch wieder neues Unrecht von der anderen Seite her brachte, durch Versöhnung zu überwinden. Beispiele seien dafür die Aussöhnung zwischen Frankreich und Deutschland (deutsch-französischer Vertrag 1963) oder die Ostverträge der BRD mit Polen und der UdSSR (1970). Die Wirklichkeit der Versöhnung und der Aufbau eines vertieften Vertrauens braucht jedoch mehr als Verträge und außenpolitische Initiativen auf Regierungsebene. Freilich steht dahinter auch eine große Aufgabe der Erziehung. Da internationalistische Erziehung eher ein durch Internationalismen besetzter Begriff ist, soll vorgeschlagen werden, hier den Begriff der Friedenserziehung in einem weiteren Verständnis zu verwenden als Hinführung zum guten internationalen Verhalten, nämlich zu den internationalen Tugenden.

2.2.4. *Friedenserziehung*

Die Idee der Friedenserziehung hat ihre Tradition. Schon im 16. Jahrhundert hat sich der mährische Theologe Comenius damit ausführlich befaßt.[125]

[125] Darauf verweist besonders Hermann Röhrs, der sich als evangelischer Theologe um die Friedenserziehung bemüht. Vgl. den von ihm hrsg. Sammelband Friedenspädagogik, Frankfurt 1970; ferner: Erziehung zum Frieden, Stuttgart 1971; Frieden — eine pädagogische Aufgabe, Braunschweig 1983. Eine längere Tradition hat auch besonders im angelsächsischen Raum die internationale Erziehung (internatio-

Über friedenspädagogische Konzepte besteht aber heute eine lebhafte Auseinandersetzung.[126] Diese wird von zwei gegensätzlichen Polen bestimmt, von der traditionellen Erziehung zur Friedfertigkeit[127] unter den bestehenden sozialen und politischen Verhältnissen und von einer auf Veränderung hin (auch mit revolutionären Schritten) angelegten Friedenserziehung.

Zunächst scheint Friedenserziehung unproblematisch auf das Erlernen und Einüben von Haltungen und Fähigkeiten hingerichtet zu sein, um Ausgleich, Toleranz und Verständnis zu üben beim Umgang mit den Menschen, Konflikte zu vermeiden oder friedlich auszutragen, Aggressionen zu unterdrücken, Gegensätze auszuhalten und auch einmal Ungerechtigkeiten zu ertragen.[128] Doch hat insbesondere die mit der kritischen Friedensforschung verbundene „kritische Friedenserziehung“[129] und die Welle der Friedensbewegungen, zuletzt der 80er Jahre, Angriffe auf die traditionelle Pädagogik gerichtet.[130]

Ein Vorwurf betrifft besonders die geringe Entwicklung der Friedenserziehung als solcher im allgemeinen Rahmen der pädagogischen Theorie und

---

nal education) oder der Unterricht in internationalem Verstehen (teaching of international understanding). Es sei auch erinnert an den pazifistisch orientierten christlichen Pädagogen Friedrich W. Foerster, Politische Ethik, Heidelberg [4]1956.

[126] Vgl. Ulrich v. Albrecht, Franz Ansprenger, Wolf v. Baudissin, Erziehung für den Frieden, Probleme des Friedens in der Einen Welt, Köln 1977; Monika Broschart, Erziehung zum Frieden, Auseinandersetzung mit friedenspädagogischen Konzepten in der Bundesrepublik Deutschland, Bern 1978; Christel Küpper (Hrsg.), Friedenserziehung. Eine Einführung, Leverkusen 1979; Vgl. zum ganzen Abschnitt auch von Rudolf Weiler, Sittliche Grundlagen der Erziehung zum Frieden, in: Rozniki Nauk społecznych, Tom III, 1975, 43-57.

[127] In der neueren Literatur wird eher auch von Friedensbereitschaft gesprochen als Tugend, die „eine konstruktive Integration der menschlichen Voreingenommenheit und Aggressivität verlangt“. So Dietmar Mieth, Friedensbereitschaft — Zur Überwindung von Vorurteil und feindseligem Verhalten, in: Alberto Bondolfi, Werner Heierle, Dietmar Mieth (Hrsg.), Ethos des Alltags, Zürich 1983 (185-202), 193.

[128] Vgl. Marian Heitger, Fragen der Friedenserziehung, in: Wiener Blätter zur Friedensforschung, Nr. 2, Mai 1974, 1-11.

[129] Vgl. Christopher Wulff (Hrsg.), Kritische Friedenserziehung, Frankfurt/M. 1973. Vom selben Autor eine gute Kurzfassung: Perspektiven für eine kritische Friedenserziehung, in: Christen und Marxisten im Friedensgespräch, Bd. 2, Wien 1979, 112-122.

[130] Bernhard Sutor, Friedenserziehung als Aufgabe politischer Bildung, Köln 1983, 4, sieht durch die Friedensdiskussion um die NATO-Nachrüstung in Europa und die Welle der Friedensbewegung auch in der Pädagogik eher eine weitere Zuspitzung zwischen traditioneller und kritischer Position, eine „neue Rigorosität und Radikalität des Argumentierens ..., wobei Gesellschaftskritik der Alternativbewegung und biblisch-christliche Motive eine eigenartige Verbindung eingehen.“

Praxis an den Universitäten und in den Schulen.[131] Ein weiterer Vorwurf ist, daß die traditionelle Pädagogik viel zu irenisch erziehen möchte, wo doch Erziehung zuerst als Strategie revolutionärer Praxis zu verstehen sei. Es müsse durch Erziehung das Bewußtsein kritisch gebildet werden und das Engagement auf den Kampf gegen Unterdrückung und für eine neue Gesellschaft entfacht werden. Erst dann könne Frieden sein. Bleibt noch zu ergänzen, daß der Marxismus-Leninismus sein Erziehungs- und Bildungsideal der Dialektik der Geschichte unterwirft, wobei der „Partei" die führende Rolle zukommt, um im ideologischen Kampf den Sozialismus zum Sieg zu führen. Hier wird Erziehung zwar parteilich, dem Klassengegner mag sie auch militant erscheinen, in der kommunistischen Fortschrittsperspektive ist sie aber insgesamt auch friedensfördernd, also Friedenserziehung.[132]

Diese Kritik ist berechtigt, insoferne der Friedensbegriff nicht nur auf die persönliche Sphäre eingegrenzt werden darf. Zur personalen Orientierung auf Frieden muß die politische internationale Dimension des Friedensbegriffs in der Bildungsarbeit ebenso berücksichtigt werden wie die soziale Gerechtigkeits- und Rechtsdimension.[133] In der Rechtsfrage des Friedens liegt aber ebenso die Frage berechtigter Vorgangsweise zur Herbeiführung des Friedens. Daß dies die Pädagogik aus sich nicht zu beurteilen vermag, macht sie auf interdisziplinäre Zusammenarbeit angewiesen.[134]

Dem unvoreingenommenen Pädagogen mag jedenfalls vor Augen treten, wie angesichts der Gefahren des Krieges mit den heutigen modernen Waffen und der Drohung eines Weltunterganges die herkömmliche Erziehung reagieren könnte, wie die Friedensfrage in der Pädagogik ihren Stellenwert bekommen sollte. Die Bewußtseinsentwicklung hat besonders auch die Religion in ihrem Erziehungsauftrag erfaßt und die Rückfrage an den Religionsunterricht über seinen Beitrag zur Friedenserziehung gestellt.[135] Wieweit

---

[131] Vgl. Johan Galtung. On Peace Education, in: Handbook on Peace Education, Ed. Christopher Wulf, Frankfurt/M. — Oslo 1974 (153-171), 153.

[132] Man denke z. B. an die vormilitärische Ausbildung in den Schulen der DDR, an die vaterländische und sozialistisch motivierte Propaganda für und in der Sowjetarmee!

[133] Treffend sagt in diesem Zusammenhang Marian Heitger: „Friede ist also nicht das Einschwören auf den bestehenden Zustand, die Konservierung bestehender Verhältnisse; Friede fördert das ständige Bemühen um die besseren Möglichkeiten der Humanität und ihre Weiterentwicklung." (In: Die Idee des Friedens als regulatives Prinzip einer jeden zukünftigen Erziehung, in der Reihe: Vorträge, Berichte, Texte, Heft 37, Köln Juli 1983, 15).

[134] Darauf macht besonders auch aufmerksam Heinrich Schneider, Friedensforschung und Friedenspädagogik, Wien 1974.

[135] Vgl. Christof Bäumler, Godwin Lämmermann, Falk Wagner, Alfred Walter, Friedenserziehung, Als Problem von Theologie und Religionspädagogik, München 1981.

aber die Pädagogik eine solide anthropologische Basis für ihren Bildungsauftrag auf dem Gebiet des Friedens braucht, zeigt unter anderem die Methodenproblematik der kritischen Friedensforschung. Ihre sozialphilosophisch geringe Fundierung, bzw. sozialwissenschaftlich stark pragmatisch-szientistisch ausgerichtete Methode[136] und gleichzeitig weltanschaulich eher einseitige Orientierung bis Parteinahme steht einer Anknüpfung an das oft noch lebendige traditionelle Bildungsideal in unserer Gesellschaft entgegen und ebenso einer evolutiven Entfaltung der Bildung auf die neuen Erfordernisse der Friedenserziehung hin.

Daran ändert auch nichts die Anzahl von mehr technisch-pädagogischen Bemühungen, den Frieden in der Erziehung zu verankern, wie es für eine Welle der Theorie in den 70er Jahren kennzeichnend war. Ohne die Bindung an die kritische Friedensforschung mit ihren im Ost-West- und Nord-Süd-Konflikt analysierten Ursachen der Friedlosigkeit und deren auch pädagogische Überwindung wurden andere Richtungen der Friedenserziehung entwickelt: die historische Friedenserziehung, friedenspädagogische Curricula im Modell der Gesamtschule, Versuche im Bereich der Spracherziehung u. a. Gemeinsam ist diesen Versuchen, die im einzelnen jeweils auch in ein traditionelles Erziehungsschema eingefügt werden könnten, die gesellschaftspolitisch kritische Einstellung, um Gewalt- und Konfliktformationen im kleinen oder großen aufzudecken und zu politischem Engagement anzuleiten.

Illustrieren läßt sich das wieder leicht mit Johan Galtung, der mittels Analyse und Kritik einfach über die Aktion zum Wert, nämlich von der „rejected world" zur „preferred world" voranschreiten will.[137] Nicht der analytisch-kritische Weg sei abgelehnt, er müßte sich aber auch am Beginn über Werte, nämlich über seine Wertvoraussetzungen, Rechenschaft geben. Mit anderen Worten, gerade die Erziehung als Bildungsvorgang kommt ohne Aussage über ein Bildungsideal, über den Menschen als individuelles und gesellschaftliches Wesen, über menschliche Würde und inneren und sozia-

[136] Letztlich ist die Methodenwahl auch Ausdruck einer grundlegenden hermeneutischen Vorentscheidung im Theorie-Praxis-Problem. Nach dem pragmatischen Vorverständnis ist eben das Bewußtsein eine Folge der Praxis. Die Selbständigkeit sittlicher Verantwortung betont gegen einen historischen Soziologismus aber selbst Karl R. Popper sehr eindrucksvoll, indem er die (empirischen) Sozialwissenschaften — und die „kritische Friedensforschung" will zunächst als solche gelten! — vor einer „Deifikation der Fakten" warnt. (Vgl. insbes. seinen Aufsatz Prognose und Prophetie in der Sozialwissenschaft, in: Logik der Sozialwissenschaften, Hrsg. Ernst Topitsch, Köln 1968, 113-143). Der Einfluß sittlicher Werthaltung auf die Sozialgestaltung steht vom Standpunkt einer die Geistesnatur des Menschen festhaltenden Philosophie und Anthropologie und folglichen Pädagogik überhaupt fest. (Vgl. Czesław Strzeszewski, Zródla naturalno prawne harmonii rozwoju gospodarczego, in: Roczniki Filozoficzne Tom X VIII, 2/1970, 61-73).

[137] On Peace Eduation, 153.

len Frieden nicht aus. Erst die Erkenntnis des Friedens als Bildungsinhalt und -ziel und damit als sittliche Aufgabe kann dem Frieden auch die volle Anerkennung in der Erziehung sichern. Wenn das Bildungsziel Friede heißt, ist auch das Bildungsgut ein menschlicher Grundwert, der trotz aller Dynamik sich der Frage zu stellen hat, welcher Friede für die Menschen erstrebenswert ist, bzw. nach welchen Kriterien und auf welchem Wege ungerechte Verhältnisse verändert werden sollen. Von einer bloßen Übernahme von Positionen der kritischen Friedenserziehung in die Pädagogik, ohne auch deren theoretische Defizite zu beheben, ist kein harmonisiertes Konzept der Friedenserziehung zu erwarten.[138]

1. Der Friede als sittliches Bildungsgut und Erziehungsziel:

Erziehung ist kein abstrakter Vorgang. Sie ist sowohl als freie geistige Aneignung durch den Erzogenen umweltabhängig wie als Vorgang der Mitteilung von Inhalten und Haltungen nicht lösbar vom jeweiligen Zustand der Gesellschaft. Für den Menschen in allen Dimensionen seiner Existenz — als Leib-Geist-Einheit wie als Individual- und Sozialwesen — wirkt sich die Tatsache aus, ob eben mehr oder weniger Friede oder sogar Friedlosigkeit herrschen. Das Erlebnis eines gegebenen Zustandes der Gesellschaft im Vergleich mit der Friedenserwartung macht das Gut des Friedens aber auch zum Gegenstand geistiger Bejahung und sittlichen Strebens. Der Friede als allgemein erkennbare, dauernde menschliche Sehnsucht ist ein Beweis, daß der Mensch nicht bloß in einem historischen Prozeß steht, mag er noch so „fortschrittlichen" Zielen zugewandt erklärt werden. Fortschrittskriterium für die Humanität kann wieder nur der Mensch als erkennendes und wollendes Wesen sein und nicht als Glied eines naturalistisch-historizistischen Prozesses!

Im Grunde ist die Friedenserwartung Zeugnis für die sittlich-schöpferische Hoffnung des Menschen, den Frieden (entgegen bestehenden Zuständen) möglich zu machen. Friede ist ein Begriff, der der menschlichen Sozialgestaltung vorbehalten ist sowohl als Bezeichnung für eine Ordnungsgestalt der Menschheit — eben im Frieden zu leben — als auch als Ziel menschlich-sittlichen Strebens. Die Frage nach dem Frieden und was zum Frieden führt, ist damit mit dem Menschsein untrennbar verbunden. Ist der Friede aber als allgemein-menschlicher Wert anerkannt, dann ist er auch integraler Teil und ein Wesensmerkmal des vollmenschlichen Bildungsideals.

Verstehen wir unter Bildungsideal mit Theodor Litt[139] „den Entwurf eines durch die Erziehung zu verwirklichenden Menschentums", dann wird unsere

[138] Vgl. Bernhard Sutor, 4.

[139] Führen und Wachsenlassen, Stuttgart ^{8}1960, 57.

erste Aufgabe bei der sittlichen Grundlegung der Friedenserziehung sein, den Frieden als integrales Bildungsgut und -ziel näher auszuweisen. Das Dilemma der rein pragmatisch orientierten Erziehung, die Litt vertritt — er wendet sich gegen die Möglichkeit einer inhaltlich allgemeingültigen Umschreibung des Bildungsideals — wird hier sogleich offenbar, das auch eine „kritische" Friedensforschung nicht zu lösen vermag: ist Friede, Friedenspflicht und -recht eine allgemeingültige sittlich-menschliche Kategorie oder bloß ein heute oder hier erwünschter und morgen oder dort verspotteter Charakterzug des Menschen?

Eine wissenschaftliche Begründung der Friedenserziehung kann die Frage nach dem Menschen und die innere Bindung von Mensch und Frieden nicht umgehen, will sie nicht auf (dauerhafte) Gültigkeit ihrer Aussagen von vornherein verzichten. Aus einer letztlich sehr willkürlichen Interpretation der Erkenntniskraft der menschlichen Vernunft freilich heraus kommt die logisch-analytische Philosophie und Ethik heute zum Postulat, auf Wahrheit im menschlichen (sittlichen) Entscheidungsbereich überhaupt zu verzichten und sich konkret für mehr Menschlichkeit, sowie es sich rechtfertigen läßt, einzusetzen.

Karl R. Popper z. B. hält gerade die metaphysische oder Wahrheitsfrage nicht nur für wissenschaftlich ergebnislos, sondern — als einem System von Vorurteilen oder „Totalideologien" entsprungen — geradezu für gefährlich. Solche geschichtswirksame Ideologien würden dem Menschen nicht die Kontrolle der Macht endlich ermöglichen, sondern ihn dieser unterwerfen. Popper kommt am (wenn auch noch so eingeschränkten) Gebrauch von Begriffen wie Freiheit und Gerechtigkeit aber nicht herum. Sein Dilemma wird dann nicht geringer, wenn er für die von ihm postulierte Sinngebung der Geschichte durch den Menschen mit offenbar doch ethischem Pathos für diese Begriffe wirbt. Er muß den Begriffen schließlich doch einen Inhalt geben und mit der „Kritik" und dem Ideologieverdacht einmal aufhören. Einem allgemeinen Skeptizismus bliebe kein Platz mehr für Realismus, den Popper doch verlangt.[140]

Die Idee vom Menschen als einer allgemeinen Begrifflichkeit und Wesenheit liegt in der Urform menschlichen Bewußtseins und Denkens. Reflexion und Abstraktion ist eine Gabe und Form menschlicher Existenz und kein willkürliches Constructum an sich. Die klassische Philosophie hat den Wesensbegriff „Mensch" durch die Betonung der Vernunft als der Eigenart des Menschseins definiert. Der Mensch ist aber auch geprägt durch Materie und Umwelt, durch sein Sein in geschichtlicher Zeit und Bedingtheit. Die soziale Bestimmung des Menschen ist daher Einsicht in die gleiche Natur aller Menschen und zugleich Aufgabe, diese Einsicht in einem mitmenschlichen

[140] Vgl. Falsche Propheten, 347.

Beziehungssystem effektiv zu machen, daß kein Mensch tatsächlich von der Menschenwürde ausgenommen werde.

Die Idee von der allgemeinen Menschenwürde und der Friedensfolgerung daraus für alle, folglich das Konzept eines offenen Weltfriedenssystems für alle Menschen, konnte nicht verhindern, daß bis heute tatsächlich immer wieder politisch geschlossene (exklusive) Friedenssysteme wirksam waren. Alfred North Whitehead[141] nennt es „die Last der Realisierung", wenn er den Weg durch 2000 Jahre skizziert, bis die platonische, christlich fortgeführte Idee von der allgemeinen Würde des Menschen durch seine Seele (Humanitätsideal) die Tatsache der Sklaverei z. B. endlich im 19. Jahrhundert überwunden hätte.

Die erste ethische Formulierung der allgemeinen Friedensidee als Menschenrecht steht im Kern schon in der goldenen Regel. Dieser Satz beansprucht — einmal erkannt — Evidenz, d. h. kann nicht weiter mehr bewiesen werden und gehört als Prinzip des ursprünglichen sittlichen Bewußtseins des Menschen zum sittlichen Apriori. In der Anwendung der sittlichen Prinzipien, im Bereich der konkreten Schlußfolgerungen also, wird freilich diese Erkenntnis durch Traditionen und Umstände des gesellschaftlichen Lebens wieder eingeschränkt, ohne daß damit die Einsicht in die Allgemeingültigkeit des Grundsatzes an sich geleugnet werden müßte und wird.

Zur wirksamen Erkenntnis für jeden Menschen im Leben der Staaten (Völker) und gesellschaftlichen Großgruppen war erst noch der praktische Erkenntnis- und Erlebnishorizont einer Welt, einer Menschheit und eines Gemeinwohls dieser Menschheit nötig. Der Inhalt des Friedensbegriffs zeichnet sich heute jedoch bereits deutlich ab: Friede ist im Zusammenleben der Menschen erfüllte Gerechtigkeit und Liebe aus der Einsicht in die gleiche Wesensnatur, ist damit Hilfe (Voraussetzung und Dienst) zur Entfaltung und Erfüllung jedes menschlichen Lebens.[142]

2. *Der Friede als emanzipatorischer Erziehungsvorgang:*

Die Friedensproblematik zeigt klar, daß die allgemeine Erkenntnis der Menschenwürde noch nicht ausreicht, ihren wirksamen Schutz auch für alle Menschen herbeizuführen. Insbesondere die kritisch-emanzipatorischen Bemühungen des modernen Humanismus sind ein Beweis, daß es nur Freiheit gibt, wo auch Ideen wirksam werden. Diese Bewegungen sind in ihrer anthropologischen Begründung oft verkürzt und gehen oft von verschiedenen

---

141 a.a.O., 106.

142 Vgl. Rudolf Weiler, Friedensforschung als positive Friedensstrategie, in: Europas Neuorientierung, Europagespräch 1972, Wien 1973, 293-305.

und widersprüchlichen szientistischen Hypothesen aus, was der Mensch, die Gesellschaft und die Geschichte seien. Sie haben aber zumeist Teil an einem humanistischen Ethos, aus dem sie in — vielfach nicht eingestandener — Verbindung mit dem Rechtsbewußtsein und -gewissen als der sittlichen Fortschrittskraft der Menschen schöpfen. Sie können weiter wichtige Beiträge zur Kritik und Analyse bestehenden Unrechts liefern. Beide Pole aber, das Allgemeine und das Besondere, die Idee und die Analyse, muß der Mensch im Ringen um seine Würde in Freiheit und Gerechtigkeit bedenken. Und so ist Friede Gabe der Weisheit *und* Frucht des Kampfes, ist die Geschichte aber auch eine Geschichte der Krise des Friedens und sogar seiner Abwesenheit. Der Mensch und die Menschheit wissen aber zunehmend klarer darum, sie erleiden nicht dumpf ein Schicksal, sondern suchen es zu wenden.

Erziehung zum Frieden muß daher wesentlich auch Erziehung zur Bewältigung der Krise des Friedens und der Friedensnot sein. Dabei sollte der Kampf für den Frieden nicht nur auf dem Gebiet der Erziehung, sondern ganz allgemein mehr und mehr mit menschenwürdigen Mitteln geführt werden. Das gegenwärtige System der Friedenssicherung durch gegenseitige Abschreckung kann von einer Friedenserziehung nicht auf Dauer bejaht werden. Friedenserziehung verlangt nach einer neuen Qualität der internationalen Beziehungen, daß nämlich gemäß dem Prinzip in der Präambel der Satzung der Vereinten Nationen die Staaten „als gute Nachbarn in Frieden miteinander leben". Soll der Zweck nicht die Mittel heiligen, dann müssen die Mittel zum Frieden immer mehr auch in innerer Übereinstimmung zum Ziel des Friedens stehen. Friede als Voraussetzung zur allseitigen Verwirklichung der Menschenwürde verlangt auch menschenwürdige Mittel zu seiner Herbeiführung. Erziehung zum Frieden als Wert ist auch eine Wertung der Mittel, die zum Frieden führen und damit auch ein wesentliches Element der umfassenden Strategie zum Frieden. Dies verpflichtet aber gerade die Friedenserziehung, an der Menschenwürde orientiert sozial-kritisch emanzipatorisch zu handeln.

Ein allgemeines Kennzeichen für eine so orientierte Sozialkritik scheint in der Bereitschaft zu liegen, das schwache entwicklungs- und schutzbedürftige menschliche Leben ohne jede Ausnahme in das Gesamt-Menschheitliche als eines unteilbaren Friedenssystems einzugliedern. Insoferne ist z. B. die Freigabe ungeborenen menschlichen Lebens zur Tötung ein Friedensbruch, weil vom Frieden die Ungeborenen als Teil der Menschheit ausgeschlossen werden. Sozialer Notstand, soziale Krisen, die sich für Teile der menschlichen Gesellschaft zur Frage um Leben und Tod entwickeln können, führt zum erklärten oder nichterklärten Krieg, zur Friedlosigkeit jedenfalls, wenn diese Kriege auch ohne Waffengewalt geführt werden.

Integraler Bestandteil von Friedenserziehung ist daher auch Kenntnis der sozialen Krise und der Wege zur sozialen Erneuerung. Dieser Teil der Friedenserziehung ist sachlich seit langem durch die kath. Soziallehre über die soziale Frage und die Sozialreform abgedeckt. Sie unterscheidet dabei in die Reform der Zustände und der Sitten. Auch der Friedensforscher Bert V. A. Röling[143] nennt „die Kräfte zum Guten" das Gut des Friedens schlechthin. Für die Erziehung zum Frieden scheint daher der erste Ansatz und die Grundlegung angesichts der sozialen Krise in der Besinnung auf die sittlichen Kräfte im Menschen zu liegen.

So bedarf soziale Erneuerung der Erkenntnis der sozialen Krise bis in die Wurzeln sowohl wie der Erkenntnis des Zieles einer Friedensordnung in Gerechtigkeit. Das entscheidende Kriterium dafür sieht die naturrechtliche Ethik in der Vernunftnatur des Menschen, kraft welcher er um seine Menschenwürde weiß und um alles, was dieser zu ihrer Verwirklichung dient. Was Friede ist und dem Frieden dient, darüber weiß jeder Mensch, wie auch die Erfahrung immer wieder zeigt, grundlegend und naturhaft genügend Bescheid! Dieses Wissen ist gemäß der Grundstruktur menschlichen Geistes zugleich mit einem Streben verbunden auf ein Ziel, worauf der vom Verstand geleitete Wille wesenhaft hingerichtet ist. Wir könnten (wie von einem Gewissensantrieb im Sinne des Strebens des Menschen in seinem Persongrund nach dem Guten) auch von einem Gewissensantrieb zum Frieden sprechen, nämlich Frieden zu halten und Frieden zu erwarten. Beide — dieses geistige Erkennen und dieses Streben — können zwar zeitweilig unterdrückt und beschnitten werden, vermögen sich aber — wie die Geschichte auch zeigt — im längeren Verlauf und immer mehr, wenn auch unvollkommen und schrittweise, durchzusetzen. So sind die sittlichen Kräfte im Menschen die Grundkräfte des Fortschritts auch zum Frieden, an die eine Erziehung zum Frieden anknüpfen kann und muß.

Friedenserziehung erscheint also durch ihr allgemein menschliches Bildungsideal letztlich im Verständnis des Humanen begründet. Damit ist sie wesentlich auch bestimmt vom sittlichen Gewissen und Recht (Menschenrecht) und ist verbunden im Kern mit dem sittlichem Ideal und hingewiesen auf die Friedensethik. In ihrem sozial-kritischen Bezug ist sie auf die Sozialethik verwiesen. Durch ihre Wertposition ist sie daher niemals Erfüllungsgehilfin einer Erziehung zu einem ideologisch bestimmten Frieden und dementsprechender Legitimation von kriegerischen Mitteln. Allerdings kann unter dieser Sicht die Friedenserziehung — anders als bestimmte Richtungen der „kritischen Friedenserziehung" — nicht an sich die Frage der Rechtfertigung von gewaltsamer Wehrhaftigkeit beantworten. Sie ist auch hier — wenn sie nicht mit radikalem Pazifismus kurzgeschlossen wird — auf die Friedensethik zurückverwiesen.[144]

---

[143] a.a.O., 13.

[144] Deutlich wird dies, wenn die Friedenserziehung in Friedenspolitik umgesetzt

3. Friedenserziehung und ihr Verhältnis zur Wehrerziehung:

In einer Welt, wo der Militärdienst für junge Menschen für eine Zeit ihres Leben in nationalen Armeen meist auf Grund allgemeiner Wehrpflicht die Regel ist, scheint die Friedenserziehung eindeutig im Nachteil gegenüber der Wehrerziehung zu sein. Man kann auch nicht einfach den geistigen Hintergrund militärischer Ausbildung dadurch als pazifistisch erklären, weil das politische System des Landes als friedliebend deklariert wird oder der politische Auftrag nur auf Verteidigung lautet. Für den Erziehungsvorgang ist sowohl Einsicht in Recht und Pflicht zur militärischen Verteidigung nötig, als auch die Lösung der normativen Problematik zwischen Tötungsverbot und der Gewaltanwendung Angreifern gegenüber zum Schutz des Gemeinwohls.

Erst eine Wehrerziehung, die die normative Rechtfertigung des militärischen Einsatzes bedenkt, wird als Teil der Friedenserziehung gelten können. Auch sie ist auf die Friedensethik zurückzuverweisen. Erst nach dieser grundsätzlichen Auseinandersetzung mit der sittlichen Problematik stellt sich die Frage nach der Erziehung hin auf das rechte militärische Verhalten im Frieden oder im Krieg. Erst dann ist Wehrerziehung zumindest kein Widerspruch zur Friedenserziehung.

Friedenserziehung entfaltet von ihrem Wertgrund her eine eigene Dynamik, weil sie stets neu die Frage erhebt nach der Notwendigkeit und dem Ausmaß militärischen Wehrens. Insoferne hat selbst der absolute Pazifismus Bedeutung, weil er die Bedingtheit der Kriegsbereitschaft aufzeigt. Diese Bedingtheit entsteht aus der subjektiv gültig erfaßten Gewissenspflicht, aus der heraus der Einzelne den Wehrdienst verweigern kann. Es ergibt sich aber auch zu recht eine Dynamik hin auf Gewaltminimierung und auf neue Wege und ergänzende Methoden der Gewaltfreiheit in der Konfliktaustragung. Deshalb wird zwar die Friedenserziehung aus sich heraus nicht den absoluten Pazifismus vertreten können, sie wird aber den Weg zur Gewissensentscheidung bei der Wahl zwischen den Friedensdiensten mit oder ohne Waffen freihalten. Sie wird auch der friedlichen Konfliktlösung jeder militärischen den Vorrang geben, bzw. zur Entlarvung militaristischer Erziehung und der sie bestimmenden Politik beitragen können.

Eine vaterländische Erziehung oder Wehrerziehung, die, soldatische Tugenden und Soldatenehre überwertend, den Krieg als Heroismus verherrlicht und die die gesamte Erziehung nach militaristischen Vorbildern aus-

---

werden soll. Friedfertigkeit ersetzt nicht die politische Suche nach Frieden, aber kann den Weg zum Frieden eröffnen oder erleichtern. Vgl. dazu die Kontroverse zwischen Franz Alt, Friede ist möglich, Die Politik der Bergpredigt, München 1983, und Manfred Hättich, Weltfrieden durch Friedfertigkeit? Eine Antwort auf Franz Alt, München 1983.

richten möchte, ist moralisch eindeutig abzulehnen. Der Geschichtsunterricht ist immer noch in Gefahr, die Geschichte als Abfolge von Kriegen mit deren Heldentaten zu sehen. Die Friedenserziehung kann hier korrigierend eingreifen. Insoferne ist es richtig von Friedenserziehung als Unterrichtsprinzip zu sprechen, das zwar nicht in erster Linie als Gegenstand wie andere zu unterrichten ist, aber durchaus auch zum Inhaltlichen in einzelnen Gegenständen beitragen kann. Entscheidend bleibt für die Friedenserziehung die Weckung sittlicher Kräfte im Menschen für den Frieden und gegen Gewalt auf dem Hintergrund rationaler Einsichten einschließlich der Information über friedensrelevante sozio-politische Vorgänge in der Welt.

4. Sittliche Grundkräfte als Ansatz der Friedenserziehung:

Das Gewissen als Friedenskraft: Die Bedeutung des Gewissens steht für den Erzieher fest, für den der Mensch ein selbstverantwortliches Wesen ist. Alva Myrdal hat es bei der Rede anläßlich der Verleihung des Friedenspreises des deutschen Buchhandels in der Frankfurter Paulskirche 1970 so ausgesprochen: „den Frieden zu erreichen — das ist eine Sache der Vernunft und der Moral." Auf der Grundlage seiner behavioristischen Anthropologie sieht John Dewey den sittlichen Fortschritt als das Ergebnis sowohl der Erziehung der inneren Persönlichkeit wie der sozialen Führung über die Umwelt.[145] Er glaubt auch mit dem von ihm zitierten W. James,[146] daß es keine unveränderliche angeborene Kraft gäbe, die den Krieg erzeuge, es folglich möglich sei, die angeborenen Triebe wirksam zu versittlichen und zu vermenschlichen; dazu seien die Friedenszeiten zu nutzen.

Woher aber diese sittlichen Kräfte selbst kommen, den Frieden als Idealbild zu erkennen und selbst im Toben des Krieges zu bewahren und neu zu erstreben, läßt er offen. Vielleicht hat es kein anderer besser formuliert als Henri Bergson, daß es dazu sittlicher Erkenntnis und ebenso sittlichen Wollens bedarf, sich gegen den Krieg und für den Frieden zu entscheiden! Er kennt „die Schwierigkeiten, die Kriege abzuschaffen". Aber „keine dieser Schwierigkeiten ist unüberwindbar, wenn ein ausreichender Teil der Menschheit entschlossen ist, sie zu überwinden."[147]

Das menschliche Gewissen als Einsicht und Würde jedes menschlichen Lebens, als Last und Pflicht zum Guten und zum Frieden ist der große Verbündete in der Hoffnung dieser Welt auf Frieden, zugleich aber ist es keine mechanische Automatik. Der Mensch, ja bedeutende Teile der

[145] Die menschliche Natur, Stuttgart 1931, 11.

[146] The Moral Equivalent of War, London 1911.

[147] Die beiden Quellen der Moral und der Religion, Jena 1933, 287-290.

Menschheit können sich ihrem Gewissen verschließen und dagegen leben. Sittliche Entartungen in einem Lebensbereich können sich verheerend auf andere auswirken.

Bergson weist mit Recht z. B. gerade unter den Hindernissen, den Krieg abzuschaffen, auf die Gier nach Luxus und Vergnügen hin![148] So ist auch der Krieg Frucht der Bosheit und der Gewissenlosigkeit. Wie es zu diesem Verlust an Gewissen, an Verantwortung kommt, ist der Weg menschlichen Unheils. Nicht so, daß die Menschheit kein Gewissen mehr hätte, aber daß das Gute im Menschen zu Zeiten seine Kraft verloren habe, darin liege die Tragödie. Nicht die Abschaffung, nicht die Ersetzung des Gewissens durch verkürzte Humanismen bringt die Lösung, sondern die Rückkehr zum sittlich verstandenen Gewissen. Die Reue allein — wie es Max Scheler unübertrefbar formuliert hat — trägt keimhaft schon den „Bauplan neuen Lebens" (des Friedens hier) in sich.[149]

Die Gerechtigkeit als sittliche Dynamik zur Friedensverwirklichung: Man kann die Gerechtigkeitsidee als Leerformel abtun, den Ruf nach sozialer Gerechtigkeit zur Ideologie, Utopie und Propaganda rechnen. In keiner Weise wird man der Wirklichkeit damit gerecht. Unrecht kann als solches nie Frieden stiften, gewaltsames Vorgehen zur Schaffung eines fait accompli, um dann die Anerkennung von Realitäten solcher Art zu verlangen, löst nicht Probleme, sondern schafft neue! Hinter dem zu beobachtenden Realismus zur Hinnahme von Unrecht bei Konflikten steht vielmehr, wenn es nicht reine Ohnmachtsfolge sein soll, die Einsicht in ein Maß von Nachgeben bis Vergebung und Versöhnung, also sittliche Kategorien, die zur menschlichen Problemlösung führen, ohne auf die Geltung von Recht und Billigkeit im internationalen Leben grundsätzlich zu verzichten.

Das Prophetenwort, wonach Friede das Werk der Gerechtigkeit sei, bleibt gültig (Is 32, 17). Zur Haltung der Gerechtigkeit zu erziehen, ist Friedenserziehung. Gewiß ist damit nicht eine Haltung der Rechthaberei begünstigt, sondern hier ist vor allem eine Pflege der Gerechtigkeit gemeint, die zur Durchsetzung sich wieder der Mittel des Rechts bedient und die Machtansprüche dem Recht unterwirft. Das sittliche Rechtsbewußtsein als Fortschrittskraft der Menschheit ist aber ebenso der Verbündete des wahren Friedens, indem es nicht zuläßt, daß einem Scheinfrieden auf Dauer das Recht geopfert werde.

Die Liebe als Friedenskraft: Die Grundkraft in der Erziehung wie die entscheidende Kraft für das Gelingen der zwischenmenschlichen Beziehungen ist die Liebe. Das gilt auch für die internationalen Beziehungen. Die sittlichen Ideale stehen vor der Realität, daß auch zu ihrer Durchsetzung die

---

148 a.a.O., 290 f.

149 Reue und Wiedergeburt, in: Vom Ewigen im Menschen, Leipzig 1921, 6-58.

Vernunft mitwirken muß, daß es einen Zusammenhang ihrer entsprechenden Zwecke und Ziele gibt, eine Reihung nach Dringlichkeit und Ausgewogenheit. Auch das Gerechtigkeitsstreben hat seine innere Grenze in weiser Beschränkung, damit nicht Gerechtigkeit werde, auch wenn die Welt untergehe. Es mag dies eine Frucht der Weisheit und Klugheit sein. Die menschlich bewegende Kraft, den Ursachen von Unrecht und Haß zwischen den Völkern zu begegnen und Frieden zu fördern, ist letztlich das Wohlwollen gegeneinander und die Überwindung des Egoismus. Es mag pathetisch klingen, aber Erziehung zur Nächstenliebe ist Kern der Friedenserziehung.

5. *Wege zur Friedenserziehung:*

Auch für die Praxis der Friedenserziehung wird man nicht warten können, bis in den anthropologischen Grundwerten Einigkeit besteht und ebenso über den Frieden als Erziehungsziel. Noch viel weniger wird sich die internationale Politik in Konflikten auf rasche allseits befriedigende Lösungen einigen können. Dennoch wird in einem breiten Bereich von Verhalten, beginnend beim Einzelnen, eine gewisse Übereinstimmung für das Friedensfördernde erreichbar sein. Schon allein die Tatsache, daß heute kriegerisches Verhalten in der internationalen Öffentlichkeit weithin auf Ablehnung stößt, ist für Friedenserziehung günstig. Positiv wirkt sich hier die moderne Friedensbewegung aus, die, wenn auch oft wenig reflektiert, der Friedenssehnsucht Ausdruck gibt. Dabei zeigen sich übernationale Effekte und Wirkungen der Ideen, die mittels Medien und im modischen Gewand, wie Peace-Songs oder Aktivitäten bis zu gewaltlosen Formen des Widerstands, breite Bewußtseinsbildung bringen.

Auf dem Hintergrund dieser Situation bis in die „Friedensszene" sollte sich durch Beispiel und Begegnung ein gewisser gemeinsamer Grund für Friedenserziehung finden lassen. Ein Schlagwort unserer Zeit dafür heißt Dialog, der von der Koexistenz verschiedener Friedenskräfte zur Partnerschaft entwickelt werden müßte. Ziel dieser Partnerschaft wäre die positive Entwicklung von Toleranz und der Fähigkeit zum Kompromiß.

Toleranz ist nicht bloß Duldung des Irrtums des anderen aus Respekt vor seinem persönlichen Gewissen und seiner persönlichen Freiheit, Toleranz soll die Sicherheit letzter eigener Überzeugung nicht erschüttern, der tolerante Mensch soll aber das unabdingbar Letzte eigener Überzeugung nicht in vieles Vorletztes ausweiten und soll bereit sein, in vielen Lösungen auch den anderen Weg zu erwägen. Die Intoleranz muß nach Whitehead als das „chronische Laster moralischer Inbrunst"[150] entlarvt werden. Toleranz kann

[150] a.a.O., 147.

nur bei Achtung der Freiheit des anderen bestehen, die hier als höheres Gut gilt, als die Durchsetzung eigener moralischer Ziele gegen die Freiheit des anderen.[151]

Toleranz muß praktisch damit rechnen, mit Konflikten zu leben. Daraus folgt die Bereitschaft zu echten Kompromissen, um diese Konflikte sozial zu regeln. Theodor Wilhelm hat in seinem Traktat über den Kompromiß davon gesprochen. Gelänge es dem politischen Unterricht, die heranwachsenden Bürger zur Kompromißbereitschaft und -fähigkeit zu qualifizieren, so würde damit nicht nur die primitiv-blinde Durchsetzung der eigenen Interessen um jeden Preis unterbunden, sondern auch das Bewußtsein von der Einheit in der Vielfalt unserer Gesellschaft geweckt und die Achtung vor Würde und Recht des anderen gestärkt. So bestünden Kompromiß und Dialog zusammen, im letzten aus der Einsicht heraus, daß es keinen Alleinanspruch auf die volle Wahrheit gibt, als wäre beim anderen nur Irrtum und Unrecht; es gibt die vielen Facetten der Wahrheit im Strom menschlichen Denkens und der Geschichte der Ideen und Philosophien. So ist die Pflicht zur Toleranz und die Bereitschaft zu Dialog und Kompromiß der „Tribut des Endlichen an die Überfülle des unerschöpflich Neuen, das auf seine Zukunft wartet, und an die Komplexität der vollendeten Tatsachen, die sich über die Grenzen unserer Einsicht weit hinausstreckt."[152]

Den Weg dazu bezeichnet der immer breiter heute als politische Haltung anerkannte Dialog, der nicht zuletzt aus der Einsicht in die Koexistenz verschiedener politisch-weltanschaulich-wirtschaftlicher Systeme erwächst und diese in einem Gefüge von Möglich-Unmöglichem verbinden wie trennen soll. Aber auch begrenzte Kooperation dient dem Frieden mehr als eine verschwommen-illusionistische Partnerschaft. Diese Kunst des Dialogs und der Koexistenz mit dem Ziel des Friedens in der Wahrheit hat sicher auch ihre pädagogische wie ihre verantwortungsethische Seite.

Die Verantwortung, Wege zur Friedenserziehung zu erschließen nach den Möglichkeiten und Bedürfnissen unserer Zeit, trifft alle Träger von Erziehung, am Beginn und ganz besonders die Familie. Neben den Berufspädagogen[153] kommen in der heutigen Bildungsgesellschaft aber auch allen, die

---

[151] Vgl. Gerhard Zacharias, Der Kompromiß, Vermittlung zwischen gegensätzlichen Positionen als Ermöglichung des Friedens, München 1974. Diese interdisziplinäre Untersuchung befaßt sich mit der Ermöglichung des Friedens durch den Kompromiß, der nicht nur struktur- und psychoanalytisch als Vermittlung zwischen gegensätzlichen Positionen gedeutet wird. Kompromißverhalten wird für den Menschen auch aus seinem Wesen her, auch vom Begriff des Friedens her als konstitutiv entwickelt, kompromißlose Absolutheitsansprüche seien aufzugeben. Auch die christliche Ethik bekennt sich heute zu einer „Ethik des Kompromisses".

[152] Zur Weiterbildung des politischen Bewußtseins, Stuttgart 1974, 150.

[153] Vgl. Alexander Fussek, Überlegungen zur Friedenserziehung in Theorie und Praxis, Wiener Blätter zur Friedensforschung, Nr. 38/39, April 1984, 12-23.

Erziehung mitgestalten, große Verantwortungen zu. Jeder Politiker müßte seine Worte ob ihrer Beispielsfolge für die Friedenserziehung reiflich überdenken. Politische Bildung z. B. in den politischen Parteien steht unter dieser Verantwortung. Aber auch die übrigen gesellschaftlichen Kräfte, nicht zuletzt die Religion und die Kirchen tragen bei zur Friedenserziehung.

2.3. Grundprinzipien internationaler Sittlichkeit

Den Grundwerten internationaler Sittlichkeit entsprechen Verhaltensregeln, die mehr sind als festgestellte Regelmäßigkeiten im Bereich der gesellschaftlichen Ordnung. Die Sozialprinzipien der traditionellen Ethik stellen Ordnungsgesetze dar, die sich in ihrer Gültigkeit von der kleinsten gesellschaftlichen Einheit bis zur Weltgesellschaft erstrecken. Hier wird nicht die Existenz der Sozialprinzipien erst zu beweisen sein, sondern ihre Anwendbarkeit auf die Menschheit. Ferner ist zu fragen, ob nicht eine höhere Qualifizierung bei der Anwendung für diese Prinzipien eintritt, im Sinne einer verschiedenen Gewichtung auch aus der Zeitsituation. Besondere Fragen stellen sich damit auch nach spezifischen Ordnungsprinzipien angesichts des offenen politischen Organisationsrahmens des Weltgemeinwohls. Aus diesem Grunde werden zuerst die allgemeinen Sozialprinzipien auf ihre internationale Aussage hin geprüft. Dann wird nach spezifischen sittlichen Prinzipien für das internationale Leben gefragt.

2.3.1. Die allgemeinen Sozialprinzipien in ihrer internationalen Dimension

1. Solidarität und Solidaritätsprinzip in der internationalen Ordnung:

Solidarität ist heute ein vielberufenes Wort. Zuerst ein Terminus des Rechtslebens gewesen, drückt es heute besonders die ethische Bedeutung der sozialen Beziehungen als „gegenseitige Abhängigkeit von Personen" aus.[154] Für das Verständnis von menschlicher Solidarität ist die Fundierung derselben in der Personwürde wesentlich. Die traditionelle katholische Soziallehre geht daher bei den Sozialprinzipien vom sogenannten Personprinzip aus, um Solidarität als Ergebnis der Fähigkeit des einzelnen Menschen in seinem Personsein für das Mitsein zu erweisen ebenso wie die Ergänzungs-

---

[154] Vgl. Knud E. Løgstrup, Solidarität und Liebe, in: Christlicher Glaube in moderner Gesellschaft, Bd. 16, Freiburg 1982 (97-128), 99.

bedürftigkeit des Einzelnen durch die Gesellschaft. Aus der so begründeten Sozialität des Menschen folgt die Solidarität: „einer für alle und alle für einen".

Dieser gesellschaftliche Zusammenhalt gewinnt erst durch die gesellschaftlichen Zielsetzungen aber seine sittliche Qualifikation zum Guten oder Bösen. Solidarität als Gut der funktionierenden Gesellschaft ist ethisch ambivalent, wenn es vom gesellschaftlichen Handeln her gesehen wird, für das Sozialsein der Menschen aber konstitutiv und ein Seinsgutes, insoferne es die Spannung von Individualität zu Sozialität im Menschen fruchtbar löst und dem Gemeinwohl zuführt. Dies kommt auch in der geglückten Verbindung von Einzel- und Eigeninteresse mit dem Allgemeininteresse zum Ausdruck. Das Eigeninteresse steht aber ebenso unter sittlichem normativem Auftrag, wie seine Verbindung mit dem Gemeininteresse auf Ziele hin.

So ist ethisch betrachtet Solidarität immer unter zweifache Einsicht gestellt: unter die Sicht des Sozialseins des Menschen und unter die Sicht der sittlichen Richtigkeit der Zwecke der so formierten Gesellschaft. Solidarität ist also letztlich nicht Ergebnis eines Prozesses, sondern geistgewirkt und immer unter sittlicher Verantwortung. Das Solidaritätsprinzip will aber besagen, daß es zur Wesensausstattung des Menschen gehört, „sozial zu sein".

Dabei beginnt das Sozialsein im Kleinsten, bei den ersten und kleinsten gesellschaftlichen Vereinigungen von Menschen, bei Ehe und Familie. Ist eine solche Vereinigung nicht nur der Regelfall, sondern erweist sie sich, wie die Familie, als unersetzlich, höchstens als notfalls substituierbar, stellt sie einen sozialen Grundwert dar, dessen sittliche Normierung aus der Beliebigkeit menschlicher Gestaltung genommen ist und der auch ein soziales Grundrecht des Menschen zu dieser Gemeinschaftsbildung beinhaltet wie ebenso diese Gemeinschaft unverletzliche Rechte, auch gegenüber den sie bildenden Personen, hat.

Die Tatsache der einen Menschheit (als naturgegebene Einheit) konstituiert folglich auch eine alle umfassende und alle verpflichtende Solidarität, also weltweite Solidarität. Diese ist als ethische Verpflichtung jedem Menschen kraft seiner Sozialnatur mitgegeben und ist auch sittlichen menschheitlichen Zielen unterstellt. Der Mensch ist Ursprung und Träger weltweiter Solidarität und zugleich gebunden an eine sittliche solidarische Ordnung.

Für die internationale Ethik steht im Vordergrund die solidarische Entwicklung der internationalen Beziehungen und deren Zielsetzungen, deren oberste die Erhaltung der Menschheit ist in Frieden und Wohlfahrt. Dabei umschließt der Begriff Erhaltung der Menschheit auch die kosmische Dimension der Lebensumwelt der Menschen auf diesem Planeten. Dieser von der Personwürde jedes Menschen her sich aufbauende Solidaritätsbegriff besagt, daß dafür letztlich nicht die Technik des Geflechts internationaler

Beziehungen konstitutiv ist, die eher auch heute durch ihre Vielfalt die entsprechende Einsicht behindern könnte. Wesentlich ist die geistige Einsicht in Solidarität bis auf Weltniveau und daher auch die Bejahung der Einheit in der Vielfalt zum Unterschied von einem reinen Denken in Systemen des Sozialen.

Ebenso wichtig ist es, den Solidaritätsgedanken dem Zugriff der sozialen Ideologien zu entziehen, dem Individualismus ebenso wie dem Kollektivismus oder rassistischen oder nationalistischen Ideen. Umso leichter wird das gelingen, wenn wir am Selbststand und an der Würde jeder menschlichen Person festhalten. Dazu aber gehört auch die Dimension der Transzendenz des Menschen. Knud E. Løgstrup hat darauf aufmerksam gemacht: das Gemeinsame, das die Menschheit hat, „kann etwas ... empirisch beschreibbares sein. Es kann aber auch etwas Metaphysisches, Religiöses, Kosmisches — oder welchen Ausdruck wir nun vorziehen mögen — sein, dann aber läßt es sich nur in einer phänomenologischen Analyse beschreiben."[155].

In einer solchen Sicht von der Person des Menschen her und als Seinsprinzip ist auch am ehesten das Solidaritätsprinzip nicht nur ein Gesinnungsappell, sondern auf Einsicht in Lebenswirklichkeit fundiert. Dann wendet sich Solidarität klar gegen die Tendenz zur Massengesellschaft und kollektiven Vermassung, gegen egoistische materialistische Versuchungen und individualistisches Interessendenken gleichermaßen.

Das internationale Solidaritätsbewußtsein ist im internationalen Bereich ebenso wie im allgemeinen Verständnis von den faktischen sozialgeschichtlichen Verhältnissen und deren Entwicklungen abhängig. Zeigt sich im Verlauf der gesellschaftlichen Emanzipation in der Neuzeit eine Tendenz zur Solidarisierung nach Gleichgesinnten und nach sozialen Schichten unter Abnahme gesamtgesellschaftlichen Zusammengehörigkeitsbewußtseins, so entspricht dem im internationalen Bereich ebenfalls das Heraufkommen eines Klassendenkens schließlich nach Industrie- und Entwicklungsländern. War früher die Interdependenz der gesellschaftlichen Verflechtung im überschaubaren Lebensraum umfassender und direkter erlebbar, ist sie heute zwar global geworden, aber nicht so im unmittelbaren Erlebnishorizont vorhanden.

Den Nationen als Großgebilden freilich sind heute weitere Expansionsmöglichkeiten genommen und überall stoßen die Menschen an Barrieren und Grenzen. Die internationale Verflechtung des Lebens im Raum der Menschheit, aber auch im Zeitraum zukünftiger Generationen führt zu Zwängen der Solidarität. Heute sind die gemeinsamen Lebens- und Wohlfahrtsbedingungen der Menschheit real beschreibbar geworden und finden ihren Niederschlag in Menschenrechten, die sich an die Solidarität der

155 a.a.O., 109.

Menschheit wenden, um sie auch materiell abzusichern, die eine politische Entwicklung erfordern, zu deren Durchsetzung aber noch kein international voll verantwortlicher kompetenter Adressat zu erkennen ist.

So lassen sich wachsende Gemeinsamkeiten in der Menschheit und entsprechende Forderungen nach Solidarität feststellen und beschreiben, lassen sich ethische Imperative erkennen und selbst geistige integrative Kräfte parallel dazu ausmachen, ohne das politische Handeln schon genügend instrumentalisieren zu können. Die „ethische Ambivalenz der Solidarität" in Verbindung mit der „abnehmenden Solidarität mit der Gesamtgesellschaft",[156] dazu die egoistische Interessenlage, führen trotz der ungeheuer gewachsenen sozialen Verflechtung zu Engpässen und Bedrohungen bei der Durchsetzung der menschheitlichen Solidarität als ethisch-politisches Grundprinzip.[157]

Eine Reihe von Problemen der internationalen Gemeinschaft von heute hängt offenkundig mit der praktisch geübten internationalen Solidarität zusammen, insoferne sie durch ihre universale Geltung als Vorrangprinzip von Umfang und Werthöhe her die jeweils untergeordneten Solidaritätsziele von Gruppen mitbestimmt. Das bedeutet aber, daß zugunsten der Einheit der Menschen das völkerrechtlich bestehende Prinzip der Nichteinmischung ethisch vor diesem Einheitsgedanken Nachrang hat und durch die globalen Menschheitsinteressen begrenzt ist. Das bedeutet also einen Pluralismus von Solidaritätsinteressen in einer organischen Über- und Unterordnung, die nicht ohne Werturteile gesichert erfolgen kann.

So ist z. B. das Asylrecht, das Recht der Immigration und Emigration, das Problem der Flüchtlinge, immer auch eine Solidaritätsfrage und entspricht nicht bloß nur Gruppeninteressen, sondern ist mit unverletztlich solidarisch von allen für alle zu schützenden menschlichen Rechten verbunden. Daraus ergibt sich auch weltweit die Solidarität mit den Hungernden und Notleidenden oder Unterdrückten. Nach dieser grundlegenden Solidaritätsforderung ist erst die technisch-organisatorische Seite der internationalen Ordnung und Zusammenarbeit diesbezüglich zu lösen. Die sogenannte freie und offene Gesellschaft beginnt mit der Option für den Menschen als Glied der Weltgesellschaft und folglich für alle jene, die sich unter fundamentalen Ungleichgewichten befinden, in großer Armut z. B. gegenüber Gruppen im materiellen Überfluß. Insoferne ist ein Mehr an Gemeinsamkeiten in allen Bezügen ein Solidaritätsanspruch.

---

[156] Vgl. a.a.O., 100 u. 104.

[157] Eine sehr klare Aufstellung der Aussagen des Solidaritätsprinzips nach der seinsmäßigen, ethischen und rechtlichen Seite wie nach Regelung der Interessen im allgemeinen und konkreten gibt J. Kondziela im betreffenden Artikel des o. a. Kath. Soziallexikons, 2577-2585.

Heute gibt es organisatorisch die Möglichkeit, durch multi- und transnationale (wirtschaftliche insbesondere) Organisationsformen und natürlich durch staatliche expansive Außenpolitik aus dem internationalen Wohlstandsgefälle und der besonderen Gunst der eigenen politischen Lage für die nationalen Eigeninteressen entgegen Solidaritätserfordernissen große Vorteile zu ziehen. Umso notwendiger wären internationale Kontrolle und Vorkehrungen zu nationalen und internationalen Mechanismen (Organisationen), die im Dienste weltweiter Solidarität wirken. Auch hier ist der sittliche Appell — zum Beispiel zur Schonung knapper Ressourcen oder zur Bezahlung höherer Rohstoffpreise — zu wenig und bedarf der Verrechtlichung. Allerdings ist dieser Vorgang selbst ein Rechtsvorgang im Gemeinwohlzusammenhang und kann nicht aus einem kollektiven Zwang sein festgelegtes Maß finden. Die integrative Grundkraft[158] hinter dem Solidaritätsbewußtsein des Menschen und der Menschheit ist geistiger Art und von daher rechtens.

Die Lösung der Problemfelder der internationalen Solidarität hängt vom Willen zur gesamtmenschlichen Solidarität im Dienste des Weltgemeinwohls, also des sittlichen Grundwertes und Zwecks der menschlichen Gesellschaft ab. Insoferne ist das Solidaritätsprinzip eben die ethische Folgerung aus der Sozialität des Menschen, die aufgrund des Sozialseins auf das Gemeinwohl als sittlichem Grundwert der Gesellschaft und damit auf das Gute für die menschliche Gemeinschaft hin angelegt ist. Somit wird Solidarität aus seiner ethischen Ambivalenz gehoben und zum sittlichen Ordnungsprinzip gemacht, allerdings in Verbindung mit der Bindung des Einzelinteresses an das Gemeinwohl. Man könnte daher die Sozialprinzipien sozialphilosophisch auch vom Gemeinwohl her aufbauen.

2. *Das Gemeinwohl als internationales Ordnungsprinzip:*

Der Gemeinwohlbegriff (bonum commune)[159] hat seine entscheidende philosophische Prägung durch die Naturrechtslehre in der Tradition von Aristoteles über Thomas von Aquin zur modernen katholischen Soziallehre bekommen. Dennoch kann keine Reflexion über die Gesellschaft als Gefüge von Beziehungen um die Bedeutung des Gemeinsamen im Bezug auf Sonder- und Einzelinteressen herumkommen. Der Begriff ist dann keine Leerformel mehr, wenn über die Gesellschaftsglieder eine Sachaussage vorliegt, nämlich über ihre Humanität, ein Menschenbild also dem Begriff zugrundeliegt.

---

158 Vgl. Ferdinand A. Westphalen, Friedensgesinnung und Friedensordnung, in: Rudolf Weiler, Valentin Zsifkovits, Unterwegs zum Frieden, Wien 1973 (263-283), 281.

159 Vgl. zum Ganzen Johannes Messner, Das Gemeinwohl, Osnabrück ^{2}1968.

Doch erst dann hat die Gemeinwohlbehauptung eigene Kraft, wenn zum individuellen Menschsein das Sozialsein gleichverbindlich hinzutritt, also das Gesellschaftsbild als ebensolche philosophische Aussage über den Menschen wie über seine individuelle Würde hinzukommt.

Dennoch soll gerade in unserem Zusammenhang Gemeinwohl nicht postuliert oder deduziert werden, sondern von unten her erschlossen werden indem es sich aus dem Einheitsbezug sozialer Gebilde ergibt. Die Gemeinwohlidee verdankt ihr Entstehen der Tatsache, daß sich Gesellung des Menschen immer auch zu einem Ganzen als Einheit ereignet, das für viele Lebensumstände unentbehrlich ist, also die organisatorische Seite der Gesellschaft wesentlich überschreitet, vielmehr normiert, nämlich auf das Wohl ihrer Glieder hin. Damit ist das Gemeinwohl aber nicht mehr ein Formalbegriff, sondern an den Wesensbegriff Mensch gebunden. Freilich ist es damit auch ein Wertbegriff, weil es seinen Sinn in dem findet, was den Menschen fördert, um mehr Mensch zu sein. Andererseits gibt es Tugenden, die spezifisch auf das Gemeinwohl vom Menschen her zurückwirken, also soziale Tugenden.

Mit der Basierung auf der Menschenwürde ist aber auch ein durchgehender Zug des Gemeinwohlbegriffs durch alle Dimensionen des Gesellschaftlichen bis zur größtmöglichen sozialen Einheit hin gegeben. Die menschliche Kooperation ist in eine Abfolge von föderativen Einheiten gestellt von unten nach oben. Insoferne sprechen wir von einem natürlichen Pluralismus, von gesellschaftlichen Vereinigungen und deren Gemeinwohl als Gesellschaftszweck.

Damit bietet sich der heute so vielfältige und dynamische Vorgang sozialer Interdependenz und Verflechtung auch als eine Einheit mit inneren Ordnungslinien dar. Die empirische Analyse allein kann aber nicht ausreichen, um den Zusammenhang gesellschaftlicher Vielheit und divergierender Interessen nach einem Gemeinsamen auszumachen, bzw. bestehende Kooperationen zu koordinieren. So hat der Blick auf Einheit in der Vielfalt letztlich eine ethisch-geistige Begründung.

Daß die Einheit der Menschheit zur Frage des internationalen Gemeinwohls geworden ist und nicht nur eine philosophisch-anthropologische Problematik bietet, ist ein Ergebnis der Geschichte als Weltgeschichte. Die Dynamik der weltpolitischen Entwicklung hat zwangsläufig alle Völker erfaßt und zur Schicksalsgemeinschaft zusammengeführt. Kein Staat kann heute mehr „autark" sein als oberste gesellschaftliche Einheit im Sinne von Aristoteles mit Blick auf die Polis. Dies gilt wirtschaftlich, kulturell und besonders spürbar heute auch im Blick auf die äußere Sicherheit eines Staates. Alle staatlichen Grundinteressen haben sich bis zu einem gewissen Grad internationalisiert. Ausdruck für diese Tatsache soll zunächst der Begriff internationales Gemeinwohl oder Weltgemeinwohl sein.

Was sind die vordringlichsten Probleme des Weltgemeinwohls, deren Lösung allein von der gesamten internationalen Gemeinschaft erreicht werden kann? Die Not der Entwicklungsländer, die Erhaltung des Weltfriedens, das Anwachsen der Weltbevölkerung und die Erhaltung der Lebensumwelt unseres Planeten. Die beiden ersten Probleme sind deutlich markiert von globalen Konfrontationslinien: Nord-Süd und Ost-Westkonflikt. Der Bevölkerungsdruck hat auch seine Konfrontationsebene nach Entwicklung und Unterentwicklung, ist aber auch besonders in die Entscheidungskompetenz und Verantwortung der in den Kleingruppen lebenden Menschheit gegeben. Allerdings zeigt sich dabei besonders, daß etwa das Gemeinwohl der Familien einen radikalen Bedeutungsbezug nach oben bis zum Weltgemeinwohl hinauf hat, aber ebenso eine politische Führungsaufgabe von oben beinhaltet.

Weiters ist deutlich an Hand der genannten Probleme des Weltgemeinwohls, daß es sich um eine Ordnungsaufgabe handelt, die insbesondere den Interessenausgleich in verantwortlicher Kooperation verlangt, sowie eben auch um einen organisatorisch-rechtlichen Bereich der Durchsetzung, der, soll er nicht willkürlich sein, eben nach Ordnungsprinzipien verlangt. Dazu hat die Sozialethik allgemeine Überlegungen zur Aussage des Gemeinwohls als gesellschaftliches Ordnungsprinzip erarbeitet.

Das Gemeinwohl als Sozialzweck ist für die menschliche Gemeinschaft das oberste Prinzip. Daher geht Gemeinwohl vor dem Einzelwohl, also auch das Weltgemeinwohl vor dem Wohl des einzelnen Staates. Die Erkenntnis, daß entsprechendes Verhalten der Staaten in ihrem wohlverstandenen Eigeninteresse auf längere Sicht liegt, ist Ausdruck auch der Rationalität und Plausibilität dieses Prinzips und ebenso dafür, daß damit nicht eine kollektivistische Option erfolgt, sondern eben die Rückbindung des Gemeinwohls an den Menschen und seine Würde. Dieses Weltgemeinwohl erfordert die sittlich begründete Anstrengung aller seiner Glieder bis hin zum Einzelnen. Es soll letztlich sittlich gewährleistet werden und ist nicht Ergebnis eines Prozesses aus materiellen oder organisatorischen Vorausssetzungen allein heraus. Je komplizierter die Verhältnisse sind, umso mehr bedarf es auch der rechtlichen Ausformung dieses Prinzips und der Garantie seiner Durchsetzung.

Für die rechtliche Seite des Gemeinwohls auf Menschheitsebene ist die Entfaltung des traditionellen Begriffs aufschlußreich. Die Idee des Weltgemeinwohls tritt an der Wiege des neuzeitlichen Völkerrechts in der Rechtsschule von Salamanca seit Francisco de Vitoria († 1556) auf zusammen mit der „Idee der universellen Staatengemeinschaft, die eine natürliche Handels- und Verkehrsgemeinschaft bildet".[160] Also habe, da die einzelnen

[160] Alfred Verdroß, Der klassische Begriff des „bonum commune" und seine Entfaltung zum „bonum commune humanitatis", in: Österr. Zeitschrift f. öffentl. Recht und Völkerrecht 28 (143-162), 158.

Staaten nur Provinzen dieser Gemeinschaft sind, der allgemeine Vorteil der Staatengemeinschaft den Vorrang vor dem der einzelnen Glieder nach Vitoria.[161] Francisco Suarez († 1617) spricht dann erstmals ausdrücklich vom bonum commune generis humani.[162]

Bedeutsam ist jedenfalls, daß die Idee des Weltgemeinwohls im Ursprung nicht zuerst auf die Existenz eines Weltstaates oder das Verlangen danach zurückgeht, sondern zur Zeit, als eine weltweite Staatengemeinschaft mit der Entdeckung Amerikas ganz aktuell neben dem Bereich des Imperium Sacrum im Abendland sichtbar wurde, auch aus der föderativ-pluralistischen Wurzel des Gemeinwohldenkens auf die Existenz eines Weltgemeinwohls geschlossen wurde. Das Gemeinwohl ist nach dieser Ethik kein Gut eines überindividuellen Kollektivs. Die organisatorisch-rechtliche Seite des Weltgemeinwohls ist zunächst kraft naturrechtlicher Verpflichtung, sobald erkannt, gegeben und hat sich demgemäß zweckmäßig zu entfalten. Die Rechtsverbindlichkeit des Weltgemeinwohls bedarf keiner Weltmonarchie erst, sie drängt „nur" auf die Herausarbeitung einer genügenden Weltautorität, die vorzukehren durchaus auch die Staatengemeinschaft fähig sein müßte, aktuell gesprochen ist das heute die Organisation der Vereinten Nationen.

Schließlich erweist sich eine andere Idee der Naturrechtslehre vom Gemeinwohl als zukunftsträchtig, die vom bonum commune totius universi,[163] womit Gott als Spitze der universalen Ordnung bezeichnet erscheint, insoferne er das Wohl der Menschen als ihr „höchstes Gut" besorgt. Aus dieser in Gott gründenden Ordnungseinheit folgte für Thomas v. Aquin ein einheitliches Ordnungsbild, das alle Gemeinschaft durchzieht. Die Einheit philosophischen und christlichen Denkens ist heute sicher nicht mehr wie zu Zeiten des Aquinaten gegeben. Dennoch erscheint die Frage nach einer inhaltlich-rechtlichen Bestimmung des Gemeinwohlpluralismus von der Menschenwürde her und nicht aus der Verfügung absolut souverän gedachter Staaten für die Durchsetzung des Weltgemeinwohls entscheidend. Dann ist die —vielfach nicht gewünschte und politisch derzeit irreale — Gründung eines Welteinheitsstaates keine Bedingung mehr dafür. Es ergeben sich Alternativen mittels der Zusammenarbeit der Staaten zu ihrem gemeinsamen Wohl als Staatengemeinschaft . Es ergeben sich dazu auch die Eigenrechte der Gemeinschaften unterhalb der Staatenebene und auch deren Recht auf internationale Zusammenarbeit und Interessenvertretung.

Der universale Ordnungsgedanke läßt auch Interessen der Menschheit einschließen, die zu den äußeren Bedingungen des Gemeinwohls gehören:

---

161 De potestate civili, Nr. 13.

162 De bello, sect. VI, Nr. 5.

163 Thomas v. Aquin S.th. I, II, qu. 109, art. 3 u. öfter.

die Umwelt und ihre sachrichtige Pflege und Erhaltung auch für zukünftige Generationen.[164] Wenn hier die Staaten und ihre universale Gemeinschaft aktiv werden, sind sie nicht mehr selbst, wie noch Aristoteles gedacht hatte, die Garanten tugendhaften Lebens, aber sie können die Erhaltung der Gemeinwohlwerte in ihrem materiellen und kulturellen Bestand durch die äußeren Bedingungen ermöglichen und fördern als Mitträger eines Ordnungspluralismus der Menschheit in der Einheit des Weltgemeinwohls.[165] Nicht die Staaten sind die Erstverantwortlichen für das Weltgemeinwohl, sondern alle Völker, deren Menschen ihre Regierungen dahin zu bewegen haben, daß sie „dem allgemeinen Wohl der Menschheit den Vorrang vor ihren Sonderinteressen" geben.[166]

3. *Subsidarität und Subsidaritätsprinzip in der internationalen Ordnung:*

Zwangsläufig kommt mit der Erörterung des internationalen Gemeinwohls als Prinzip die Bedeutung der Subsidiarität zur Sprache, wenn dies in der Tradition der Naturrechtslehre geschieht. Wer aber die aktuellen Probleme der Menschheit sieht und den Mangel an funktionierenden Mechanismen zur Gemeinwohlsicherung von oben und ebenso die Problematik solcher Interventionen aus Mangel an kultureller Einfühlung, wird umso mehr auf die Eigenzuständigkeit der kleineren Gemeinschaften setzen und dort ansetzen. Andererseits wird gerade auch eine Seite des Subsidiaritätsgedankens im internationalen Leben besonders aktuell sein, nämlich die Notwendigkeit der Hilfe durch die große Weltgemeinschaft an die in Not befindlichen Völker. Nur ist über die sittliche Idee hinaus noch wenig im positiv-rechtlichen und organisatorischen Bereich hier vorhanden. Umso dringender ist ein nach Rechtsprinzipien gerichteter organischer Ausbau der internationalen Hilfe gemäß dem Subsidiaritätsprinzip heute aufgegeben.

---

[164] Die Stockholmer Konferenz über den Umweltschutz sagt in ihrer Deklaration vom 16. Juni 1972: der Schutz der menschlichen Umwelt sei „the urgent desire of the people of the whole world and the duty of all Governments" und nennt die Erhaltung der ökologischen Ordnung für alle Menschen lebenswichtig.

[165] In einer empirisch-deskriptiv angelegten Analyse zu den internationalen Beziehungen zwischen Großmächten seit 1816, Universalism vs. Particularism: On the Limits of Major Power Order, beschreibt Peter Wallensteen im Journal of Peace Research, Vol. 21, No. 3, 1984, 243-257, den historischen Pendelschlag zwischen Universalismus und Partikularismus je nach den Voraussetzungen der politischen Interessenlagen der Großmächte. Auch bei dieser Untersuchungsmethode kommt er zum Ergebnis, daß der Trend der Geschichte für die universalistische Alternative im internationalen politischen System spricht, also eine Wertpräferenz vorliege.

[166] Alfred Verdroß, Der Kampf um eine neue Weltordnung, in: Wissenschaft und Weltbild, 4/78 (215-221), 221.

Nehmen wir z. B. das Bevölkerungsproblem, das gewiß in die Erstzuständigkeit der Eltern fällt, nämlich die Zahl ihrer eigenen Kinder zu verantworten. Dennoch kann niemand vom Gemeinwohl her Maßnahmen zur Geburtenkontrolle ablehnen, solange und soferne diese unter Beachtung der Menschenrechte in subsidiärer Weise gesetzt sind: etwa als Angebote zur Aufklärung und Erziehung, als Maßnahmen der Familienpolitik je nach weltweiten Erfordernissen unter Einschluß der Verpflichtung der Weltgemeinschaft und aller Staaten ungeborenes Leben ebenso wie die Kinder zu schützen und allen eine lebenswerte Existenz zu sichern. Heute sind Probleme eines Staates, z. B. die Unterentwicklung, nicht nur seine eigenen Probleme, sondern rufen nach Hilfe von oben. Der Aufbau dieser Hilfe hat aber wieder seine Gesetzmäßigkeiten aus der Subsidiarität.

Für die katholische Soziallehre hat Papst Pius XI. das Prinzip der Subsidiarität in der Enzyklika Quadragesimo anno (Nr. 79), im Jahre 1931, formuliert unter Einführung des Namens „Subsidiarität". Der Sache nach ist das Prinzip in der Sozialphilosophie seit langem bekannt. Mit dem neuzeitlichen Denken und in der Folge dem stärkeren Hervortreten des Individuums in der abendländischen Rechtskultur, auch im Sinne der individuellen Freiheitsrechte, kommt es zur Weiterentwicklung der Gemeinwohlidee und ihres Bezugs auf das übergesellschaftliche Wesen des Einzelmenschen und auf die Eigenzuständigkeiten und Eigenberechtigungen der Glieder im gesellschaftlichen Pluralismus. Diese Entwicklung der „Ontologie des Gemeinwohls" und die Betonung einer nur ergänzenden Stellung des Gemeinwohls zum Einzelwohl hat sozial-philosophisch Johannes Messner besonders aufgezeigt.[167]

Für das Sachverständnis des Subsidiaritätsprinzips, keineswegs auf eine bestimmte Sozialphilosophie beschränkt, zeugt ein treffender Ausspruch von Abraham Lincoln:[168] „Die Regierung hat für die Bevölkerung das zu besorgen, wonach die Leute Bedürfnis haben, was sie aber nicht selbst tun können oder doch, auf sich gestellt, nicht ebenso gut tun können. In all das, was die Leute ebenso gut tun können, hat die Regierung sich nicht einzumischen." Mit dem Vordringen des Bürokratismus und nach den Erfahrungen mit totalitären Systemen ist heute allgemein die Sensibilität dafür gewachsen, der „verwalteten Gesellschaft" die Idee der Eigenverantwortung entgegenzusetzen.[169] Dies ist aber eine sehr sachgerechte Erfahrung, die immer

[167] Zur Ontologie des Gemeinwohls, in: Salzburger Jahrb. f. Phil., Bd. V/VI 1961/62, 365-393.

[168] Zit. von Oswald von Nell-Breuning, Art. Subsidiaritätsprinzip, in: Staatslexikon, Freiburg ^{6}1962, Bd. 7 (826-833), 828.

[169] Gegen ideologische Fehlinterpretationen des Subsidiaritätsprinzips, seit es sich stärkerer Akzeptanz auch von liberaler oder sozialistischer Seite erfreut, wendet sich vom Standpunkt der Naturrechtslehre Theodor A. Schmitt, Das Subsidiaritätsprinzip, Ein Beitrag zur Begründung und Verwirklichung, Würzburg 1979.

wieder konkret gemacht wird, die somit die persönlichen und gesellschaftlichen Eigenrechte verdeutlicht.

So ist das Subsidiaritätsprinzip kein rein formales Rechtsprinzip, sondern dient der Gerechtigkeit, indem es ganz bestimmte Vorrangregeln für inhaltlich bestimmte Zuständigkeiten zuweist, damit aber als Struktur- und Funktionsgesetz des gesellschaftlichen Pluralismus wirkt.[170] Es regelt diese Rechte grundsätzlich aus der Naturordnung der Gesellschaft und ist so Norm der positiven Rechtsregelungen durch die politischen Autoritäten, kraft sittlich-rechtlichen Wesens. Dadurch ist dieses Prinzip auch dynamisch und flexibel in der Anwendung je nach den Umständen und der Situation.

Auf Weltebene sind es weniger bestehende positive Rechtsstrukturen, die die Freiheit und Eigenverantwortung der Völker beschränken, ebenso ist eine Weltautorität zur Durchsetzung des Weltgemeinwohls und zur Verwirklichung weltweiter Solidarität noch kaum in Sicht, vielmehr aber bedrohen andere gesellschaftliche Strukturen, die im Freiraum der internationalen Beziehungen tätig sind, wirtschaftlicher und kultureller Natur, vor allem die Selbstverantwortung der Staaten. Was kritische Sozialwissenschafter strukturelle Gewalt nennen, sind sicher solche den natürlichen Pluralismus der Weltgesellschaft der Staaten aushöhlende Tendenzen. Dazu aber kommen noch die totalitären international wirksamen Gesellschaftsideologien wie der Kommunismus, die das Subsidiaritätsprinzip schon vom kollektivistischen Grundansatz her leugnen, oder ebenso individualistische Ideologien, in denen die Freiheit der Einzelnen kein natürliches gesellschaftliches Regulativ kennt. Gerade angesichts des Ausfalls näherer gesatzter Regelungen ist eine naturrechtliche Ordnung der Intervention zur Hilfe im internationalen Leben so wichtig. Hilfe soll weder Vorwand zur eigennützigen Einmischung in einen anderen Staat von außen sein noch soll damit ein Zustand von Abhängigkeit geschaffen und erhalten werden.

Selbsthilfe hat aber im Völkerrecht auch eine andere als die hier gemeinte Bedeutung, haben doch im 19. Jahrhundert die Großmächte das Recht zu einer „intervention d'humanité" zum Schutz der Menschenrechte für sich beansprucht. Heute verbietet das Völkerrecht den Einsatz militärischer Gewalt zur Selbsthilfe im genannten Verständnis. Man sucht, die Menschenrechte über die Staatsregierungen weltweit zu verankern und zu schützen. Hier zeigt sich aber offenbar die Schwäche der derzeitigen Lage, daß die Regeln der Subsidiarität durch die rechtliche Schwäche der internationalen Gemeinwohlordnung als Hilfe von oben nach unten ebenso ungenügend gesichert scheinen wie als Eigenzuständigkeit mit der Aussicht auf Hilfe von unten nach oben. Doch kann diese Lücke wieder nicht von oben nach unten

170 Vgl. Otto Kimminich (Hrsg.), Subsidiarität und Demokratie, Düsseldorf 1981.

gefüllt werden, sondern muß organisch von unten aus der Selbstverantwortung wachsen wie ebenso aus der Einsicht in die internationale solidarische Verbundenheit einer gesellschaftlich gegliederten Menschheit.

So erweist sich die Subsidiarität als ein wesentlicher Baustein einer solidarischen Menschheit in Vielfalt und Eigenberechtigung ohne Gewaltanwendung gegeneinander. Dabei ist es sehr bedeutsam, daß die Weltgesellschaft nicht allein als Gebilde von Staaten gesehen wird, auch nicht bloß als föderativ von unten nach oben zusammenwachsend. Vielmehr braucht es auch der verbindenden Klammer ureigener gesellschaftlicher Interessen aus Gemeinsamkeiten korperatistischer Merkmale.[171] Organisierte internationale Wirtschaftsinteressen und Berufsorganisationen können durchaus die Weltgesellschaft gliedern. Ebenso haben internationale kulturelle Zusammenschlüsse eine einigende Bedeutung für die Weltgesellschaft und ihre vielfältigen Interessen. Auch hier ist das Subsidiaritätsprinzip das gesellschaftliche Regulativ.

4. Die Freiheit als internationales Ordnungsprinzip:

Die politische Geschichte der Menschheit wird von einer Konstanten emanzipatorischer Entwicklungen durchzogen. Sie ist auch eine Geschichte, neben aller Herausbildung des Staatlichen, der Befreiung und der Freiheit. Der Freiheitsgedanke wirkte im Politischen von der Stellung der Person des Einzelnen her der omnipotenten Gewalt und Autorität des einzelnen Staates entgegen wie auch insgesamt in der Staatenwelt sich die Idee von allgemeinen Menschen- und Freiheitsrechten entfaltete. So ist politische Freiheit immer bezogen auf Rechtsordnung und Gerechtigkeit, auf Gleichheit der Menschen als Bürger der Staaten, in einer internationalen Dimension also. Mit der Herausforderung der orientalischen Despotie durch die antike abendländische Freiheitsidee, verbunden mit der christlichen Relativierung aller Staatsomnipotenz[172] ist — ideengeschichtlich gesprochen — die Freiheit auch eine international wirksame Idee geworden.

---

[171] Vgl. die neokorporatistische Theorienbildung auf der Annahme eines gesellschaftlichen Steuerungsverbundes zwischen Gewerkschaften (Arbeit), Unternehmerverbänden (Kapital) und Staat. Vgl. dazu Rolf G. Heinze, Verbändepolitik und „Neokorporatismus", Zur politischen Soziologie organisierter Interessen, Opladen 1981.

[172] Allein die ganze Entwicklung des Verhältnisses zwischen Kirche und Staat ist ein einziges Zeugnis dafür! Vgl. Die Sondernr. 8 der Wiener Blätter zur Friedensforschung, April 1982, Erbe und Zukunft der Europaidee, Freiheit und Autonomie als politische Gestaltungskraft.

Nicht ohne Zufall ist in der spanischen Rechtsschule von Salamanca, der Wiege des neuzeitlichen Völkerrechts, neben der vermutlich ersten ausdrücklichen Formulierung von Menschenrechten unter diesem Namen durch Fernando Vásquez de Menchaca, auch schon der Gedanke des „mare liberum" lebendig bei Francisco de Vitoria und Suarez, bzw. dann bei Hugo Grotius. Mit der Freiheit der Meere und der Häfen waren auch die Freiheit der Handelswege und die Freizügigkeit des internationalen Handels ausgedrückt als Freiheitsrechte innerhalb der Staatengemeinschaft.[173]

Der Gedanke der politischen Freiheit, die Rechte der Selbstbestimmung der Person, ist dann im Gefolge der französischen Revolution in die Verfassungen durch die Grundrechtsformulierungen allenthalben eingegangen. Im internationalen Bereich hat die Selbstbestimmung, verstanden als Recht der Völker, zwar an Boden gewonnen, ist sogar in die Menschenrechtspakte der OVN aufgenommen worden, es fehlt aber noch die genauere Definition dieses Rechts und seiner Träger. Trotz immer häufigerer Berufung auf dieses Prinzip heute in der Völkerrechtspraxis ist das Selbstbestimmungsrecht der Völker eher ein „politisches Schlagwort zur Zerschlagung oder Schwächung gegnerischer Staaten".[174] In der Phase der Entkolonialisierung nach dem 2. Weltkrieg hat es seine Sprengkraft bewiesen. Der Ethiker wird aber seinen menschenrechtlichen Grund ebenso festhalten wie seine rechtliche Sicherung durch das Völkerrecht postulieren.

Ein hier einschlägiges Kapitel des traditionellen Völkerrechts als ius gentium muß erwähnt werden, wo nämlich für ganze Menschengruppen die Freiheit für verwirkt galt, für die Kriegsgefangenen. Nach der Kriegsethik, selbst der spanischen Spätscholastik noch, wurde das Institut der Sklaverei zumindest für die Gefangenen aus einem gerechten Krieg, für rechtens erklärt.[175] Die Entwicklung der Erkenntnis von der Selbstbestimmung der Person zur Abschaffung der Sklaverei war eine lange, aber erfolgreiche, wenn sie auch noch nicht abgeschlossen erscheint. Ebenso ist dem Freiheitsprinzip international noch ein langer Weg und auf verschiedenen Ebenen, wie eben hier in der Frage des Selbstbestimmungsrechtes der Völker, aufgegeben. Doch sehen wir den Zusammenhang der internationalen Dimension der Freiheitsidee mit der Durchsetzung der Freiheitsrechte des Einzelmenschen unlösbar verbunden. Die Freiheit jedes Menschen bedingt ebenso die Freiheit der Gesellschaft und umgekehrt.

Mit der Freiheit mitgedacht ist immer auch die Gerechtigkeit. Es wäre inhaltlich zu wenig, nämlich nur formal, würde nach Kant nur die Freiheit des Anderen im Prinzip zur Bestimmung der Freiheit des denkenden Sub-

---

[173] Vgl. Josef Soder, 232f.

[174] Ignaz Seidl-Hohenveldern, 278.

[175] Vgl. Josef Soder, 117ff.

jekts mitgesehen werden. Ebenso wäre es ein Determinismus, wenn für die gesellschaft-politische Freiheitsordnung nicht mehr ausgesagt werden könnte als die Einsicht in die Notwendigkeit (Friedrich Engels, W. I. Lenin), wobei diese Einsicht beim Kollektiv (Partei) und nicht in der Person vorläge.[176] Das erklärt auch, warum das sozialistische Völkerrecht in der marxistischen Tradition dem Selbstbestimmungsrecht der Völker bereits die volle Bedeutung eines völkerrechtlichen Prinzips zuspricht, aber andererseits die Verankerung dieses Rechts im Bezug auf die Menschenrechte nicht dem Urteil des einzelnen Menschen als Staatsbürger, z. B. als Subjekt des humanitären Völkerrechts, überlassen will.[177]

So erweist sich auch in der internationalen Dimension das Freiheitsprinzip unlösbar mit seiner anthropologischen Begründung verbunden und mit dem Maß, das dem Menschen kraft seiner Natur zusteht. Die liberalistisch-individualistische Begriffsentwicklung kann ebensowenig wie die kollektivistische Freiheitsauffassung die Beziehung von Freiheit und Gerechtigkeit in die Relation der sozialen Einbindung zueinander bringen. In unserem Zusammenhang geht es um das Verhältnis in ihrer globalen Dimension vom Einzelmenschen über die Freiheitsrechte der Staaten und Völker bis zur freien Weltgesellschaft.

Wenn Freiheit mehr Inhalt haben soll als formale individuelle Gleichheit, verstanden als Gerechtigkeit, wenn sie die sozialen Beziehungen solidarisch und positiv gestalten soll, bedarf es eben einer aktiven Gestaltung des sozialen Zusammenlebens. Dieses wieder braucht eine inhaltlich gesicherte Idee von Rechten als Ausdruck der personalen Stellung jedes Menschen zu ihrer Verwirklichung in der Gemeinschaft. Das ist einfach das vergessene dritte Prinzip der französischen Revolution, die Brüderlichkeit. Nur ein positiver Freiheitsbegriff, der Freiheitsrechte zu Zielen menschenwürdiger Existenz durch mitmenschliche Kooperation hinorientiert, sichert dem Menschen eine aktive Rolle bei der gesellschaftlichen Gestaltung in Freiheit. Heinz Eduard Tödt[178] hat im Zusammenhang der Ideengeschichte der Menschenrechte auf die „Teilhaberrechte (Mitwirkungsrecht)" oder sozialen Menschenrechte hingewiesen, die für die demokratische sozialstaatliche Entwicklung von den passiven Freiheitsrechten als Abwehrrechte über die negativ verstandenen Gleichheitsrechte im historischen Ablauf hervorge-

---

[176] Vgl. dazu Konrad Löw, Freiheit, in: Handlexikon zur Politikwissenschaft, Hrsg. von Wolfgang W. Mickel, München 1983 (155-158), 157.

[177] Vgl. dazu Völkerrecht, Lehrbuch: Teil 1, a.a.O. das Kapital über das Selbstbestimmungsrecht der Völker, 179 ff. und die Polemik gegen die „These von der Völkerrechtssubjektivität des einzelnen Menschen, die sich zunächst humanitär anhört...", 330 f. Vgl. ferner: Anatol P. Mowtschan, Kodifizierung und Weiterentwicklung des Völkerrechts, Berlin 1974.

[178] Menschenrechte — Grundrechte, in: Christlicher Glaube in moderner Gesellschaft, Teilband 27, Freiburg 1982 (5-57), 22 ff.

treten sind. Die Klammer für diese „Trias der Menschenrechte" ist aber ein inhaltlicher positiver Freiheitsbegriff für jeden Menschen.

Somit besagt das Freiheitsprinzip in seiner internationalen Dimension, daß soviel Freiheit als möglich im internationalen Leben zu verwirklichen ist für den Einzelmenschen bis zu den Staaten als Völkerrechtssubjekten im Dienste der Erreichung der dem Menschen und der Menschheit vorgegebenen Ziele. Ausgeschlossen von einem solchen positiven Freiheitsbegriff sind alle Mißbräuche der Freiheit entgegen die individuelle und soziale Bestimmung des Menschen.

Dies stellt im Kontext der Menschheitsgesellschaft die Frage nach dem kollektiven Schutz der Menschen- und Freiheitsrechte vor allem auf der Ebene zwischen den Staaten. Das ist aber bereits eine Frage der Organisation der Völkergemeinschaft als Rechtsgemeinschaft von freien Staaten, bzw., bei Fehlen einer solchen ausreichenden Organisation zur Erhaltung der Freiheit, eine Frage nach dem Recht zur Selbstverteidigung (seiner Freiheit) und zur Abwehr der Einmischung anderer in die inneren Angelegenheiten. Letzterer Fall kann aber bei einem weltweiten positiven Inhaltsverständnis der Freiheit nicht absolut gelten für den Staat, der in der freien Weltgesellschaft für andere nach außen oder für seine Menschen nach innen zu einer ernsten Bedrohung der Freiheit geworden ist.

Eine letzte Frage sind die Mittel zum Schutz und zur Durchsetzung der Freiheit in Gerechtigkeit. Eine Rechtsgemeinschaft der Staaten, die die Freiheit grundlegend positiv definiert, wäre die entscheidende Grundlage dafür. Wieder sind wir auf die Menschenrechtsbemühungen in den Vereinten Nationen verwiesen, die zwar in der Erklärung und paktmäßigen Sicherung der Freiheitsrechte auch auf internationaler Ebene große Fortschritte erzielen konnten, in der Interpretation derselben in der Völkerrechtspraxis und in der Durchsetzung noch wenig erreichen konnten.

Bei der Besprechung und Anwendung allgemeiner sozialethischer Prinzipien auf die Weltgesellschaft hat sich gezeigt, daß denselben eine hohe, auch inhaltliche Aussagekraft im internationalen Aspekt zukommt, soferne die Bestimmung dieser Prinzipien vom Menschen als gesellschaftliches Wesen mit unmittelbaren Rechten und Pflichten ausgeht. Gerade das Freiheitsprinzip, das den Menschen auch mit seinen Rechten in der Gemeinschaft zeigt, führt zu weiteren prinzipiellen Folgerungen einer gerechten gesellschaftlichen Ordnung, nicht zuletzt dem Recht auf Mitwirkung oder Partizipation. Je mehr Mitbeteiligung und Mitwirkung bis zu Formen der Mitbestimmung in der Völkergemeinschaft, beginnend beim einzelnen Weltbürger bis hinauf zu den Staaten als den hauptsächlichen Akteuren, hier realisiert wird, desto gerechter und erfolgreicher sollte sich das internationale Leben entfalten. Dies folgt aus prinzipiellen Erwägungen ebenso wie aus der gesellschaftlichen Praxis infolge der Mobilisierung möglichst aller Kräfte für das Gemeinwohl in Freiheit. So könnte aus der dieser Ordnung in Freiheit gemäßen politischen Lebensform auf die Demokratie als auf die beste Verfassung auch der internationalen politischen Gemeinschaft geschlossen werden.

Es besteht eine Spannung zwischen den sozialethischen Prinzipien, hier besonders der Freiheit in Gerechtigkeit, als Zielvorstellung, zur politischen Wirklichkeit. Die Realität des politischen Lebens wird so vor das Forum des Freiheitsbewußtseins wie des Rechtsbewußtseins, das durch jeden Menschen in seinem Gewissen aufgerichtet ist, gestellt. Die so bestimmte Freiheit ist die wirksamste Kraft gegen den politischen Totalitarismus, wie er z. B. in der Gleichsetzung von Gerechtigkeit und Staat als Ziel der Geschichte bei Hegel begünstigt wird.

2.3.2. Sozialethische internationale Prinzipien im einzelnen

Vom ethischen, naturrechtlichen Standpunkt aus ist es einleuchtend, daß auch für den Bereich des Völkerrechts eine Reihe von Grundsätzen, unabhängig von ihrer Satzung durch Übereinkunft, das internationale Leben regeln, die aber spezifisch Prinzipielles für die Ordnung zwischen den Staaten aussagen. Der Ethiker wird aber auch, da es sich doch sehr um den Anwendungsbereich der Ordnung in der Staatengemeinschaft handelt, nach bereits bestehenden Rechtsregelungen von prinzipieller Bedeutung suchen, die ethische Normen positiv fassen und im historisch-realen Raum zur Auswirkung bringen. Die allgemein anerkannte Lehre von den Quellen des Völkerrechts, insoferne es besonders um die Rechtsfindung bei Streitigkeiten geht, etwa vor dem Internationalen Gerichtshof, kennt zwar die von den „Kulturvölkern" anerkannten Rechtsgrundsätze, legt diese aber sehr enge aus. Selbst die Erwähnung von „Prinzipien" des Völkerrechts, in Resolutionen der Vereinten Nationen z. B., wird eher als „Glaubensbekenntnis" gewertet, als daß darin irgendeine Bindungswirkung zum Ausdruck käme.[179]

Es fällt auf, daß das sozialistische Völkerrecht so einen Prinzipienteil hat, der sich sogar zu sozialistischen Völkerrechtsprinzipien als einem Proprium entwickelt hat. Allerdings ist durch die politisch und ideologisch abgesicherte Vormachtstellung der Führungsmacht innerhalb der sozialistischen Staatengemeinschaft für diese auch eine Bindungswirkung gegeben. Rechtsphilosophisch liegt dieser sozialistischen Völkerrechtslehre auch eine materiale Rechtsauffassung zugrunde, nämlich eine materialistisch-naturrechtliche, wonach die soziale historische Entwicklung der Basis ihre Entsprechung im rechtlichen Überbau habe. Der entsprechende Abschnitt

[179] Vgl. Ignaz Seidl-Hohenveldern, 104.

über die „Grundprinzipien des Völkerrechts der Gegenwart" beginnt daher nach der sozialistischen Lehrmeinung mit dem Klassencharakter derselben und mit dem Datum der Oktoberrevolution. Diesen Prinzipien kommt aus dem marxistischen historischen Fortschrittsdogma zugleich der Charakter allgemeinverbindlicher und zwingender Normen zu![180]

Wenn hier im folgenden von Prinzipien des internationalen Lebens oder des Völkerrechts gesprochen wird, soll damit noch nicht ihr verbindlicher Rechtscharakter im Sinne von Quellen des positiven Völkerrechts ausgesagt sein. Wir bleiben im Bereich der Rechtsethik nach traditionell naturrechtlichem Verständnis, auch wenn durch internationale Absichtserklärungen diesen Prinzipien bereits eine gewisse internationale Verbindlichkeit zugemessen werden kann. Sie sind aber Zeichen und Ausdruck einer Rechtsentwicklung der Menschheit, die von großer ideeller Bedeutung für spätere positive Normierungen sein kann und die selbst heute durch die öffentliche Meinung ihre Auswirkungen schon haben können und die Entwicklung neuen internationalen Gewohnheitsrechtes vorantreiben können, durch das Rechtsbewußtsein, in die auf Dauer gesehen richtige Richtung.

Auch die Völkerrechtslehre anerkennt gemeinhin einen Bereich von Rechten, hinter denen freilich keine politische Zwangsgewalt steht, ohne die aber „ein gedeihliches Zusammenleben der einzelnen Völkerrechtssubjekte unmöglich wäre",[181] nämlich die sogenannten völkerrechtlichen Grundrechte. Die sozialistische Völkerrechtslehre nennt diesen Bereich die Grundprinzipien des „demokratischen Völkerrechts der Gegenwart" und behandelt ihn auch zum Teil extensiver als üblicherweise, bevor die sozialistischen Völkerrechtsprinzipien aufgezählt werden.

So ist also die Ethik mit ihren Prinzipien doch nicht so allein gelassen im präpositiven Rechtsraum und kann an einige prinzipiell anerkannte Grundrechte im Völkerrecht anschließen. Diese beziehen sich übereinstimmend zunächst auf das Recht auf politische Unabhängigkeit nach dem Grundsatz der souveränen Gleichheit aller Staaten. Damit ist im einzelnen für alle Staaten erstens gegeben ihr Recht auf Existenz, zweitens das Recht auf Selbstbestimmung nach innen (Nichteinmischung) und außen (Immunität) und drittens das Recht auf die Achtung ihrer Gebietshoheit (gegen Einwirkungen von außen). Hinzu kommt das Recht der Staaten auf Verkehr zwischen den Staaten. Als zweite Gruppe von völkerrechtlich garantierten Rechten zählt man die Rechte von sozialen Gruppen — hierfür rechnet Ignaz Seidl-Hohenveldern[182] z. B. auch das Selbstbestimmungsrecht ganz allge-

[180] Vgl. Völkerrecht, Lehrbuch: Teil 1, 156.

[181] Ignaz Seidl-Hohenveldern, 251.

[182] a.a.O., 276 f. Er führt das Selbstbestimmungsrecht der Völker zurück auf das „Recht der einzelnen ..., die Geschichte ihres Staates selbst mitbestimmen zu können, also auf das Recht auf Demokratie".

mein! — und die Menschenrechte sowie das Fremdenrecht. Interessant ist, daß diese in der Freiheit des Einzelmenschen verwurzelt gesehenen Rechte in der sozialistischen Völkerrechtslehre unter dem Aspekt der „Fragen der Bevölkerung von Staaten im Völkerrecht"[183] behandelt werden und nicht unter den Völkerrechtsprinzipien. Hier zeigt sich eindeutig der kollektivistische Zug und die totalitäre Fassung des Souveränitätsbegriffs im Marxismus-Leninismus!

Aus der Sicht der internationalen Ethik seien nun eine Reihe von Prinzipien des internationalen Lebens angeführt, aufbauend auf sozialethischen Grundeinsichten:

Ausgangspunkt und Grundwert der internationalen Ethik ist die gleiche wesenhafte Natur des Menschen und aller Menschen. Der Mensch als soziales Wesen bildet auch den Staat als obersten gesellschaftlichen Grundverband, der wiederum in einer universalen Staatengemeinschaft eingegliedert ist.[184] In der Spannung vom Menschen in seiner Personwürde zur Gesellschaft als überpersonale universelle Einheit verwirklicht sich das internationale Leben hauptsächlich im zwischenstaatlichen Bereich, für dessen Ordnung die nachstehenden weiteren Prinzipien gelten.

Wie den einzelnen Menschen kraft ihrer wesensgleichen Natur trotz individueller Ungleichheiten in der Gemeinschaftsbildung „ein Minimum an gleichen Rechten zuerkannt ist, so ist auch eine Gemeinschaft von Staaten nur möglich, wenn allen Staaten ein *gleiches Mindestmaß von Rechten* zukommt, trotz ihrer Ungleichheit an Territorium, Bevölkerungszahl, Naturreichtümern, politischen und wirtschaftlichen Organisationsformen und Sozialsystemen". So folgert Johannes Messner in naturrechtlicher Argumentation zurecht als Voraussetzung für die Gemeinschaft der Völker ihre Gleichberechtigung.[185] Dies entspricht aber auch dem wohlverstandenen Eigeninteresse der Staaten, wie es sich in der internationalen Politik grundsätzlich äußert. Ein Beispiel sei die Schlußakte der KSZE aus 1975, wo in der Präambel zum Prinzipienteil in der Erkenntnis des Interesses und der Bestrebungen der Völker jeder Teilnehmerstaat seine Entschlossenheit erklärt, „die folgenden Prinzipien ... ungeachtet ihrer politischen, wirtschaftlichen und sozialen Systeme, als auch ihrer Größe, geographischen Lage oder ihres

[183] Völkerrecht, Lehrbuch: Teil 1 (302-351), 325 ff.

[184] Der von John Eppstein herausgegebene und kommentierte Code of International Ethics, Westminster, Maryland 1953, behandelt ganz in diesem Sinn im 1. Kapital die „menschlichen Gesellschaften" von der Familie über den Staat, die Zusammenarbeit zwischen den Staaten bis zur „Natural Society of States", bevor er die Rechte und Pflichten der Staaten erörtert. Er unterscheidet hier in Grundrechte und -pflichten aus dem Naturrecht und in vom positiven Völkerrecht entwickelte Rechte und Pflichten.

[185] Das Naturrecht, 667.

wirtschaftlichen Entwicklungsstandes, zu achten und in die Praxis umzusetzen".[186]

Die Rechte der Staaten im einzelnen:

1. Das Recht auf Existenz:

Das Existenzrecht eines Staates beruht nicht auf einem Akt äußerer Anerkennung, sondern letztlich im gesellschaftlichen Ordnungswillen seiner Bürger, soferne sie gemäß der Naturordnung willens und fähig sind, sich zur Erreichung des Staatszweckes zu vereinigen. Wie jede menschliche Gemeinschaft, so gilt auch für den Staat, daß er sowohl Naturordnung wie Zweckordnung ist. Der Wille zur Staatsbildung oder Aufrechterhaltung eines Staates ist sicher an Regeln der Anerkennung durch die Staatengemeinschaft gebunden und dies kann in der Praxis internationaler Politik viele Probleme aufwerfen, beruht aber wesentlich nicht auf der Willkür anderer Staaten. Ein entscheidendes Merkmal dieses Existenzwillens ist sicher die bewiesene Fähigkeit, die Aufgaben einer staatlichen Gemeinschaft zu erfüllen. Das Existenzrecht kann durch andere Staaten garantiert werden, hängt aber nicht davon ab. Ebensowenig wird dieses hinfällig, wenn andere einem Staat innere Schwierigkeiten zu bereiten versuchen, um dann das Existenzrecht bezweifeln zu können. Immer wieder entstehen allerdings Konflikte, daß Staaten ihren Expansionsdrang auf dem Weg über politische Ideologien oder Minderheiten in ein Staatsvolk hineintragen, um den Anlaß für eine ungerechte Intervention zu schaffen.

2. Das Recht auf Sicherheit und Selbstverteidigung:

Ein Staat hat Anspruch, innerhalb der Staatengemeinschaft in Sicherheit zu leben. Das bedeutet die Unterlassung von Gewaltanwendung und Gewaltandrohung durch andere im internationalen Leben, die Unverletzlichkeit der Grenzen und die Achtung der territorialen Integrität der Staaten einzeln und insgesamt.[187] Solange ein wirksames System internationaler Sicherheit nicht besteht, hat der Staat das Recht, zur Selbstverteidigung entsprechend gerüstet zu sein. Eine der wichtigsten Aufgaben wäre es, hier glaubhafte Verteidigungsfähigkeit zu entwickeln, ohne daß politisches Mißtrauen anderer Staaten erweckt wird, darin eine Angriffs- und Bedrohungskapazität zu sehen. Militärisch-strategische Planung und defensive Konzepte (Milizsystem z. B.) zusammen mit der Wahl der Bewaffnung können

[186] Schlußakte 1.a).

[187] Der „Korb 1" der Schlußakte der KSZE enthält diese Begriffe als „Prinzipien".

heute schon durchaus in Richtung Verteidigung ohne Angriff entwickelt werden, insbesondere unter den Großmächten freilich nur durch Koordination der Rüstungskontrollmaßnahmen.

3. Das Recht auf Freiheit:

Die Freiheit, das politische System im Staat selbst zu bestimmen, ist bei einer positiven Begriffsbestimmung auch auf das gesamte Sozialsystem, seine Wirtschafts- und Sozialordnung bezogen, daß nämlich diese Freiheitsordnung im Dienste des Gemeinwohls steht. Man könnte gut von der inneren Souveränität des Staates sprechen, selbst die politischen und sozialen Rechte seiner Bürger zu ordnen. Soweit die Staatengemeinschaft die entsprechenden Menschenrechte deklariert und paktiert hat, liegen hier internationale Richtmaße für den Staat vor. Ferner ergibt sich daraus, wieweit ein Staat praktisch fähig ist, seine Rolle als Gemeinwohlfaktor für das Weltgemeinwohl im Bereich der weltweiten sozialen, wirtschaftlichen und politischen Kooperation zu spielen. Auch die Rechte anderer, von Individuen über Minoritäten bis zu den Staaten und der Völkergemeinschaft, setzen also der Freiheit Schranken. Innerhalb dieser Schranken besteht aber ein grundsätzliches Freiheitsrecht jedes Staates.

4. Das Recht auf Entwicklung der nationalen Wohlfahrt:

Dieses Recht betrifft nicht nur die eigenen Ressourcen, sondern auch den Zugang zu Quellen des Reichtums an Rohstoffen der Erde und zur Nutzung des Kosmos wie insbesonders zu den Wertschöpfungen durch internationale Kooperation durch jeden Staat sowie seine Anerkennung als gleicher Partner im sozialwirtschaftlichen internationalen Leben. Hierbei gibt es legitime nationale Interessen, aber auch Ausschließungs- und Absperrungsmaßnahmen, die einzelne Staaten einseitig begünstigen oder einseitig benachteiligen. Gleiche Vorteile der einzelnen Staaten können aber durchaus durch Entwicklung der Zusammenarbeit aller entstehen und so kann das Wohlergehen einzeln wie gemeinsam gefördert werden.[188]

---

[188] Positive Beispiele bringt hier wieder die Schlußakte der KSZE im „Korb 3": Zusammenarbeit in den Bereichen der Wirtschaft, der Wissenschaft und der Technik sowie der Umwelt.

5. Das Recht auf gleichberechtigte internationale Zusammenarbeit:

Wenn für die Wohlfahrt eines Staates die Teilnahme an der internationalen Kooperation mitentscheidend ist, hat auch jeder Staat das Recht, im internationalen Leben präsent zu sein und nach seinen Fähigkeiten daran teilzunehmen, unabhängig von seiner Größe und Potenz. Angesichts der bestehenden Entwicklungsunterschiede zwischen den Staaten beinhaltet dieses Recht auch das Recht auf aktive Förderung beim Zugang zur internationalen Zusammenarbeit durch die Staatengemeinschaft.

Allen diesen Rechten korrespondieren Pflichten, zumindest die Pflicht, diese Rechte auch den anderen Staaten zu gewähren. Darüber hinaus spielen im Bereich der sozialen Rechte insbesondere auch Pflichten aktiver Förderung eine Rolle. Das innere Verhältnis von Rechten und Pflichten wird aber besonders angesprochen bei der Frage nach dem Wesensgehalt des Prinzips der staatlichen Souveränität und ihrer Grenzen und damit den Pflichten nach innen und außen im internationalen Verbund der Staaten. Es soll daher ein eigener Hauptpunkt das Recht auf Souveränität behandeln.

2.3.3. Das Recht auf Souveränität als Recht auf die Stellung des Staates als unabhängiges Völkerrechtssubjekt

Der Souveränitätsbegriff hat seinen historischen Ort seit Jean Bodin und Thomas Hobbes in der neuzeitlichen europäischen Geistesgeschichte. Der Anspruch des Staates auf absolute Souveränität war zwar immer auch mit dem Gedanken verbunden, Werte dem Zugriff der Gewalt zu entziehen, aber in der politischen Wirkungsgeschichte wurde versucht, die politische Macht und ihren Inhaber in eine exzeptionelle Position zu stellen, nur der Räson des Machtkalküls unterworfen. So ist das absolute Souveränitätsdenken, trotzdem längst auch die Vorstellung vom autarken Staat und der „vollkommenen Gesellschaft" von der Entwicklung überholt worden ist, durch das ungelöste Machtgefüge der Staaten im internationalen Raum politisch faktisch begünstigt und in machtstaatlichen Auffassungen aufrecht, durch Gleichgewichtsgedanken oder Hegemoniestreben modifiziert.[189]

Das sozialistische Völkerrecht und die marxistische Rechtsphilosophie kennen einerseits einen in untrennbarer Einheit mit der Gleichheit verbundenen Souveränitätsbegriff für die nach Sozialsystemen geteilte Staatenwelt, im eigenen sozialistischen Machtbereich aber gelten die Prinzipien des

[189] Der Vorwurf des Hegemonismus, des Strebens nach der Vormacht in der internationalen Politik, wird heute vielfach von den Weltmächten wechselseitig erhoben.

proletarischen (sozialistischen) Internationalismus. Dort besteht die Gemeinschaft souveräner Staaten auf einheitlicher Basis mit einheitlichem Überbau, was Gemeinsamkeit in den objektiven Interessen, Aufgaben und dem Endziel der kommunistischen Weltgesellschaft bedeutet. Es liegt hier eine sich abbauende nationale Souveränität auf Zeit vor, bis ein einziges Weltsystem überbleibt.[190] Die bekannte These vom „Absterben der Souveränität des Staates" könnte ergänzt werden durch die These vom „Absterben der Souveränität". Derzeit aber gibt es einen dialektisch sich entwickelnden und damit geteilten Souveränitätsbegriff, der seine Einheit in den historischen Entwicklungsgesetzen hätte, de facto aber unter dem pragmatisch definierten Interessenanspruch des Sozialismus steht, d. h. vom Interesse der sozialistischen Staatenwelt her relativiert wird. Der als absolut bezeichnete „bürgerliche Souveränitätsbegriff", der das Recht, über Krieg und Frieden nach Gutdünken zu entscheiden, beinhaltet, wird tatsächlich vom positiven Völkerrecht her nicht wirksam überwunden, bzw. wird er als rechtliche Annahme auch durchaus noch vertreten.

Die Notwendigkeit, an einem nationalstaatlichen Souveränitätsbegriff im besonderen und einem absoluten Souveränitätsbegriff im allgemeinen festzuhalten, kann heute zurecht bezweifelt werden. Zu sehr ist die internationale Entwicklung über den nationalstaatlichen Gedanken und die absolute Handlungsfreiheit der obersten Staatsgewalt nach innen und außen theoretisch und vor allem praktisch hinweggegangen im Zeichen einer „Weltinnenpolitik". Insoferne hat der Gedanke einer naturrechtlich begrenzten Volkssouveränität ebenso wie einer begrenzten Rechtsstellung des Staates als Völkerrechtssubjekt nach positiven Normen ebenso wie nach internationalen „Grundrechten" — also naturrechtlich! — seine Bedeutung. Aktueller Ausdruck sind einige Kennzeichen dieser Völkerrechtssubjektivität, die zugleich Rechte wie Pflichten bedeuten und unter naturrechtlichem Aspekt ihre inhaltlich bestimmte Bedeutung von allgemeiner Gültigkeit bekommen. In Anlehnung an einen Begriff des sozialistischen Völkerrechts sei dafür der Begriff der friedlichen Koexistenz verwendet und eigens interpretiert als *friedliche Koexistenz der Staaten auf der Basis gemeinsamer Rechte und Werte innerhalb der Völkergemeinschaft.*[191]

Pius XII. hat wiederholt von einer Koexistenz in Wahrheit, Gerechtigkeit und Liebe gesprochen.[192] Die moderne Entwicklung will den Souveränitätsbegriff funktional in seine positiv anerkannten Gehalte auflösen und diese Funktionen legitimieren durch Konsens. Der Konsens über eine gemein-

---

[190] Vgl. Völkerrecht, Lehrbuch Teil 1, 190 ff.

[191] Auch René Coste sieht in der friedlichen Koexistenz eine „wesentliche praktische Norm der internationalen Moralität"! International Ethics, 12.

[192] Vgl. die Weihnachtsansprache 1954, Utz-Groner, Soziale Summe Pius XII., Bd. III, Nr. 6307-6339 und öfter.

same tragfähige Basis ist Vorbedingung, daß die Staaten als gleiche Akteure auf der internationalen Bühne wirken können ohne Furcht vor Machtmißbrauch durch den einen oder den anderen. Und diese Wertbasis — durch Wahrheit und Gerechtigkeit begrifflich umschrieben — betrifft die sonst steten Streitgegenstände der Begrenzung der Staatsgewalt trotz gleicher Völkerrechtssubjektstellung oder umso mehr durch den Anspruch auf absolute Souveränität. Und das sind: das Selbstbestimmungsrecht und das Recht auf Intervention. Dies ist auch durch die sozialistisch interpretierte Koexistenz nicht gelöst, enthält doch die Betonung des ideologischen Kampfs die Absage an einen eigentlichen Brückenschlag und die Pflicht, sogenannte fortschrittliche Kräfte in den kapitalistischen Welt von außen auch mit Gewaltmitteln zu unterstützen, und die Legitimation zur Intervention kraft eigener Souveränität für den sozialistischen Staat aus einem historisch behaupteten Fortschrittsgesetz.[193]

Ausdruck des naturrechtlichen Koexistenzverständnisses ist das Bekenntnis zum internationalen Dialog. Der Dialog stellt einmal die Teilnehmer am Gespräch, also die Staaten auf eine gleichberechtigte Ebene und bedeutet die Verpflichtung zur Konfliktlösung im beiderseitigen friedlichen Streitschlichtungsverfahren, will er nicht bloß der Versuch des Verhandlungsweges sein unter Wahrung der Lösungskompetenz durch Gewaltanwendung. Als Alternative zur Konfliktlösung auf friedlichem Weg war der Dialog, der Weg des Verhandelns und Nachgebens zugunsten des Friedens, schon von der spanischen Spätscholastik empfohlen worden, so daß zurecht hier die Wurzeln der Lehre von der friedlichen Koexistenz zu sehen sind,[194] nicht erst bei W. I. Lenin und seinem Außenminister (Volkskommissar) G. W. Tschitscherin.

Schon die spanische Kolonialethik anerkannte das Existenzrecht der neuentdeckten Staaten und ihre Behandlung als gleichwertige Partner durch die christlichen Staaten trotz ihrer heidnischen Religion, weil sie eigene Staatswesen waren. Friedliche Koexistenz ist nicht so sehr ein Weg zur kriegerischen Konfliktvermeidung auf die Dauer der Existenz zweier „Weltsysteme", wie es der Leninismus meinte, sondern die Einsicht in den Pluralismus der Menschheit und Völker auf politischem und sozialem Gebiet in territorialen Staaten, deren „höchste Gewalt" aber wieder eingebunden ist in eine Weltgemeinschaft der Staaten. Friedliche Koexistenz ist die Absage an jeden Kriegstitel aus welcher „Mission" immer, ist aber ebenso die Wendung gegen jeden Weltherrschaftsanspruch eines Staates oder Sozialsystems entgegen dem Willen anderer Völker, vielmehr der Aufruf zur Koope-

---

193 Vgl. Michael Libal, Interessen und Ideologie in der Dritte-Welt-Politik der Sowjetunion, in: Europa-Archiv, 7.F. 1985, 195-204 (Literatur!).

194 Vgl. Luciano Pereña Vicente, La tesis de la coexistencia pacifica en los teólogos clasicos españoles, Madrid 1963.

ration. Der Anfang der Kooperation ist der Dialog aus der Anerkennung des anderen und aus dem Respekt vor seinen Interessen. Insoferne sind diese Zeichen sozialer Liebe nicht Hemmnisse, sondern Basis für Fortschritte auf dem Weg zu mehr Menschenwürde und Menschenrechtsverwirklichung im internationalen Leben.

Erst auf der Basis und unter Beachtung der naturrechtlich verstandenen[195] friedlichen Koexistenz souveräner Staaten als Glieder der Völkergemeinschaft lassen sich die folgenden Rechte und Pflichten in Einklang bringen und durch die einzelnen Staaten verfolgen: Wenn das Recht auf Selbstbestimmung des einen Staates auf die Pflicht zur Intervention des anderen stößt, sollen die betreffenden Konflikte ohne Gewaltandrohung oder -anwendung zu lösen sein. Gute Nachbarschaft zwischen Staaten sollte mit respektvoller Kritik eines als Übel angesehenen inneren und äußeren Verhaltens jeweils von Staaten vereinbar sein. Die Vertrauensbildung sollte von der Rechtsvermutung des guten Willens beim anderen ausgehen, ohne zur unkontrollierten Vertrauensseligkeit zu werden. Hegemoniestreben von Staaten würde die Sicherheit und Wohlfahrt jedenfalls des anderen gefährden. Friedliche Koexistenz bedeutet Entwicklung der Existenz des anderen wie der eigenen in einem dynamischen Verständnis[196] und von daher die Internationalisierung der zuerst souverän gedachten Eigeninteressen wie Sicherheit, Wohlfahrt, Freiheit, Gerechtigkeit und eben Frieden in einem universellen Wohl.

2.3.4. *Völkerrechtlich umschriebene Rechte und Pflichten der Staaten*

1. *Da das (positive) Völkerrecht wesentlich als Vertragsrecht gefaßt ist, besteht seine Grundvoraussetzung im Prinzip: pacta sunt servanda.*

Die Heiligkeit der Verträge hängt ab vom rechtmäßigen Zustandekommen der Verträge ebenso wie von deren Einhaltung. Bei beidem kommt es auf den freien Willen beider Seiten an, der aber zugleich ein guter Wille sein

---

[195] Die Rechtsidee und weltanschaulichen Kräfte und deren Träger können hier Bedeutsames leisten als Wegbereiter und Förderer des Völkerrechts. Philippe de la Chapelle, La Déclaration universelle des Droits de l'homme et le Catholicisme, Paris 1967, 334, nennt den Katholizismus „promoteur des Droits des Gens".

[196] Vgl. Hedley Bull (Ed.), Intervention in World Politics, Oxford 1984. Rosalyn Higgins versteht in ihrem Beitrag dort das Völkerrecht nicht so sehr als Kodex von Geboten, also hier des Verbotes von Intervention, sondern als einen dynamischen Prozeß der angepaßten Entwicklung einer internationalen Autorität. Es gelte die Balance zu finden zwischen souveräner Unabhängigkeit der Staaten und der Realität einer interdependenten Welt.

muß. Dieser gute Wille liegt zuerst im „Interesse des Menschengeschlechts"[197] und im Interesse der einzelnen Staaten. Allein dieses Interesse steht neben der moralischen Verpflichtung, die Regeln der sittlichen Erlaubtheit des Vertragsinhaltes, des freien Vertragsabschlusses und der Einhaltung der eingegangenen Vertragspflichten zu beachten. Tatsächlich hat der politische Utilitarismus durch Absolutsetzung des eigenen Staatsinteresses sich oft über das Prinzip der Heiligkeit der Verträge hinweggesetzt und die internationale Politik damit zur Arena der reinen Machtpolitik gemacht. Vertragsbruch war oft der Anfang von Kriegen, oder diktierte Verträge waren die Ursache neuer Konflikte.

Durch die Satzung der VN (Artikel 2, Ziffer 2) hat jeder Staat Verpflichtungen, die er in Übereinstimmung mit der Satzung übernommen hat, nach Treue und Glauben zu erfüllen. Dies ist eines der äußeren Zeichen, daß sowohl in der Völkerrechtspraxis als auch im Bewußtsein der internationalen Öffentlichkeit die Vertragserfüllung an moralischem Gewicht zunimmt. Weiters hat die Wiener Konvention über das Recht der völkerrechtlichen Verträge (1969) das Gewohnheitsrecht in Regeln weiter konkretisiert und so das moralische Bewußtsein in bezug auf die Einhaltung und Interpretation solcher völkerrechtlicher Verträge vertieft.

Heute liegt ein besonderes Problem bezüglich der Verträge vor, die als Pakte — wie die Menschenrechtspakte — in die alleinige Vollziehungsgewalt der Staaten fallen. Hans Köchler hat gezeigt, daß hier ein Normenkonflikt besteht, da wesentliche Grundsätze des heutigen Völkerrechts, „z. B. die Prinzipien der *Effektivität* und der staatlichen *Souveränität*... mit dem (universalen) Gelten der ebenfalls im Völkerrecht verankerten Menschenrechtsgrundsätze nicht vereinbar sind".[198] Solange keine Einigung über eine internationale gerichtliche Appellationsinstanz für die Einhaltung der Menschenrechte besteht, wie es eben auch für alle völkerrechtlichen Verträge solche zwingend nicht gibt, bleibt nur das Rechtsbewußtsein der Menschheit als oberste Instanz. Dazu, um die moralische Verpflichtung zu betonen, ist die erste Voraussetzung, daß die Staaten ihre Grenzen der freien Bewegung von Informationen, Ideen und Menschen öffnen. Nur so kann auch ein gesamtmenschliches Interesse wirksam werden. So entspricht dem Prinzip der Heiligkeit der Verträge zumindest die Unterwerfung der Staaten unter das Regime der internationalen öffentlichen Meinungsbildung über die zu schließenden und abgeschlossenen Verträge. Eine solche Kontrolle ist keine Beeinträchtigung von Souveränität, weil ja die Vertragsinhalte von den Staaten bestimmt wurden und sie sich daran gebunden haben. Das Zeugnis der Erfüllung sollte ihrem Interesse und dem Völkerrecht nur nützen.

---

[197] Hugo Grotius, De iure belli ac pacis, L. III. c. 19. 11.

[198] Die Prinzipien des Völkerrechts und die Menschenrechte, Zur Frage der Vereinbarkeit zweier Normensysteme, in: Österr. Zeitschr. für öffentl. Recht und Völkerrecht, 32 (1981), (5-28), 8.

2. Das Recht der Selbstverteidigung und die Pflicht zur Gewaltlosigkeit:

Das Recht zum Krieg unter bestimmten Umständen (bellum iustum) ist durch Artikel 2 Ziffer 4 der Satzung der VN mit einem umfassenden Gewaltanwendungsverbot völkerrechtlich abgeschafft. Zweifel an der Wirksamkeit dieses Verbots zeigt aber bereits der Umstand, „daß Artikel 51 der SVN das Recht auf individuelle und kollektive Selbstverteidigung anerkennt, bis der Sicherheitsrat die notwendigen Maßnahmen ergriffen hat".[199]

Schon bei der Voraussetzung zur Ergreifung solcher Maßnahmen, der Feststellung des Vorhandenseins einer Aggression laut Artikel 39 SVN, war aber erfahrungsgemäß der Sicherheitsrat infolge des Vetorechts kaum jemals in der Lage, wirksam einzugreifen. So ist die Selbstverteidigungsbereitschaft zu einer gewaltigen Ansammlung von Militärpotential weltweit gediehen, die als Abschreckung vor Angriffskriegen als nötig betrachtet wird. Die Glaubwürdigkeit der Einhaltung der Pflicht zur Gewaltlosigkeit durch die Staaten ist durch die Hochrüstung schon zweifelhaft, noch mehr aber durch zahlreiche tatsächliche internationale Aggressionsakte seit dem Zweiten Weltkrieg.

3. Das Prinzip der Effektivität:

In diesem Zusammenhang stellt das Prinzip der Effektivität im Völkerrecht eine besondere Problematik dar. Es statuiert als Voraussetzung für die völkerrechtliche Anerkennung einer Gemeinschaft als Staat die Errichtung einer effektiven Herrschaft über das in Frage stehende Territorium mit der Aussicht auf Dauer. So geschieht es in der völkerrechtlichen Praxis öfter, daß Regierungen oder Staaten anerkannt werden, die mittels Verletzungen universeller Rechtsnormen die Kontrolle über ein Staatsgebiet erlangt oder beibehalten haben. Die Staatsräson oder die ideologischen Interessen können hier, z. B. bei Menschenrechtsverletzungen, worauf Hans Köchler hingewiesen hat,[200] einmal das Prinzip der Effektivität beanspruchen, um eine Intervention von außen abzuwehren, das andere Mal, etwa um eine „Befreiung" zu legitimieren, also eine erfolgreiche Intervention völkerrechtlich abzusichern.

Doch gilt dieses Prinzip der Effektivität nicht nur im Völkerrecht, sondern auch schon bei jedem innerstaatlichen Machtkampf, bzw. Machtwechsel mit Verfassungsänderung. Dabei können durchaus schwere Rechtsverletzungen vorkommen oder zumindest die Rechtslage sehr kompliziert sein, wenn man die letzte Legitimation der Staatsgewalt im Gemeinwohl sieht, bzw. ein

[199] Ignaz Seidl-Hohenveldern, 328.

[200] a.a.O., 10 f.

Widerstandsrecht des Volkes anerkennt. Daß hier faktisch zahlreiche Weisen von Intervention von außen vorkommen können, daß auch das Völkerrecht manipuliert werden kann, bzw. daß eben faktische Lagen normativ zur Kenntnis genommen werden können, bedeutet noch nicht die Normativität des Faktischen letztlich, so lange — trotz allen Mißbrauchs — im naturrechtlichen Verständnis das allgemeine Wohl des (Staats)volkes Souveränität begründet und hinter der ausgeübten (effektiven) Staatsgewalt zu sehen ist. Dies ist der realistische Zug der Naturrechtslehre in Verbindung mit ihrem „geschichtlichen" Denken, daß es im Zeitablauf und angesichts der Neukonstituierung des Gemeinwohls unter einer tatsächlichen Staatsgewalt zu neuer Rechtmäßigkeit kommen kann. Nicht also konstituiert die Faktizität Recht, sondern das Gemeinwohl im Verständnis des Volkes.[201] Dies wurde nie als allgemeines Recht zur Revolution gedeutet und ebenso nicht zum Willkürrecht bei der Ausübung der Regierungsgewalt erhoben.

Es bedeutet aber, daß das Effektivitätsprinzip ein sekundäres Rechtsprinzip ist, das besonders vom positiven Völkerrecht vordringlich angewandt werden muß,[202] weil es nur innerstaatliche Wirkungen hat und damit keine unmittelbare Kompetenz in staatlichen Gemeinwohlfragen. Insoferne es an menschheitliche Grundfragen, wie die Menschenrechte, herankommt, offenbart sich aber heute der Mangel einer weltweiten Instanz für solche Rechtsverletzungen. Hier bleibt für die Völkerfamilie nur der Appell an die internationale öffentliche Meinung, bzw. die Herausbildung von weltweitem Solidaritätsverhalten zum indirekten Druck auf effiziente, aber ungerecht ausgeübte Regierungsgewalt, soferne es nicht zu den bereits in der Satzung der VN vorgesehenen Aktionen kommt. Ausdruck solcher „Weltinnenpolitik" sind bereits die internationalen Menschenrechtsbewegungen. So wird gerade das Effektivitätsprinzip in seiner Problematik ein gutes Beispiel für die naturrechtliche Basis des Völkerrechts und das Ungenügen eines völkerrechtlichen Gewohnheitsrechts und positiven Völkerrechts allein, gerade um Normenkonflikte zu beheben, was auch Hans Kelsen erkannt hat.[203]

2.3.5. Die Organisationen der Völkergemeinschaft

Im Anschluß an Alfred Verdroß hat Johannes Messner es als die Aufgabe der Naturrechtsethik herausgestellt, „*die Prinzipien zu entwickeln,* die sich für die Organisation der Völkergemeinschaft ergeben."[204] Dazu hat er auf das

[201] Vgl. Johannes Messner, Das Naturrecht, 795 f.

[202] Nach Ignaz Seidl-Hohenveldern, 305, „mißt das Völkerrecht der ‚normativen Kraft des Faktischen' größere Bedeutung bei als das innerstaatliche Recht", ohne damit den Satz außer Kraft zu setzen: ex iniuria ius non oritur.

[203] Vgl. Reine Rechtslehre, 337.

[204] Das Naturrecht, 694.

Moralprinzip der „existentiellen Zwecke" verwiesen, die zu erreichen dem Menschen ohne staatliches Gemeinwohl und — heute immer deutlicher! — ohne Weltgemeinwohl nicht möglich wäre und die eben letztlich konstitutiv für alle menschliche Gemeinschaftsbildung und ihre Bewertung wären.

Wohl erstmals bei Dantes Weltmonarchie wird die Idee eines Weltstaats erwogen. Dabei erscheint der Weltmonarch so idealisiert, daß es sich fragt, ob Dante an eine persongebundene und zentrale Gewalt überhaupt gedacht hat. Das Modell Weltstaat ist jedenfalls gegeben. Demokratisch basierte Modelle, wie bei Kants philosophischem Entwurf zum ewigen Frieden,[205] sprechen aber eher für dezentralisierte Organisationsformen der Weltgemeinschaft als für zentralistische Formen mit der Möglichkeit des Verfalls in das Orwell'sche Schreckbild eines diktatorischen „Großen Bruders".

Bemerkenswert ist, daß die klassische spanische naturrechtliche Völkerrechtsschule — entgegen den imperialen Ansprüchen der abendländischen Reichsidee! — zwar eine Rechtsgemeinschaft der Völker und Staaten kannte, sich aber gegen die Gesetzgebung durch eine weltstaatliche Zentralgewalt, gegen einen Weltstaat aussprach. Am konkretesten entwickelt ist die Rechtsmeinung bei Francisco Suarez. Dies hängt unmittelbar mit der Auffassung des Suarez von der Souveränität der Staaten zusammen, die, obwohl sie oberste Gewalt besäßen und alle Mittel zur Erreichung des Staatszweckes in ihrer inneren Ordnung besäßen, nur eine relative sei und zu den anderen Staaten hin und gemeinsam nach oben zur Weltspitze in Form der Staatengemeinschaft offen sei.[206] Ja, Suarez bringt, worauf auch Johannes Messner aufmerksam macht,[207] schon alle entscheidenden Argumente gegen die Weltstaatsidee.

Wie aber läßt sich die bei Suarez gegebene Einheitsidee des „totus orbis" der in Staaten aufgeteilten Menschheit interpretieren? Grundlegend ist die Idee vom Gemeinwohl in seiner Gesamtheit. Zu dieser kommt nun die Enwicklung eines Geflechts heutiger politischer internationaler Organisationen, die das internationale Zusammenleben fördern, ja beherrschen. Josef Soder findet die Lösung aus den Ansichten des Suarez darin, „daß seine Theorie von der Übertragung der Staatsgewalt auf die internationale Organisation angewendet wird. Durch Übertragung der Gewalt erwächst dann dem

---

[205] Die Schrift stammt aus dem Jahre 1795.

[206] Souveränität ist nach Francisco Suarez: „Potestas ... suprema, id est directum superiorem in temporalibus non recognoscens". Def. III, 5, 3. Es ist reizvoll, an Hand einer heute aktuellen politischen Problematik die Beziehung des Souveränitätsverständnisses zur Bildung einer überstaatlichen Ordnung zu betrachten, wie es Hanspeter Neuhold z. B. tut: Das Problem der Souveränität und Zusammenarbeit, Köln 1975, 210-229.

[207] Das Naturrecht, 695.

Staat ein neuer Herrscher, ohne daß der Staat selbst oder das Staatsvolk seine Souveränität einbüßt... Dasselbe ergäbe sich hier im Verhältnis der Einzelstaaten zur Völkergemeinschaft."[208]

Gestützt auf die naturrechtliche Lehrtradition kommt Johannes Messner zum Ergebnis, wie dann eine kollektiv organisierte Völkergemeinschaft aus sozialethischen Prinzipien heraus verfaßt sein sollte: weder als zentraler Staat noch als bloßes Ergebnis vertraglicher Vereinbarungen absolut souveräner Staaten, sondern ihr Wesen wäre das *„einer Föderation*, daß heißt einer Vereinigung relativ autonomer Gesellschaftskörper im Dienste ihrer gemeinsamen Interessen."[209] Weiter nach Johannes Messner folgen für die Organisation dieser weltweiten Staaten-Föderation zwei Grundprinzipien: „Sie muß *offen sein für alle Staaten* und sie muß *für alle verpflichtend sein*."[210] Diese Prinzipien leuchten auch durch ihre Zweckmäßigkeit ein. Die jetzige Weltorganisation, aus der Allianz der Siegerstaaten heraus begründet, ist anders als der Völkerbund zur universalen Organisation geworden. Vor allem sind heute alle Großmächte hier integriert. Die größte Gefahr würde aus dem Rückzug oder Ausschluß von Staaten aus der Organisation für ihr Bestehen aber erwachsen. So wäre eine isolationistische Politik von Staaten, ihr Rückzug aus der Weltorganisation ebenso eine schwere internationale Störung, insbesondere, wenn es sich um eine Großmacht handelt, die gemäß ihrer Fähigkeit auch internationale Verpflichtungen gegenüber der Organisation der Völkergemeinschaft hat. Gleichzeitig ist alles gegen die Interessen der Weltgemeinschaft, was zur Absonderung von Staaten aus der Gemeinschaft beiträgt.

Anders ist es zu werten, wenn im Sinne einer pluralistischen Gestaltung der Staatengemeinschaft es innerhalb der föderativen Einheit zu besonderen internationalen Zusammenschlüssen kommt, die durchaus im Sinne des Ganzen oder doch nicht gegen dasselbe sein können, oder wenn es auf konföderativem Weg zu größeren regionalen Zusammenschlüssen von Staaten kommt im Sinne politischer, wirtschaftlicher oder kultureller Integration. Solche integrative Wirkungen gehen in Teilbereichen auch von speziellen internationalen Organisationen aus. Der Niederschlag dieser Vorgänge hat in den letzten Zeiten zu einer raschen Ausbildung auch des Völkerrechts der internationalen Organisationen und supranationalen Gemeinschaft geführt.

---

[208] a.a.O., 239.

[209] Das Naturrecht, 696. Dazu zitiert Messner aus Suarez, De legibus, III, 2, 6: nam licet universitas hominum non fuerit congregata in unum corpus politicum, sed in varias communitates divisa fuerit; nihilominus ut illas communitates sese mutuo iuvare, et inter se in iustitia, et pace conservari possent (quod ad bonum universi necessarium est) oportuit, ut aliqua communia iura quasi communi foedere, et consensione inter se observarent.

[210] a.a.O., 697.

Schon länger hat es solche integrative Vorgänge durch die Institution der diplomatischen Beziehungen gegeben und die entsprechenden völkerrechtlichen Regelungen.

2.3.6. Das Prinzip der aktiven Mitwirkung der Staaten am Wohl der Völkergemeinschaft

Angesichts der internationalen sozialethischen Prinzipien, insbesondere des Existenzrechts und der gleichen souveränen Rechtsstellung der Staaten als Völkerrechtssubjekte ergibt sich ihr Recht zur internationalen Zusammenarbeit. Ebenso läßt sich eine Pflicht dazu aus der Notwendigkeit internationaler Kooperation für das Wohl der Staaten zeigen. Die Rollenwahrnehmung im einzelnen wird sich nach den Umständen, unter denen ein Staat besteht, etwa nach Größe der Bevölkerung und des Territoriums, richten.

Es gibt auch völkerrechtlich anerkannte Sonderformen der Teilnahme am internationalen Leben der Staaten. So ist der Status immerwährender Neutralität für ein Land wie für die Staatengemeinschaft auch von allgemeiner positiver Wirkung, wenn die Neutralität nicht bloß als Verpflichtung für den Kriegsfall gesehen wird, sondern als aktiver dauernder Beitrag zur internationalen Sicherheit.

Johannes Messner hat die Frage aufgeworfen, ob es aus naturrechtlicher Sicht ein „Recht auf Neutralität" gäbe.[211] Er bezieht sich dabei auf Alfred Verdroß, der meint, daß die mit dem Völkerbund aufgekommene „neue Idee der kollektiven Sicherheit" der früheren sehr positiven Bewertung der Neutralität für den Frieden unter den Staaten entgegen wäre.[212] So könnte die Neutralität als egoistische Haltung ausgelegt werden, die solidarische Verpflichtung der Staaten nicht zu beachten, gegen einen Angreifer vorzugehen. Die Mitgliedschaft beim Völkerbund hat tatsächlich für die Schweiz aus Gründen ihrer Neutralität Besonderheiten gehabt, und der OVN ist sie nicht beigetreten, während der zweite immerwährend neutrale Staat, Österreich, — zum Unterschied von der Schweiz, die aus historischer Entwicklung diesen Status erlangt hat, ist die Neutralität Österreichs völkerrecht erst durch die Notifikation des entsprechenden Verfassungsgesetzes an die Signatarmächte des Staatsvertrags und dessen Annahme oder widerspruchslose Hinnahme zustande gekommen — im Beitritt zur OVN keine Behinderung seiner Pflichten als immerwährend neutraler Staat sieht.

Bei einer weiteren Auslegung des Neutralitätsbegriffs wird es aber unschwer möglich sein, aus der Erfahrung heraus auf die für die internationalen

---

[211] a.a.O., 698 f.

[212] Die immerwährende Neutralität Österreichs, Wien 1977, 13.

Beziehungen positiven Einflüsse der Neutralität von Staaten hinzuweisen, wenn es auch eine Idealisierung ist, Neutrale als Friedensstifter an sich zu charakterisieren.[213] Allein die defensive Militärstrategie eines neutralen Staates oder seine Eignung zu guten Diensten der Vermittlung in internationalen Streitfällen bilden einen Beitrag zum Frieden. Bei friedenserhaltenden militärischen Maßnahmen der OVN sind Truppen aus dem neutralen Österreich wiederholt angefordert worden.

Unter dieser Rücksicht wird man zwar nicht von einem prinzipiellen Recht eines Staates auf Neutralität sprechen können, aber von dem aktiven Beitrag der Neutralität als besonderem völkerrechtlichem Status, bzw. (immerwährend) neutraler Staaten zum Wohl der Völkergemeinschaft im Rahmen umfassender internationaler Kooperation. In einem gewissen Sinn, wenn auch viel stärker tagespolitisch bestimmt, gehört hierher auch das Konzept der Blockfreiheit.[214]

Es gibt viele Formen der Gestaltung der internationalen Kooperation der Völkergemeinschaft, wo die Staaten aktiv werden können, u. a. durch regionale Zusammenarbeit von Staaten und durch Schaffung internationaler Organisationen und supranationaler Gemeinschaften. Nur ein Teil des internationalen Organisationswesens entspricht den Voraussetzungen wieder eines Völkerrechtssubjekts, nämlich daß an ihrer Bildung Völkerrechtssubjekte, in der Regel souveräne Staaten, beteiligt sind. Die Zahl der nichtstaatlichen Internationalen Organisationen (non-governmental organization = NGO) ist zehnmal so groß. Wenn sich ihr offizieller Einfluß höchstens darauf beschränkt, daß die Satzung mancher zwischenstaatlicher Internationaler Organisationen, z. B. der OVN, ihnen einen „beratenden Status" verleiht, so stellen sie heute ein breites buntes Spektrum von internationaler Zusammenarbeit dar, hinter dem oft sehr massive, auch staatspolitische Interessen wirksam sein können.

In den letzten Jahrzehnten, nach Anfängen vor etwa 150 Jahren, ist es auf dem Sektor des internationalen Organisationswesens nach Zahl und Aufgaben zu einer großen Ausweitung gekommen entsprechend der Entwicklung der Verflechtung des internationalen Lebens im Zeichen der technischen Zivilisation. Jedenfalls zeigt sich eine gewisse Stärkung der Rolle letztlich des einzelnen Menschen auf verschiedenen Wegen, um das internationale Leben der Völkergemeinschaft zu aktivieren, die nicht ohne Auswirkung auch auf die Mitwirkung der Staaten wieder in vielen Bereichen der internationalen Gemeinschaft ist. Welche Bereiche lassen sich hauptsächlich hier erkennen?

---

[213] William Bross-Lloyd Jr., Neutrale als Friedensstifter, Wien 1958.

[214] Vgl. Radovan Vukadinović, The Original Concept of Non-Alignment, in: Österr. Zeitschr. für Außenpolitik, 1/82, 18-25.

1. *Der Rechtsbereich:* Die verschiedenen Bemühungen um den Schutz der Menschenrechte im allgemeinen und besonders gefährdeter Personengruppen, wie Minderheiten, gehören hierher. Das internationale Wirtschaftsrecht ist ständig im Ausbau, der Kampf gegen Kriminalität ist ebenso zu nennen wie das Asylrecht, die Stellung von Ausländern, die Verhinderung von Rassendiskriminierung oder das Wanderungs- und Siedlungswesen.

2. *Hilfe und Schutz:* Neben rechtlichen Vorkehrungen kommt den Akteuren des internationalen Lebens in Notfällen eine besondere Beistandspflicht zu, die mit Vorkehrungen für solche Assistenzleistungen beginnt. Die Hilfspflicht betrifft auch den Kampf gegen Unrecht, wie gegen den Sklavenhandel und Rauschgifthandel.

3. *Kulturelle, soziale und wirtschaftliche Wohlfahrt:* Der Kulturaustausch beginnt bei der freien Information und beim Respekt vor kulturellen Eigenheiten der Völker, sucht Wege des internationalen Kontaktes und geht bis zu gemeinsamen Bildungseinrichtungen und Forschungszentren. Sehr unmittelbar bedeutsam ist die wirtschaftliche und soziale Zusammenarbeit. Der internationale Zahlungsverkehr, die Öffnung der Märkte wie ebenso die Regelung der Rohstoffmärkte, die Schonung knapper Ressourcen, der Umweltschutz, der internationale Verkehr bis zu den Kommunikationswegen über Radio und Funk sind einige Gebiete der zwischenstaatlichen Kooperation. Genannt seien noch die Bevölkerungs- und Gesundheitspolitik, die Arbeitspolitik. Es gibt heute kaum mehr einen Bereich innerstaatlicher Politik, der nicht auch unmittelbar in internationale Belange hineinreicht. Gewisse Fragen, wie die Nutzung der Atomenergie, sind von so weitreichender Bedeutung, daß sich eine internationale Ordnung und Kontrolle in diesen Bereichen sehr nahelegt.[215]

4. *Die Friedenssicherung:* Mit der Erkenntnis der notwendigen Schaffung eines internationalen Systems kollektiver Sicherheit ist insbesondere rege Aktivität, wenn auch mit noch geringen direkten Erfolgen, im Bereich der Rüstungskontrolle und Abrüstung international zu verzeichnen. Auch das Erbe der kolonialen Epoche mit den Folgen der späteren Entkolonialisierung, die damit zusammenhängenden Probleme der Entwicklungsländer und die verschiedenen Niveaus der wirtschaftlichen Entwicklung sind heute im Kontext der Friedensförderung und sozialer Gerechtigkeit von allen Staaten und Menschen zu sehen.

Überall hier ist aber je nach ihrer Fähigkeit die Menschheit, insbesondere in ihrer staatlichen Gliederung, zur Aktivität aufgerufen. Ansätze supranationaler Ordnung und Ordnungsdurchsetzung bis zu gerichtlichen Höchstinstanzen sind allenthalben entstanden, reichen aber bei weitem noch nicht

---

[215] Vgl. Karl Kaiser und Beate Lindemann (Hrsg.), Kernenergie und internationale Politik, München 1975.

aus. So trifft jeden Staat nach seinen Möglichkeiten und in kooperativer Offenheit die Aufgabe aktiver Mitwirkung am Weltgemeinwohl. Diesem sehr allgemeinen ethischen Prinzip zur Mitwirkung in der internationalen Gemeinschaft entsprechen dann konkretere Prinzipien, als Beistands- und Hilfepflicht, vom Prinzip internationaler Liebe bis zu konkreten Gerechtigkeitspflichten, von der Enthaltung von gefährlichen Aktionen über Nichteinmischung bis zur schuldhaften Unterlassung gerechter Mitwirkung am internationalen Leben.

2.4. Zur Dynamik des internationalen Lebens

Bisher waren wir davon ausgegangen, daß im historischen politischen Entwicklungsprozeß durch die sittlichen Kräfte des menschlichen Bewußtseins in Verbindung mit den Grundeinsichten in die Menschenwürde und die Menschenrechte eine auf Dauer gerichtete positive, d. h. rationale Dynamik auf das für das internationale Leben der Völker und Menschen Gute besteht. Dieser Prozeß steht aber auch unter dem Einfluß der Bedingungen der menschlichen Kultur wie ebenso unter der Wirkung ideologisch verengter geistiger Kräfte bis irrationaler Mächte. All das wirkt sich schicksalhaft im sozialen Bereich des menschlichen Lebens wie in einem Kampffeld, dem die Welt in der Menschheitsdimension unentrinnbar unterworfen ist, aus und potenziert sich zu Heil und Unheil vieler einzelmenschlicher Schicksale und ganzer Staaten und Kulturen.

Im sogenannten Atomzeitalter vollzieht sich, wie Otto Kimminich[216] treffend beobachtet, die Wende von der Kriegsfreiheit zum Kriegsverbot, soweit es die Denkbarkeit des Atomkrieges betrifft, ohne daß das sogenannte Undenkbare und Verbotene des totalen Kernwaffenkrieges nicht weiter als mögliches Schicksal der Menschheit drohte. Die großen Ideologien des 19. Jahrhunderts, Arnold Toynbee hat es das Jahrhundert der „Ismen" genannt,[217] glaubten die Kräfte der Ratio oder der Geschichte auf ihrer Seite. Sie sind vielmehr selbst ein Stück schicksalhafter Entwicklungen, mit manchmal auch katastrophalen Folgen geworden, von den technischen Realitäten der Kultur der Industriegesellschaft mitbestimmt.

Die Wirksamkeit aller dieser rationalen und irrationalen Triebkräfte im politisch-staatlichen Leben faßt Johannes Messner[218] im Begriff „staatliche Dynamik" zusammen. Im Blick hat er dabei vor allem die soziologische

[216] Völkerrecht im Atomzeitalter, Freiburg 1969, 33 ff.

[217] Experiences, London 1969, 321 ff.

[218] Das Naturrecht, 915.

Betrachtung der politischen Faktoren, inwieweit sie die Staaten, hier die Völkergemeinschaft, Notwendigkeiten unterwerfen, die irrationalen Kräften entspringen und damit die Politik aus der allgemeinen sittlichen Ordnung herausstellen. Dahinter steht die Auffassung, daß das sittliche Gute auch das politisch Rationale oder Richtige sei, es so eben dem Naturrichtigen des Menschseins entspricht, also dem Naturrecht.[219] Dann aber richtet sich die Dynamik des Politischen durch einen irrationalen Zug gegen die sittliche Einordnung, wird zum Störfaktor im Politischen und zur Zerstörungskraft. Im Folgenden zeigen wir daher einzelne irrationale politische Mächte auf, wie sie sich entgegen die sittliche Ordnung im internationalen Kontext verselbständigen und zu einer Reihe von negativen Prozessen führen.

Man kann dazu allgemein den Krieg, den Expansionismus und Machtwillen und Bevölkerungsbewegungen zählen, im besonderen heute politische Ideologien in Verbindung mit sozialen Herrschaftsansprüchen und Klassenbildungen. Die als wichtigste erachteten Strömungen der negativen Dynamik des Politischen sollen hier im internationalen Kontext beleuchtet werden. Damit soll auf das Ziel der Verbindung von politisch richtigem Handeln mit der sittlichen Ordnung hingewiesen werden, also auf die internationale Praxis in Übereinstimmung mit dem Moralprinzip. Zugleich wird politische Macht und Herrschaft wie jedes politische System vor das Forum der Vernunft gerufen, kritisch betrachtet und so den Konflikten auf den Grund gegangen.

2.4.1. Die politischen Utopien

Die Utopie, so sagt Hermann Bauer unter Bezug auf den gleichnamigen Titel des Werkes von Thomas More, ist „die romanhafte Erzählung von einem vollkommenen Staatswesen irgendwo, weit weg, das aber als Modell für unseren gegenwärtigen Staat dienen könnte".[220] Dieses Modell in der internationalen Dimension ist nicht mehr örtlich entfernt, es ist nur mehr zukünftig oder, wenn örtlich, dann als Anfang für eine globale Entwicklung in Zukunft bereits hier und heute anwesend. Im Zeichen der Säkularisierung ist die Utopie in die irdische Naherwartung hereingeholt und verliert traditionell eschatologische Züge, sie wird zur politischen Hoffnung auf eine bessere Welt. Mehr noch, seit der Wendung der neuzeitlichen Sozialwissenschaften mit Auguste Comte zur „positiven Wissenschaft" wäre die Zukunftserwartung der vollkommenen Gesellschaft auf die Ebene der wissenschaftlichen Vor-

[219] Vgl. Johannes Messner, Kulturethik, 425.

[220] Kunst und Utopie, Studie über das Kunst- und Staatsdenken in der Renaissance, Berlin 1965, 27.

aussicht auf Grund der Einsicht in die Entwicklungsgesetze der Geschichte gehoben geworden. Karl Marx und Friedrich Engels verstehen sich nach den Vertretern des utopischen Sozialismus als im Besitz des wissenschaftlichen Sozialismus und damit das Schlüssels zum Paradies auf Erden.[221]

Sie sind damit aber durchaus beeinflußt vom allgemeinen Zeitgeist und dem Fortschrittsglauben im Gefolge der Aufklärung. Nicht nur die Frühsozialisten und dann insbesondere Karl Marx und der wissenschaftliche Sozialismus erwarteten eine friedliche Zukunft der Menschheit von der Verwirklichung ihres Gesellschaftssystems. Auch der Liberalismus sah im freien Welthandel die Basis für eine friedliche Organisation der Welt und war, wie Otto Kimminich hervorhebt, von vornherein pazifistisch ausgerichtet.[222] Richard Cobden, ein Hauptvertreter dieser Auffassung, sagte in seiner berühmten Friedensrede vom Jahre 1849: „Das Freihandelsprinzip wird in der moralischen Welt das bewirken, was das Gesetz der Schwerkraft im Universum zustande bringt — es wird die gegenseitige Annäherung der Menschen beschleunigen, dabei die Gegensätze von Rasse, Glauben und Sprache überwinden und in den Banden des ewigen Friedens vereinigen."[223] Tatsächlich hat das 19. Jahrhundert mit seinem Fortschrittsoptimismus auf dem Gebiet der Friedensförderung, später auch durch die in der bürgerlichen Friedensbewegung repräsentierten Kräfte, einige Erfolge zu verzeichnen, wenn auch die Hoffnungen auf kulturelle Fortschrittsgesetze zu hoch angesetzt werden.

Die Fortschritts-Ideologien, seien sie individualistisch oder kollektivistisch konzipiert, waren auf ein mechanistisches Geschichtsdenken hin angelegt. Dieses rationale Bild konnte ebenso in irrationale Versuche und Erwartungen umschlagen: von pazifistischen Utopien war es nicht weit zu anarchistischen Ideen. Vom Schicksal der Ungleichheit, den Marktkräften folgend, war es nicht weit zum Ideal der Gesellschaft der Gleichen, entstanden durch den Klassenkampf. Hier Erwählung durch das Los der Freiheit auf dem Markt, dort das kollektive Glück durch die Abschaffung des Marktes als Mittel der Ausbeutung. Alles lag im Gesellschaftsprozeß und seiner immanenten Dynamik.

Die Auswirkungen der Geistesströmungen jener Epoche bis heute, antithetisch und unscharf als Kapitalismus und Sozialismus umschrieben, im Bereich von Gesellschaft, Wirtschaft und Politik haben ihren Teil beigetragen zu den großen Krisen der Menschheit im Weltmaßstab und zu jenen

---

221 Vgl. Lou H. Silbermann, Geistesgeschichtliche Aspekte des Verhältnisses von Utopie und Hoffnung, in: Christlicher Glaube in moderner Gesellschaft, Bd. 23, Freiburg 1982 (57-71), 69.

222 Völkerrecht im Atomzeitalter, Freiburg 1969, 332.

223 zit. bei Otto Kimminich, a.a.O., 332.

sozialpolitischen Bewegungen geführt, die mit ihrer irrationalen Dynamik die Weltgesellschaft zu beherrschen und zu verändern suchen. Der Geist der Veränderung, des Totalumsturzes von den Werten bis zu den Herrschaftsstrukturen hat sich im neuzeitlichen Revolutionsdenken manifestiert und immer neue Gesamtmodelle der politischen Zukunft entworfen.[224] Aus der Zahl der ideologisch motivierten und politisch international wirksamen Kräfte in der Machtstruktur der Völkergemeinschaft seien die wichtigsten im folgenden unter sozialethischer Sicht herausgegriffen.

2.4.2. Sozialismus: Gleichheit durch Klassenkampf

Mindestens seit der „Aufruhr der Gleichen" des Gracchus Babeuf, zur Zeit der französischen Revolution fehlschlug, ist das Streben nach notfalls gewaltsam herbeigeführter Gleichheit ein gesellschaftliches Ideal, nach einer Gleichheit, für die das empirisch ausgerichtete Denken nach einem Maß suchte für die politische Anwendung. Als anthropologische Kategorie, konzipiert vom Gleichheitsgedanken bis zur Methode des Klassenkampfes, wurde der reale Sozialismus im Politischen immer neu versucht, und immer neue Sozialismen (unter Berufung auf die Lehrmeister des Sozialmus von Marx bis Lenin, Trotzki und Mao und deren viele Interpreten) sind entstanden. Trotz der bitteren Erfahrungen mit dem „realen Sozialismus" jeweils gewinnt die Utopie der Gesellschaft der Gleichen auch im Weltmaßstab immer neue Anhänger und kommt es zu neuen partiellen Versuchen.

Nährboden des Sozialismus sind gewiß stets neue Formen sozialer Ungerechtigkeit und politischer Unterdrückung im Interesse der Herrschenden. Im Abendland, unter den sozialen Bedingungen der Industriegesellschaft entstanden, erweist sich der Sozialismus, insbesondere (nach Karl Marx und später durch die politische Etablierung unter Lenin) der Marxismus-Leninismus als ideologischer Exportartikel aus Europa in die Dritte Welt. Wer in China heute fragt, was sind die „Gedanken Maos", die den Marxismus etwa chinesisch enkulturiert hätten, bekommt keine Antwort mehr. Diese Gedanken entsprechen eben dem „Marxismus". So hat diese europäische Ideologie geistig die kolonialistischen Strukturen aufrecht erhalten.

Noch eindeutiger ist der Marxismus von der Zentrale der kommunistischen Parteien in Moskau aus, trotz der Auflösung der Komintern während des Zweiten Weltkrieges, nicht nur ein Anspruch ideologischer Machtausübung, sondern ein Instrument politischer Weltbeherrschung. Die Welt ist dreigeteilt in die fortschrittliche sozialistische, in die reaktionäre kapitalistische und in die dritte Welt, wo derzeit die Veränderung auf Befreiung zur

224 Vgl. Milan Opočenský, Widerstand und Revolution, München 1982.

Gleichheit des Sozialismus hin am stärksten ist, das sind die Länder im Übergang von nationaler zu sozialer Befreiung. Den Klassenkampf dort auf der richtigen Seite zu unterstützen, ist sozialistische internationale Pflicht.

Die Entzauberung des Sozialismus angesichts seines realen Gesichts ist den Ideologen in der Dritten Welt kein Beweis gegen diesen im Prinzip, er wird immer neu versucht als sogenannter dritter Weg zwischen dem „realen Sozialismus" und dem „Kapitalismus". Doch auch dieser dritte Weg[225] kann über das Pathos utopischer Verheißung und des revolutionären Kampfes und Sieges hinaus weder konkrete politische Wege zeigen noch auf praktische Erfolge allenthalben hinweisen. Er bleibt für seine Behauptung nicht nur den Beweis schuldig, sondern falsifiziert sich durch fortdauernde Gewalt und neue Klassenbildung wie durch wirtschaftliche Ineffizienz. Der Schuldige wird außer dem System gesucht, was vor allem dann neue Konflikte in den internationalen Beziehungen provoziert.

2.4.3. *Kapitalismus: Ungleichheit als Schicksal*

Der Kapitalismus ist als Inbegriff einer ideologischen Bewertung ein Schlagwort, dessen Inhalt vor allem vom Sozialismus bestimmt worden ist und der zum begrifflichen Gegner aufgebaut worden ist ohne Rücksicht auf tatsächliche Verhältnisse. Antikapitalistische Aussagen lassen sich daher leichter formulieren und Gegenbewegungen initiieren als den „Geist des Kapitalismus" zu erfassen. Es fällt schwer, eine bessere Wirtschaftsweise als diejenige, wo hinter den Marktkräften auch Interessen des Privateigentums an Produktionsmitteln stehen, zu finden, ohne den Weg der zentralen politischen Wirtschaftsplanung zu gehen mit seiner Bürokratisierung, Unfreiheit und Ineffizienz. Gewiß ist diese kapitalistische Wirtschaftsweise der Industriegesellschaft verbunden mit dem liberalen und individualistischen Geist des 19. Jahrhunderts. Wenn der Liberalismus gegen staatliche Willkür und für die Freiheitsrechte des Bürgers im Staat war, so war er auch ein Gegengewicht gegen Gleichmacherei, aber nicht zwangsläufig auf Seiten der Herrschaftsinteressen. So war er auch viel wandlungsfähiger im geistigen Inhalt wie in der gesellschaftspolitischen Praxis — man denke etwa an den Ordoliberalismus! — als z. B. die Sozialdemokratie in Europa.[226]

---

225 Hervorgehoben seien Vertreter von Richtungen der Befreiungstheologie, bekannt geworden in Lateinamerika. Vgl. Rudolf Weiler, Linkstendenzen in Gesellschaft und Kirche heute, in: Franz Groner (Hrsg.), Die Kirche im Wandel der Zeit, Köln 1971, 453-467.

226 Vgl. Ralf Dahrendorf, Die Chancen der Krise, über die Zukunft des Liberalismus, Stuttgart 1983.

Erst die Sprengkraft der Freiheitsidee vermag jene Spannung zum Gleichheitsideal herzustellen, die auch international ein mechanistisches Gesellschaftsideal der verwalteten Gleichheit verhindert. Die Freiheitsidee ist aber ebenso gegen die Laissez-faire-Haltung aus einem individualistischen Determinismus heraus mit blindem Vertrauen in die gesellschaftliche Kraft der mechanistischen Selbstregelung. Für liberales Denken ist der Markt keine Schicksalsmacht. Dennoch gibt es liberalistisch-individualistische Strömungen mit verderblichen Auswirkungen im Sozialsystem und im Wirtschaftssystem auch im internationalen Bereich.

Für den „Manchester-Liberalismus" war der Freiheitsbegriff uneingeschränkt, in der Wirtschaft selbstregelnd gedacht und der internationale Freihandel der Weg zu größtem Reichtum und zur besten Ordnung der Weltwirtschaft. Dieser Glaube an ein dem Ziel entsprechendes System von Ideen und Praktiken stand gegen die innere, letztlich sittliche Ordnung des Sozialen und verursachte große soziale Krisen. Die gesellschaftlichen, ideologischen und politischen Reaktionen blieben nicht aus und verbanden sich mit anderen ideologischen Kräften und wirtschaftlichen und politischen Interessen. Im internationalen Kontext wird also von nationalistischen, rassistischen Strömungen im Amalgam des kapitalistischen Geistes ebenso zu sprechen sein wie vom Kolonialismus und Imperialismus, die aber keineswegs nur im sogenannten Kapitalismus auftreten. Man denke nur an den Sowjetimperialismus!

Gewiß hat der liberal-kapitalistisch-individualistische Geist durch seine Überbetonung der materiellen ökonomischen Werte, durch die Verselbständigung der Kapitalinteressen auf Gewinn im internationalen Bereich auch zur Bildung von Monopolen und von einseitiger Geld- und Wirtschaftsmacht geführt, zu Wirtschaftskrisen und Proletarisierung breiter Schichten. Vor allem in den Entwicklungsländern suchen dünne Oberschichten ihre dominierende Stellung auch politisch abzusichern. Einstige Feudalherren mißbrauchen das kapitalistische Wirtschaftssystem für ihre neue Ausbeutungstaktik. Sie blockieren die primitivsten Freiheitsrechte einschließlich der wirklichen Nutzung der wirtschaftlichen Produktivkräfte nach den Bedingungen freier Marktgestaltung bei der fruchtbaren Begegnung der Interessen von Kapitel und Arbeit.

Kein Wunder also ist es, daß diese Auswirkungen unter der Entartung der politischen Gemeinwohlverpflichtung im staatlichen Leben und unter dem Verfall der sittlich-geistigen Kultur auch international ganze Staaten oder breite Volksschichten mit den Tendenzen der Klassenspaltung überzogen und zu revolutionären Lagen geführt haben, die dann wieder internationale Gegenbewegungen als Klassenkampf und Revolution von unten inspirierten. So wurde der soziale Konflikt internationalisiert und die Sozialrevolution zur internationalen Zielsetzung mit mannigfachen Kräften in Kooperation gebracht. Wieder ist der Antikapitalismus eine Klammer über viele verschiedene Nöte und Ziele hinweg mit einer verschwommenen und oft widersprüchlichen Gesamtkonzeption der erstrebten Veränderungen.

In dieser „Welt des Kapitalismus" kommt es hinzu, daß sich zumindest in den entwickelten Industriestaaten, soweit sie freiheitlich-demokratische Verfassungen haben, durchaus soziale, wirtschaftliche, politische, kulturelle und religiöse Entwicklungen ergeben haben, die einen gesellschaftlichen Pluralismus ebenso gestatten wie sie eine hohe Problemlösungskapazität für Konflikte aufweisen. Auch international ist es, trotz bestehender Sonderinteressen und Konkurrenzierungen zwischen diesen Staaten, zum Teil natürlich unter dem expansiven Druck des „sozialistischen Lagers", zu Integrationslösungen gekommen bis hin zu Maßnahmen der Entwicklungspolitik im gegenseitigen Interesse von reichen und armen Staaten. Das Schicksalhafte der Ungleichheit in einem freiheitlichen System ist eben nicht festgeschrieben, sondern läßt den Reformkräften prinzipiell Raum für Streben nach sozialer Gerechtigkeit und damit zu Entwicklung. Der Sozialismus durch seinen Vorrang der individuellen Gleichheit und des Kollektivs hat international keine Reformkräfte gezeigt und keine Innovationsfähigkeit vom System her, sondern ist vom Theorie-Praxis-Verständnis her blockiert, sobald seine Sozialanalyse sich konzeptiv zu bewähren hat.

Insoferne ist durch die prinzipielle Systemverschiedenheit auch keine Annäherung oder Konvergenz der „Systeme" zu erwarten. Nur eine ideologische Veränderung im Sozialismus, was dieser, soweit er sich selbst als Weltsystem versteht, ausschließt, kann zu einer Dialogsituation führen, die die ideologischen Fronten überwindet und auf Grund einer gesamtmenschlichen Wertbasis internationale integrative Prozesse einleitet. In der Praxis und entgegen ideologischer Abgrenzungen sind solche Vorgänge wirksam. Die geistige Grundlegung dafür aber ist auch neben der sittlichen Dynamik der menschlichen Natur Aufgabe der internationalen Ethik als Wissenschaft.

2.4.4. Der Imperialismus

Die Wort- und Bedeutungsgeschichte des Imperialismusbegriffs, die erst im 19. Jahrhundert begann, zeigt uns, daß wir es hier mehr mit einem Schlagwort als mit einem brauchbaren wissenschaftlichen Terminus zu tun haben.[227] Da der Begriff aber so viel gebraucht und immer wieder modifiziert wird, ist die wissenschaftliche Befassung damit notwendig, um die dahinter

[227] Vgl. etwa die ausführlichen Untersuchungen von Peter Hampe, Die „ökonomische Imperialismustheorie", München 1976, 3-16.

stehenden Fakten und Ursachen präziser zu fassen und zu verstehen. Zum Verständnis der Imperialismuskritk ist daher die Befassung mit den Imperialismustheorien grundlegend.

Als Imperialismus bezeichnet man heute zumeist (und dann auch retrospektiv in der Weltgeschichte) das Expansionsstreben eines Staates, vor allem territorialer Natur, um andere Staatsgebiete in seine politische oder ökonomische Abhängigkeit zu bringen. Dieses Machtstreben kann sowohl psychologisch-subjektive Wurzeln als auch ideologische Hintergründe, aber auch objektive Interessen zur Ursache haben.[228] Je nach dem vorherrschenden Zug imperialistischer Politik hat schon Werner Sombart Imperialismen unterschieden, nämlich den staatspolitischen, militärischen, ideologischen, ökonomischen oder soziologischen Imperialismus.[229] Heute wird man den kulturellen Imperialismus hinzunehmen.

Der Imperialismus setzt einen Bevölkerungsteil in ein ungleiches Verhältnis zur herrschenden Gruppe und das bedeutet für diesen ein Abhängigkeits- bis Unterdrückungsverhältnis. Ein so allgemein gefaßter Imperialismusbegriff — entsprechend auch der zugrundeliegenden Anthropologie — konstatiert noch nicht die Grundwurzel des Expansionismus in einer Ursache, sondern betrachtet diese Erscheinung unter den verschiedenen Aspekten, um die Hauptursache dann festzustellen, wobei dem ideologischen Element nicht von Anfang an eine untergeordnete Rolle zugemessen wird. Die neueren ökonomischen Imperialismustheorien, aus marxistischer Observanz vor allem, zeigen neben dem vorhandenen Faktengehalt eine starke ideologisch-szientistische Befangenheit von einer philosophisch gesetzten Grundhypothese, bzw. einem dualistischen Geschichts- und Sozialschema (Zwei-Klassentheorie) aus. Andererseits wäre es für die Bestimmung des Imperialismus zu wenig, wollte man nur historisch-deskriptiv an das Phänomen herangehen.

Unbeschadet des retrospektiven Nachweises von Imperialismus schon für frühe Perioden der menschlichen Staatengeschichte, z. B. zu Zeiten des Imperium Romanum, ist für die Geschichte des Imperialismusbegriffs der Aufstieg Englands zur Weltmacht im 19. Jahrhundert klassisch geworden. Für die Zeit seit etwa 1880 sprechen wir analog zum Kolonialismus von der Epoche des Imperialismus, die in engster Umgrenzung bereits mit der Nie-

---

[228] Im einzelnen werden als Ursachen u. a. genannt: Abenteuerlust, Ehrgeiz, Patriotismus, Missionsbewußtsein, politisches Machtstreben („Wille zur Macht"), Gewaltinstinkt, militärische Ambitionen, nationales Prestige, Bevölkerungsdruck, religiöses Sendungsbewußtsein, Zufälligkeiten der Geschichte (imperiale Persönlichkeiten). Johannes Messner behandelt den Imperialismus daher im Kapitel Dynamik des Staates (Das Naturrecht, 943 ff.).

[229] Vgl. die universalhistorische Analyse von Joseph Schumpeter (Zur Soziologie der Imperialismen, Tübingen 1919) und deren bleibendes Verdienst, die soziologische Dimension des Imperialismus freigelegt zu haben!

derlage Rußlands im japanischen Krieg 1905 und mit der Rückführung des russischen Expansionismus nach Europa ihr Ende gefunden hat. Dieser Imperialismus war nationalstaatlich bestimmt, die nationale Wirtschaft war die ökonomische Basis des nationalen Sendungsbewußtseins. So wurde die nationale wirtschaftliche Konkurrenz im Wettlauf um die koloniale Aufteilung der Welt zur territorialen Expansion. Dabei waren die ökonomischen Interessen wesentlich mitbestimmend.

Die ideologische Seite dieser ökonomischen Interpretation wird aber daran deutlich, daß die ökonomisch-theoretische Fundierung des Imperialismus im Wirtschaftlichen, also auch die erste Imperialismustheorie durch John Atkinson Hobson zur Zeit der Burenkriege,[230] die die ökonomischen Motive hervorstellte (Depression der 90er Jahre!), heute durchaus nicht als einzig richtige angesehen werden kann. Trotz der Katastrophe in zwei Weltkriegen hat die ökonomische Zusammenarbeit und Entwicklung der Industriestaaten unter im Grunde marktwirtschaftlichen Bedingungen auch die Möglichkeit ihrer Existenzfähigkeit und Effizienz erwiesen, sobald und solange eben die Gefahr des Imperialismus im System hintangehalten werden konnte.

So erwies sich die vom Marxismus entwickelte Theorie des wirtschaftlichen Imperialismus als Folge des Kapitalismus als durchaus begrenzte Theorie und nur unter bestimmten Voraussetzungen wirksam.[231] Die Automatik der Machtexpansion unter dem Druck der ökonomischen Bedingungen (immer neue Produktionskapazitäten plus Bevölkerungsvermehrung) ist keine unabwendbare und kann durch Vernunfteinsicht und im wohlverstandenen Eigeninteresse unter Kooperation nach den sittlichen Erfordernissen menschlicher Solidarität politisch und wirtschaftlich ebenso gelöst werden wie sie auch zu Katastrophen führen kann. Für beides gibt die Geschichte Beispiele.

Dafür kann auch die immer wieder angepaßte und modifizierte Imperialismustheorie des Marxismus selbst angeführt werden. W. I. Lenin konnte auf Arbeiten von Rudolf Hilferding über das „Finanzkapital" (1910) aufbauen. Berühmt geworden ist seine Darstellung des Imperialismus „als höchstes Stadium des Kapitalismus" (1916/17), d. h. als expansionistische Spätphase des Kapitalismus, die erst in seinen Zerfall überleitet. Bis heute sind die ökonomischen Untersuchungen der Marxisten darauf aus, über die „kapitalistische" Weltwirtschaft die internationale Finanzoligarchie aufzuspüren

[230] Imperialism, New York 1902.

[231] Die rein ökonomisch gefaßten Imperialismustheorien haben in ihrer modernen Fortentwicklung zum „informellen" Imperialismus, also ohne sichtbare politische Herrschaftsstruktur, den Imperialismusbegriff eigentlich schon verlassen. Sie geben sehr vage Strukturen als Herrschaft aus und schreiben dem Ökonomischen Wirkungen zu, die faktisch schwer überprüfbar sind.

und in den internationalen monopolkapitalistischen Verbänden — hier wird gerne nach Eisenhower vom Military Industrial Complex gesprochen — nachzuweisen, nämlich wie sich wenige Kapitalisten untereinander die Welt aufteilen. Dabei legt sich zur Identifikation das internationale Geflecht der Multinational Corporations nahe.

Da dennoch die Wirklichkeit sich als komplexer erweist als die dogmatischen Annahmen und Prognosen, hat schon Stalin die Leninschen Theorien „erweitert". Seine „Paktierer-Theorie" besagt, daß die sozialdemokratischen Parteien den Imperialismus der Bourgeoisie gestützt hätten. Mit Chruschtschow kommt es überhaupt zu einer viel mehr elastischen und taktischen Situationsbetrachtung, ohne offiziell von der Theorie abzurücken. Man stellt sich nach den Prinzipien der friedlichen Koexistenz auf eine immer länger konzipierte Übergangsphase ein, in der ein zwar immer noch bipolar gedachtes Weltsystem funktioniere. Wirtschaftliche und ideologische Konkurrenz der Systeme soll den nicht mehr als unausweichlich angesehenen Krieg, der wegen der totalen Gefährdung der Menschheit nicht mehr rational in Frage käme, ersetzen. Dem „Imperialismus" wird damit auch eine gewisse Reformfähigkeit zugestanden. Der Neokolonialismus und Neoimperialismus bevorzuge feinere Formen der Ausbeutung und Unterdrückung. Auch das kommunistische Lager wird differenzierter gesehen, wenn es auch nach wie vor die einzig wahre Friedenspolitik repräsentiert. Die dogmatische Dichotomie der Spaltung der Welt in zwei Lager, wie sie Stalin klassisch formuliert hatte,[232] kann allerdings letztlich nicht aufgegeben werden, ebenso wie das ökonomische Fundament der Theorie im Marxismus-Leninismus.

Ein schwer zu interpretierendes Phänomen nach der marxistischen Dogmatik ist heute die Volksrepublik China. Entkolonialisiert und ohne „Kapitalismus" im Inneren interpretierte der Maoismus noch in seiner Drei-Weltentheorie die Einleitung der Welt nach dem Klassenschema neu und stellte dem kapitalistischen Imperialismus als noch größeren Freind den sowjetischen Sozialimperialismus an die Seite. Die Theorie hat in jüngster Zeit allerdings auch wieder an Bedeutung in China verloren.

Ferner sieht man an der Einordnung des Faschismus in das Imperialismusschema des Marxismus, daß die nur oder insbesondere ökonomische Erklärung des Imperialismus, im Anschluß an die historisch und theoretisch begrenzte Kapitalismuskritik von Karl Marx, einfach nicht ausreichend sein kann. Der Totalitarismus eines sozialistischen Systems unter Stalin kann hier als Beweis angeführt werden.

So erscheint der Imperialismus als gewissermaßen universalhistorisches Phänomen, das aber typisch erst mit der Herausbildung von Großstaaten

---

[232] Er teilte „in das Lager des Imperialismus und in das Lager des Sozialismus". Artikel in der Iswestija vom 22. 2. 1919, Werke, Bd. IV, Berlin 1951, 205.

und von entsprechenden ökonomischen Entwicklungen auftritt. Aufgrund der vielfachen Ursachen des Imperialismus kann er nur in einer wirklichkeitsnahen Analyse der komplexen gesellschaftlichen Prozesse in einer historischen Situation und geographischen Lage näher untersucht werden.

Für die Theoriebildung bedeutsam sind des näheren die zwei traditionellen Richtungen der Imperialismuserklärung, die sozial-ökonomische und die politische. Die klassische politische Imperialismusinterpretation hat Heinrich Friedjung gegeben: „Der Ausbau der neugebildeten und der schon bestehenden Nationalstaaten füllte den ruhelosen Geist nicht aus. Eine neue Leidenschaft ergriff die Völker. Sie strebten aus der Heimat in die Weltweite und erfanden für diese alte, aber niemals gleich mächtige Gebärde den tönenden Namen Imperialismus".[233] Zur machtpolitischen (etatistischen) Deutung des Imperialismus trat eng verknüpft die nationalistische, aber auch die rassisch-biologische Deutung hinzu.

Die klassischen ökonomischen Imperialismustheorien waren durchaus auch schon von „Theoretikern der klassischen liberalen kapitalistischen Wirtschaft" vertreten worden, wonach dieses Wirtschaftssystem in Übersee neuer Territorien für Absatzmärkte und Investitionsmöglichkeiten bedürfe.[234] In dieser Tradition, aber verhältnismäßig erst spät, kommt es im Marxismus zum Versuch einer allgemeinen Imperialismustheorie im Anschluß an die Marx'sche Kapitalismuskritik. Neben Rudolf Hilferding und Rosa Luxemburg ist Lenins Theorie führend geworden, vom Imperialismus nämlich als Spätphase des Kapitalismus zu sprechen, der zu seiner Erhaltung den Kapitalexport brauche, bevor es zum endlichen Zusammenbruch des kapitalistischen Systems kommen würde. Im weiteren Verlauf verliert allerdings die orthodoxe marxistisch-leninistische Deutung des Imperialismus als ökonomisches Phänomen seine analytische Kraft, mehr und mehr zerfließen die Konturen: „Imperialismus ist hier synonym mit Kapitalismus; schlechthin jedwede politische oder wirtschaftliche Aktion westlicher Staaten wird als imperialistisch gebrandmarkt, in welcher Region auch immer das internationale Großkapital tätig wird".[235] Noch weniger Erkenntniswert kommt der maoistischen Version der marxistischen Imperialismustheorie zu, wird sie doch zur rein politischen Aktionsanweisung zum revolutionären Krieg aller unterdrückten Völker und Klassen.[236] Zu den Unterdrückern gehört schließlich auch die UdSSR. Bündnis und Strategie der Unterdrückten aber führe endlich zum Sieg des Sozialismus über den Imperialismus.

---

[233] Das Zeitalter des Imperialismus 1884-1914, 3 Bde. Berlin 1919-1922, Bd. 1, 2. Vgl. zur Gesamtdarstellung der Theorien besonders Wolfgang J. Mommsen, Imperialismustheorien, Göttingen 1977.

[234] Mommsen, 11., so auch schon John Atkinson Hobson.

[235] Mommsen, 48.

[236] Vgl. a.a.O., 53.

Die isolierte ökonomische Sicht des Imperialismus hielt vor der Wirklichkeit so nicht stand, so daß es einerseits zwar die neomarxistischen Fortschreibungsversuche mittels „Sublimierung" der Theorie gibt,[237] andererseits, vor allem in den neueren westlichen Imperialismusdeutungen, das Bemühen vorherrscht, zu einer universalanalytischen Erklärung zu gelangen unter Einbau der ökonomischen Faktoren. Dies kann unter Rückgriff auf den nationalistischen und machtpolitischen Ansatz erfolgen. Es kann aber auch — ein viel gegangener Weg! — der Imperialismus zwar ökonomisch nicht zwangsläufig mit dem Kapitalismus verbunden gesehen werden, aber als ein spezielles Ergebnis aus bestimmten sozioökonomischen Entwicklungen im gegebenen westlichen System erklärt werden, damit aber auch als begrenzt und überwindbar betrachtet werden.

Bedeutende Impulse hat die Imperialismusforschung durch die historische Entwicklung nach dem Zweiten Weltkrieg in der Phase der Entkolonialisierung erfahren. Das Fehlen formeller politischer Herrschaft in den selbständig gewordenen Staaten der Dritten Welt versucht die neomarxistische Theorie, z. B. mit dem „staatsmonopolistischen Kapitalismus" (Maurice Dobb, Paul Sweezy) zu deuten, die später das Phänomen der „Multis" in ihre Argumentation aufnimmt.

Aus der Unterentwicklung der jungen Staaten und ihrem Angewiesensein auf „Entwicklungshilfe" folgern sowohl marxistische Autoren als auch viele Politiker der Entwicklungsländer die Anklage des „Neokolonialismus" und des „Neoimperialismus" gegen die Industriestaaten des Westens; also des Imperialismus als Folge neokolonialistischer Praktiken. Der Begriff der Metropolen als Sitz des Monopolkapitals taucht auf und die Theorie von dessen Interesse an der Festschreibung der Ausbeutung der Peripherien. Die Theorie bezeichnet damit den Imperialismus als „informell", d. h. verdeckt, weil nicht durch offene Herrschaft abgesichert. Zugleich treten die „Peripherien" in den Blick, weil jetzt auch in diesen selbst die sozioökonomischen Verhältnisse für den neuen Imperialismus verantwortlich gemacht werden. Nicht die Prozesse in Europa, sondern in den vom europäischen Einfluß erfaßten Territorien der Dritten Welt werden in den peripherieorientierten Imperialismustheorien als auslösender Faktor für den Imperialismus nun angesehen.

An die Stelle direkter Beherrschung wäre durch die ökonomischen Bindungen zwischen den Metropolen und den Herrschaftseliten an den Peripherien ein System von Wirtschaftsbeziehungen getreten, das die Unterentwicklung perpetuiere und damit ebenso den Ausbeutungsvorteil der Industriestaaten. Imperialismus wird als Struktur zwischen Sozialgebilden allgemein definiert, die Abhängigkeit[238] produziert und erhält und damit „Gewalt" ausübt.[239]

[237] So Wolfgang J. Mommsen, Artikel Imperialismus, in: Lexikon Sowjetsystem und demokratische Gesellschaft, Bd. 3, Freiburg 1969 (48-57), 51.

Die sozialethische und damit umfassende Imperialismuskritik wird ausgehen können vom Ungenügen eines rein analytischen Verfahrens, das speziell je nach seinem Ansatz oder seiner Ansatzkombination immer nur Teilbereiche der Wirklichkeit abzudecken vermag. Der sozioökonomische Ansatz der Analyse, mit all seinen inneren Widersprüchen allein schon, ist immer in Gefahr, in Dogmatismus zu erstarren oder (wie bei Galtung) zur unverbindlichen Formel bis Leerformel zu werden, trotzdem im einzelnen sehr bedeutungsgeladene Teilphänomene analysiert werden können.[240]

Die Theorie des ökonomischen Imperialismus genügt allein nicht, da sie einmal die nichtökonomischen Ursachen von Herrschaftsstreben nicht erfassen und erklären kann, oder es aber den Verzicht auf mögliches Herrschaftsstreben unter den Bedingungen der „kapitalistischen" Wirtschaftsweise, wie es sich tatsächlich ereignet (viele Fälle von Entwicklungshilfe!) gar nicht geben dürfte, zum anderen, da sie ökonomische Ursachen willkürlich verallgemeinert und mit absolutem Vorrang ausstattet. Sie widerspricht sich aber auch selbst, da sie nicht alle wirtschaftlichen Erscheinungen tatsächlich einbezieht und willkürlich aus ihnen je nach Problemansatz auswählt (daher die vielen, oft widersprüchlichen Theorien im einzelnen!).

So z. B. bestehen bei Wirtschaftsbeziehungen immer gegenseitige Abhängigkeiten, also zwischen den „Metropolen" und den „Peripherien", während die Theorie diese nur einseitig sieht, und folglich auch Möglichkeiten der Entwicklungen im „System"! Peter Hampe weist zurecht darauf hin, daß

---

[238] „Dependencia" als Begriff für solche ökonomische Abhängigkeit ist in Lateinamerika viel gebraucht und modern. Nach Ansicht der Dependencia-Theoretiker liegt nicht nur ein bedeutendes Abhängigkeitsphänomen der formell souveränen Staaten Lateinamerikas von den Industriestaaten vor, sondern auch die sozialen Strukturen, ja die gesamte geschichtliche Entwicklung in Lateinamerika wäre dadurch „fremdbestimmt"; so ließe sich am besten der Terminus deutsch wiedergeben. Gegen diese populäre Theorie steht aber die Wirklichkeit, die zwar eine starke internationale Verflechtung zeigt, durchaus aber auch die Industrieländer in Mitleidenschaft ziehen kann, man denke nur an die Ölkrise. Ebenso zeigt sich, daß durch sozialistische oder nationale Emanzipationsbewegungen Abhängigkeiten durchaus nicht beseitigt werden müssen. Man denke an Kuba oder einige Militärdiktaturen in Südamerika. Letztere entwickeln aus einer Ideologie und Strategie der nationalen Sicherheit auch den Wunsch nach ökonomischer Entwicklung. So kann die Dependencia-Theorie sicher nicht allgemein gültig und als abstrakte Hypothese aufrechterhalten werden. Vgl. Hans-Jürgen Puhle (Hrsg.), Lateinamerika — Historische Relialität und Dependencia-Theorien, Hamburg 1977.

[239] Dieter Senghaas (Hrsg.) hat nach Johan Galtung diese Theorie aufgegriffen: Imperialismus und strukturelle Gewalt, Analysen über abhängige Reproduktion, Frankfurt/M. 1972.

[240] z. B. werden Daten angeführt über Unterentwicklung und ganz unhistorisch sofort mit entwickelten Sozialverhältnissen verglichen. Was unter „Gewalt" verstanden wird, ist begrifflich nicht gesichert und wird in unkritischer Sprache zum Ziel der Forderung nach Veränderung ohne eigentliches Konzept.

immer auch mit dem historisch verifizierten Imperialismus Herrschaftsexpansion im politisch meßbaren Sinn verbunden war, während Außenhandel und Kapitalexport zunächst ökonomische Fakten sind, denen keine Zwangsläufigkeit zum „Imperialismus" innewohnten, es sei denn sie werden als tautologische Chiffre für diesen nach dem marxistischen „Kapitalismus-Dogma" verwendet.[241] Andererseits lassen sich wirtschaftliche Ungleichheiten zwischen verschiedenen Staaten multikausal unter Einschluß der sittlichen Verantwortungsdimension besser und konkreter erklären als durch ein monokausales dogmatisch-deterministisches Begriffs-Schema.

Internationale Politik und internationale Wirtschaftsbeziehungen haben heute bestimmte imperialistische Züge, die es zu nennen und zu erklären und damit zu bekämpfen gilt, die aber mit anderen Erscheinungen durchaus zusammenhängen. Die Bekämpfung des Imperialismus kann daher selten direkt, sondern immer nur im Zusammenhang mit der Gesamtproblematik der gerechten Entwicklung des internationalen Lebens erfolgen und folglich auch nicht nur entweder vom machtpolitischen oder vom ökonomischen Sektor aus. Die Bekämpfung muß sich indirekt jedenfalls einer Gesamtreform der internationalen Verhältnisse und der Gepflogenheiten des internationalen Lebens bedienen, also die Institutions- wie die Gesinnungsebene erfassen.

Der Imperialismus nach obiger Analyse ist nicht bloß territorialer Expansionismus von Großstaaten. Die Dynamik des Machtstrebens ist heute ebenso weltweit in wirtschaftlicher Expansion wie in ideologischen Herrschaftsansprüchen verdeckt wirksam. Kein Gesellschaftssystem ist aus seinen Bedingungen heraus gefeit vor Machtpolitik nach innen und außen, am wenigsten totalitäre Systeme wie der Sozialismus-Kommunismus. So kann man heute eindeutige Belege für einen sowjetischen Imperialismus anführen.[242] Auch die politischen Auswirkungen der Reislamisierung z. B. haben eindeutig imperialistische Züge, wobei (wie auch sonst) charismatische

---

[241] a.a.O., 211 ff.

[242] Die europäischen Gebietsgewinne der Sowjetunion seit dem Zweiten Weltkrieg belaufen sich auf zusammen 476 866 Quadratkilometer von Finnland über die baltischen Länder und Ostpolen bis Rumänien. Dazu kommt die Ausdehnung des politischen Einflusses gegen Mitteleuropa hin, auch mittels militärischer Intervention und Truppenstationierung wie z. B. in der ČSSR, ebenso die direkte Intervention in Afghanistan, ferner das Engagement in Afrika und Mittelamerika und Indochina. (Vgl. dazu die nüchterne empirische Argumentation für den alten und neuen — nach der Revolution — Expansionismus des Russian Empire durch A. P. Thornton, Imperialism in the Twentieth Century, Minneapolis 1978. Für die Zeit vor 1914 vgl. Dietrich Geyer, Der russische Imperialismus, Studien über den Zusammenhang von innerer und auswärtiger Politik 1860-1914, Göttingen 1977.). Die Vermutung zumindest indirekter Beteiligung auch an Terrororganisationen im Sinne der Subversion, z. B. im Nahen Osten, hat viele Argumente für sich. (vgl. etwa Hans Graf Huyn, Der Angriff, Der Vorstoß Moskaus zur Weltherrschaft, München 1978.).

Führungspersönlichkeiten diese Tendenzen an sich ziehen und potenzieren können.

Die Sensivität für die negative Dynamik von Imperialismus unter verschiedenen Vorzeichen und Formen von Trägern imperialistischer Macht ist heute in der internationalen Öffentlichkeit gestiegen. Großmächte können heute nicht mehr so leicht Interventionen nach traditionellen Ansprüchen ihrer Interessen setzen. Ideologische Behauptungen von Staaten, die das eigene Verhalten als antiimperialistisch reklamieren, stoßen durchaus auf kritische Beobachtung ihrer Praxis, wenn sie der Theorie widerspricht. Etablierte Wirtschaftsinteressen, die kleinere Länder mit Monopolen überziehen und quasi-souveräne Organisationen neben der staatlichen Gewalt im Inneren sind, stehen vor massiver Kritik, aber — was viel bedeutsamer ist — müssen auch mit Gegenaktionen rechnen, die gewaltsamen Charakter annehmen können.

Insbesondere die Dritte Welt ist heute zu einem Schauplatz von Bürgerkriegen und Revolutionen geworden, die oft in entscheidendem Ausmaß ihre Hartnäckigkeit und Dauer aus verdeckten bis offenen Interventionen von außen haben, hinter denen sehr handfeste Interessen stehen. Eine einfache Identifikation dieser Interessen mit ideologischen Gegensätzen oder Kampf um politische Vormacht einer der Supermächte wäre ebenso zu einfach wie die allein klassenmäßige Interpretation als Kampf um soziale Gerechtigkeit. Ein großer Fortschritt wäre es aber, für solche Unruhezonen die sozialen Übel und die Unterdrückung der politischen Freiheitsrechte an der Wurzel zu heilen und die Intervention von außen zu unterbinden. Dazu gehört zuerst die Einsicht aller Beteiligten, daß imperialistische Interessenwahrnehmung in der sich entwickelnden Völkergemeinschaft selbst mittelfristig keinesfalls mehr vorteilhaft ist. Wie sich zeigen läßt, war schon im Zeitalter des klassischen Imperialismus vor dem Ersten Weltkrieg für die Großmächte ihre expansionistische Politik in Summe kein Gewinn. Dazu kommt, daß jedes Hegemoniestreben heute auf internationale Kritik und Verurteilung stößt.

Im Zuge der Entwicklung des internationalen politischen Bewußtseins stößt nicht zuletzt im eigenen Land imperialistisches Verhalten auf Ablehnung. Freilich kann solche Ablehnung sich in einem demokratischen System viel rascher und effektiver durchsetzen. Daher ist ein wichtiges Mittel zur Erkenntnis und Bekämpfung aller Formen des Imperialismus eine möglichst unabhängig öffentliche Meinungsbildung überall. Je mehr ein Staat gegen den Imperialismus auftritt, desto mehr Meinungsfreiheit sollte er im Inneren zulassen. In der gesamten Völkergemeinschaft wäre die demokratische Kontrolle gegen imperialistischen Mißbrauch politischer, wirtschaftlicher, ideologischer oder persönlicher Macht das beste Mittel. Darum ist die offene, pluralistische Weltgesellschaft anzustreben.

Auch jede Machtkonzentration, insbesondere auch militärischer Natur durch Hochrüstung, wäre durch Machtteilung und Kontrollmechanismen beginnend mit ihrer Offenlegung zu bekämpfen. Nur so viel Machtkonzentration als notwendig ist zuzulassen in allen Bereichen. Erst dann kann sich immer mehr eine partnerschaftliche Ordnung zur Zusammenarbeit in der Vielfalt der legitimen Interessen in der Weltgesellschaft nach dem Subsidiaritäts- und Gemeinwohlprinzip durchsetzen. Auch die demokratische politische Erziehung ist langfristig Basis für die Bekämpfung aller Imperialismen, die die Machtausübung auf das notwendige Maß reduziert. Man könnte das Prinzip des Gentleman als Kulturgesetz empfehlen: Wer Macht besitzt, soll sie nur ungern gebrauchen! Erziehung setzt bei der Selbstkontrolle ein. Dennoch wäre es für die Organisation der Völkergemeinschaft wichtig, Formen der Beurteilung und Verurteilung imperialistischer Tendenzen und Handlungen zu entwickeln. Dazu allerdings fehlen noch selbst die analytischen Erkenntnisvoraussetzungen und die begrifflichen Übereinstimmungen. Man sieht daraus aber, daß die Lösung nicht bloß positiv-rechtlich erfolgen kann, sondern zugleich wenigstens eine Wertbasis im Sinne einer ethischen Betrachtung von Prinzipien her gesucht werden muß.

2.4.5. Der Kolonialismus

Der Kolonialismusbegriff ist, seitdem Lenin ihn mit seiner Imperialismustheorie verknüpft hat, ideologiegeladen und nimmt nach dieser Version eine wichtige Rolle ein in der marxistischen Untersuchung des Kapitalismus und seiner Expansionspolitik. Nach Stalin hat sich die Welt unwiderruflich in zwei Lager gespalten: „in das Lager des Imperialismus und in das Lager des Sozialismus".[243] Unter Aufrechterhaltung der ökonomischen Analyse des expansionistischen Kapitalismus in der Neoimperialismustheorie wurde auch entsprechend, trotz der nach 1945 erfolgten Entkolonialisierung, die Theorie des Neokolonialismus entwickelt als ein weiteres Merkmal des Spätkapitalismus. (Man braucht immer neue Verlängerungsphasen für den Kapitalismus auf seinem Weg zum prognostizierten Zusammenbruch, auf dem es keine innere Reform geben darf, sondern nur Verschärfungen der Klassenkämpfe!)

Gegen die ursächliche Verknüpfung von Kapitalismus und Kolonialismus spricht schon die historische Erfahrung mit Perioden des Kolonialismus weit vor dem Aufkommen der kapitalistischen Wirtschaftsweise und unabhängig davon,[244] bzw. die kolonialistische Hegemonialpolitik auch „sozialistischer"

[243] s. o. Anm. 232.

[244] Selbst für die Periode nach 1878 läßt sich diese Gleichung nach gründlichen Studien nicht behaupten. Das Problem ist viel komplexer. Vgl. Rudolf v. Albertini, Europäische Kolonialherrschaft 1880-1940, Freiburg 1976.

Staaten wie der UdSSR. Auch kann nicht jeder internationale Warenhandel und Kapitalexport mit politischem Herrschaftsexpansionismus gleichgesetzt werden oder die Tatsache ungleichmäßiger wirtschafticher Entwicklung von Staaten und gegenseitige Abhängigkeiten rein ökonomisch und klassenmäßig interpretiert werden. Das Gewinnstreben spielte für die kolonialistischen Epochen sicher eine große Rolle. Dabei hat es offensichtlich eine Kluft zwischen der Gewinnerwartung und seiner späteren, langfristigen Realisierung gegeben. Auch ist es nicht immmer leicht zu beantworten, ob von der Kolonialisierung eher eine Förderung der ökonomischen Entwicklung ausging oder ob sie sich als Hindernis erwies. Nur genaue Analysen lassen hier Urteile zu, die nicht auf bloßen Voreingenommenheiten basieren.[245]

Im Kolonialismus sind auch eine Reihe von Elementen wirksam, die nicht auf eine Wurzel zurückführbar sind und in Zusammenschau, je nach Fall verschieden interpretiert werden müssen, um dem Problem von Grund auf beizukommen. Der Expansionismus politisch starker Mächte führte zur kolonialen Unterwerfung schwacher Staaten, wobei imperiale Ansprüche geltend gemacht wurden. Hinzu kommt oft ein Rassismus, daß z. B. europäische Mächte einen Auftrag des „weißen Mannes" darin sahen, Kultur und Menschenwürde oder auch das Christentum den unterworfenen Völkern zu bringen. Das führte zu einem Merkmal des Kolonialismus, daß es zwischen Kolonisatoren und Eingeborenen keine Rechtsgleichheit gab, bis zur Stellung derselben als Sklaven. Ein weiteres Element ist der Paternalismus, der damit legitimiert wurde, daß die kolonisierten Völker noch nicht in die Selbständigkeit in ihrem eigenen Interesse entlassen werden könnten. Dies führte auch zu einer Kulturausbreitung durch die Kolonisatoren, weil sie die Überlegenheit ihrer Kultur annahmen und sich als Kulturbringer fühlten. Alle diese Elemente mögen durchaus auch noch in der nachkolonialen Zeit wirksam sein, wenn auch mehr in versteckter Form.[246]

Das Erbe des Kolonialismus aus der Geschichte stellt durch wirtschaftliche und kulturelle Ausbeutung und durch schwerstes Unrecht gegen die Menschlichkeit, man denke an die Sklaverei, zulasten der einstigen Kolonialmächte in vielen ein eindeutiges Schuldkonto dar und wirkt in die aktuelle Weltsituation auch nach der oft überstürzten Entkolonialisierung nach 1945 hinein. Es wäre aber eine Vereinfachung, alle Schuld an Unterentwicklung in der Welt dem Kolonialismus zuzuschieben und anzunehmen, ohne ihn wäre die Dritte Welt längst entwickelt. Ungleichgewichte zwischen Kulturen und Staaten hat es immer gegeben aus vielfachen Ursachen. Nur

---

[245] Ein Beispiel einer sehr konkreten Analyse beider Gesichtspunkte gibt der Band: Peter Duignan and L. H. Gann (Ed.), Colonialism in Africa, 1870-1960, Vol. IV: The Economics of Colonialism, Cambridge 1975.

[246] Vgl. Mariasusai Dhavamony, Mission in der nachkolonialen Ära, in: Internationale Kath. Zeitschr. 3/1974, 203-214.

hat die technische Entwicklung auch die internationale Kommunikation und Interdependenz viel dichter werden lassen, und damit sind die Unterschiede in der Entwicklung der Völker auch viel greifbarer zu erleben, bzw. kommunizieren die verschiedenen Eliten und wirtschaftlich potenten Schichten der Völker untereinander oft mehr als mit den anderen Sozialschichten des eigenen Volkes.

An sich ist die Reaktion in den Entwicklungsländern, eine extensive Betonung ihrer Souveränität nach der Periode kolonialer Fremdherrschaft, so verständlich sie sein mag, weder gerechtfertigt noch in ihrem Interesse. Es besteht von Natur aus zwischen den Völkern eine internationale Kommunikationsgemeinschaft. Aus der Annahme eines Weltgemeinwohls ergibt sich schlüssig, daß vor völkerrechtlichen Regelungen bereits innerhalb der Völkergemeinschaft zum allgemeinen Nutzen der Staaten Regeln des Zusammenlebens bestehen. Wieder aus dem Bedürfnis nach gegenseitiger Zusammenarbeit zwischen den Staaten und dem Angewiesensein darauf folgt das Recht des freien Verkehrs unter den Völkern. Eine gewaltsame Erzwingung dieses Rechts letztlich mittels kriegerischer Intervention durch einen Staat wurde aber schon von der spanischen Kolonialethik zumeist nur im Falle einer internationalen Nothilfe zugelassen, solange eben eine internationale Zentralgewalt als Entscheidungsträger fehlt.[247]

Leider wurde das naturrechtliche Argument im Sinne eines freien Zugangs zu den außereuropäischen Staaten skrupellos für Eroberungen der einstigen Kolonialmächte als Recht für Interventionen und Kolonisierung mißdeutet und verwendet. Doch ist auch heute das Recht auf freien Verkehr unter den Völkern eine Voraussetzung sowohl des Weltgemeinwohls wie einzelstaatlicher Interessen. Es liegt nicht im Interesse der Einzelstaaten, ihre Rohstoffe und Bodenschätze aus absolutem Souveränitätsdenken heraus ohne Rücksicht auf die internationale Verflechtung wie ein nationalisiertes Eigentum zu betrachten und für sich gleichsam allein auszubeuten oder gar als Waffe einzusetzen. Ebenso kann in der Völkergemeinschaft die Verletzung von Menschenrechten in Staaten nicht ohne negativen Einfluß auf die zwischenstaatliche Kommunikation sein.

Es zeigt sich daher als zurecht, daß bei den drei Abkommen von Lomé zwischen den EG und den AKP-Staaten, die auf der Basis der Gleichberechtigung zwischen europäischen Staaten und einstigen Kolonien abgeschlossen wurden, in die internationale Regelung sowohl bezüglich der Rohstoffe als auch bezüglich der Einhaltung von Menschenrechten Bestimmungen zum allgemeinen Nutzen und entsprechende Verpflichtungen aufgenommen wurden.

---

[247] Vgl. Josef Soder, a.a.O., das Kapitel „Kolonialrecht und Intervention", 310-345.

Als sozialethisches Hauptprinzip zur Lösung der aktuellen weltpolitischen Probleme um das Erbe des Kolonialismus soll daher gelten: Ein Recht auf Kolonisierung eines anderen hat kein Staat; andererseits besteht in der Völkerfamilie das Recht und die Pflicht, auf das Weltgemeinwohl zu achten und Gemeinschaft und Kommunikation zwischen den Völkern zu pflegen und zu entwickeln, wobei die gegenseitige Ergänzungsbedürftigkeit und -fähigkeit die Tatsache von ungleichen Entwicklungsstufen und Ungleichgewichten zwischen Staaten ebenso zur Folge haben kann wie deren Überwindung das Ziel von Entwicklungspolitik sein muß.

Das historische Faktum des Kolonialismus ist auf Verfehlungen und deren Folgen gegen die internationale Gerechtigkeit seitens der Kolonialmächte nach allen Ursachen hin zu untersuchen. Die dogmatisch einseitige Sicht einer monokausalen marxistischen Strukturanalyse kann nicht einmal die vielschichtigen Strukturprobleme aus dem Kolonialismus in den einzelnen Ländern konkret genug analysieren, noch weniger aber die politischen und geistigen Folgen und die Wege zu deren Überwindung in den einstigen Kolonien und bei den einstigen Kolonialmächten aufzeigen. Gegenseitige Beeinflussungen und Abhängigkeiten, die eben immer noch bestehen, müssen nicht nur negativer Art sein und bedürfen einer unvoreingenommenen Untersuchung.

Geschehens Unrecht zu Zeiten der Kolonialisierung, der kolonialen Verwaltung und später auch noch nach der Entkolonialisierung durch strukturelle Ausbeutungsformen in den internationalen sozialen, wirtschaftlichen und politischen Beziehungen durch die einstigen Kolonialmächte macht diese unmittelbar schuldig und führt aus der strengen Gerechtigkeit zur Verpflichtung zu Wiedergutmachung. Diese betrifft nicht nur direkte Formen der Ausbeutung und Verletzung der Menschenrechte, sondern auch besonders die Fehler in der Verwaltung der einstigen Kolonien, wo unter Verletzung des Subsidiaritätsprinzips oft die Entwicklung autochthoner Substrukturen im Kultur-, Sozial- und Wirtschaftssystem vernachlässigt wurde. Daß die Kolonialmächte sich durch ihren Expansionismus auch selbst oft großen geistigen und materiellen Schaden zugefügt haben, trifft sie freilich selbst. Die Belastungen für das internationale politische Klima sind ebenso offensichtlich, werden aber durch ideologische Interpretationen und durch politische Interessen noch weiter erhöht.

Mit dem Kolonialismus als politischem Schlagwort kann heute selbst Machtpolitik betrieben werden, und können die Sünden des Kolonialismus vermehrt werden. So versuchen manche heute, durch Diffamierung politischer Gegner mit dem Vorwurf des Neokolonialismus deren Entwicklungspolitik herabzusetzen und das eigene Versagen in derselben zu überdecken. Bekannt ist das geringe Engagement der sozialistischen Staatenwelt in der Entwicklungspolitik und zugleich deren Erklärung der westlichen Industriestaaten zu den allein Schuldigen. Auch müsse zuerst der Sozialismus eingeführt werden, bevor Entwicklung sinnvoll wäre. Diese Zweispaltung der Welt führt dann oft zu neuen „Kolonialkriegen" auf Kosten der betroffenen Völker. Es geht hier eben nicht um Entwicklung der Völker, sondern um den Sieg eines Systems.

Umso mehr ist die Lösung der Probleme aus dem Kolonialismus letztlich eine Aufgabe in der Verantwortung der gesamten Völkergemeinschaft. Sie betrifft alle Staaten einzeln und die organisierte Völkergemeinschaft gemeinsam. Schon der Völkerbund hat seine besondere Verpflichtung gegenüber einstigen Kolonialgebieten durch Einsetzung von Mandatsverwaltungen erkannt. Bei der Entkolonialisierung nach dem Zweiten Weltkrieg war hier ein besonderes Aufgabengebiet der OVN, zu dem der Treuhandschaftsrat geschaffen wurde.

So wird die (neo)marxistische Verwendung des Kolonialismusbegriffs als einseitig ökonomisch und dogmatisch für die soziale Analyse der Fakten und Folgen des Kolonialismus und die sozialethische Bewertung nicht verwendbar sein. Er dient so nur zur Bezeichnung für beliebige Formen gesellschaftlicher Mißstände im Interesse der eigenen Politik. Auch die Fortentwicklung der Imperialismuskritik in der Dependenztheorie leidet an derselben begrifflich-analytischen Schwäche. Soll der Kolonialismus wirklich erfaßt und analysiert werden, wird man an das Phänomen historisch, politisch und ökonomisch unter möglichst konkreter Datenerfassung herangehen müssen, um dann Fragen sittlicher Verantwortung nach Schuld und Pflicht beantworten zu können.

Die Geschichte des neuzeitlichen Kolonialismus, der von Europa ausging, wird in mehrere Epochen eingeteilt. Er ging in zwei großen Wellen vor sich, von 1492 bis etwa 1800 und von 1878 bis zum Ersten oder Zweiten Weltkrieg. In der ersten Welle wechselten die führenden Kolonialmächte von den Portugiesen und Spaniern über die Niederländer zu den Franzosen und Engländern in territorialen Schwerpunkten, während die zweite Welle von einem weltweiten Kolonialimperialismus bestimmt war. Auch die vordringlichen Zwecke sind verschieden. Schaffung von neuem Siedlungsraum, militärstrategische Ziele oder vor allem aber wirtschaftliche Zwecke dominieren jeweils.

Alle Staaten sind aus ihrer Stellung in der Völkergemeinschaft durch die internationale soziale Gerechtigkeit zur Entwicklungshilfe und zur Entwicklungspolitik verpflichtet und insoferne zur Überwindung der Folgen des Kolonialismus. Eine strenge Zumessung des Umfangs der Hilfe und die genaue Feststellung der betroffenen Staaten, wie im Falle der Wiedergutmachung, kann freilich selten erfolgen. Hier geben aber Absichtserklärungen auf Weltniveau über die Höhe der Entwicklungshilfe (0,7 % des Brutto-Nationalprodukts nach dem Entwicklungsvorschlag der OVN) ein Richtmaß.

Hinzu kommen die internationalen Organisationen im Dienste der Entwicklungspolitik, die der Mitwirkung durch die Staaten ebenso bedürfen wie sie diese koordinieren, und die vielfachen Formen nichtstaatlicher Entwicklungshilfe.

Abschließend ist der Hinweis wichtig, daß für die Regierungen die Aufgeschlossenheit und der Wille der Bevölkerung jeweils entscheidend sind für die Wahrnehmung der aus der Kolonialepoche entstandenen Verpflichtungen wie der Pflichten aus der internationalen sozialen Gerechtigkeit. Gleich wichtig ist die Einstellung der Bevölkerung in den einstigen Kolonien und ihre Mitbeteiligung an der Entwicklungspolitik. Mit Propaganda von Klassenkampfparolen und politischen Schlagworten aber ist keinem einzigen hungernden Kind geholfen.

2.4.6. Nationalismus

Dem inneren Zusammenhang von imperialistischem Großmachtdenken und -verhalten mit dem Nationalismus ist in einer historischen Retrospektive vom Gegenüber der „beiden Großmächte unserer Zeit", USA und UdSSR, Reinhold Niebuhr nachgegangen.[248] Wenn sich auch die Gestalt der Nationalstaaten erst ab dem 16. Jh. an zeige, sind in ihnen doch imperialistische Machtstrukturen der klassischen Imperien des Altertums und Mittelalters lebendig. Es gelingt Niebuhr herauszuarbeiten, wie immer in der Staatengeschichte trotz aller rationaler Rechtfertigung der politischen Autorität der Staatswesen ein Maß an irrationaler Dynamik der Macht hinter den Herrschaftsstrukturen wirkt. So hat auch der moderne Staat, basiert auf dem nationalen Selbstbestimmungsrecht und unter dem Prätext der Souveränität, zwar formal meist eingebunden in die gleichberechtigte Gemeinschaft der Staaten der OVN, eine Machtdynamik erhalten und noch potenziert durch die Mittel moderner staatlicher Machtausübung nach innen und außen. Der Nationalismus hat seine Aktualität behalten und unter den neuen Bedingungen staatlicher Kompetenzvermehrung als Versuchung zur Machtanmaßung und Gewalttätigkeit noch zugenommen. Er verbindet sich mit den politische Macht irrational unterbauenden und fördernden Ideologien in verschiedenem Ausmaß. Wenn die nationale Idee dabei dominierend benützt wird, wird zurecht ein guter Teil staatlicher Dynamik unter diesem Titel gefaßt werden können.

Zu unterscheiden von der nationalen politischen Ideologie ist zunächst der Begriff Nation. Wie lange in der Geschichte ein Nationalbewußtsein angenommen werden kann, ob bis zur Antike zurück, ist in unserem Zu-

[248] Staaten und Großmächte, Gütersloh 1960.

sammenhang unerheblich, da der neuzeitigliche Nationalismus sich erst mit der modernen Staatsidee entwickelt hat.[249] Insoferne ist auch die Wortdefinition, von Geburt und Abstammung her, nicht ergiebig. Mehr sagt schon der Hinweis auf die an den spätmittelalterlichen Universitäten übliche Einteilung der Studierenden nach „nationes" entsprechend den führenden Großvölkern des Abendlandes. Dennoch waren es andere vordringliche Interessen als die Abstammung, die z. B. die Zugehörigkeit zu einer Konfliktpartei bestimmten. So waren bei den Hussitenkriegen auf Seiten der „böhmischen", hussitischen Partei nicht wenige Deutsche auch führend tätig und bedienten sich ebenso der tschechischen Sprache.

Für den heute vorwiegend politisch bestimmten Nationen-Begriff ist der Übergang vom an den Souverän gebundenen Staatsbegriff des Mittelalters und des Absolutismus später zum nationalstaatlich geeinten Volk eine Erscheinung, die erst nach der französischen Revolution im 19. Jh. voll eingetreten ist. Auch die Ökonomie spricht jetzt von Nationalwirtschaften, was wichtig ist, wenn die marxistische Kapitalismuskritik eben auch den Nationbegriff als Produkt der Bourgeoisie angreift.

So tritt zu den Bestimmungsstücken des Begriffs Nation neben die historische, territoriale, kulturell-abstammungsmäßige, sprachliche und wirtschaftliche Verbundenheit wesentlich die politische Bindung hinzu. Diese Willenseinigung in der politischen Gemeinschaft wird nicht bloß als eine vertragliche oder in der naturrechtlichen Tradition auf die in der Natur des Menschen grundgelegte Ordnungseinheit der die Nation bildenden Menschen gesehen. Die Nation ist vielmehr eine Schicksalseinheit aus dem „Naturwillen" selbst, hinter der also eine Dynamik von ideologischem irrationalem Anspruch in verschiedener Deutung steht. Damit ist das National-„Bewußtsein" auch in seiner aktuellen Bedeutung elastisch und manipulierbar, mit verschiedenen anderen ideologischen Strömungen verbindbar.

Daß der Nationbegriff eine Verwurzelung im naturhaften Aufbau des gesellschaftlichen Pluralismus der entwickelten Staatengemeinschaft hat, erweist sich schon daraus, daß neben der nationalistischen Überbetonung des Begriffs auch der „Internationalismus aus Prinzip ... ebenso ein Extrem" darstellt.[250] Die beiden Extreme hängen nämlich offenbar mit sozialphilosophischen Optionen zusammen, einerseits die Option auf individualistische Willkür im Sinne absoluter nationaler Selbstbestimmung und andererseits auf kollektivistischen Zwang als Folge historischer Entwicklung zur klassenlosen internationalistischen Gesellschaft unter der politischen Klammer der Kommunisten mit Wegfall jeder politischen Bedeutung der Nationalitäten-

---

[249] Vgl. Hans Fenske u. a. (Hrsg.), Geschichte der politischen Ideen, Von Homer bis zur Gegenwart, Königstein 1981, Kapitel: Nationalismus (398-405).

[250] So schon Ignaz Seipel, Nation und Staat, Wien 1916, 170.

frage, wenn einmal das Proletariat in die Nation integriert wäre.[251] Diese Annahme wurde dann mit der Sowjetherrschaft unter Stalin und später durch die Politik der Russifizierung und die latente Nationalitätenfrage in der UdSSR bis heute falsifiziert. Auch sonst erweist sich der Kommunismus zwar oft als Nutznießer bei nationalen Konflikten, indem revolutionäre Lagen dadurch geschaffen werden, ohne aber dann ein Lösungspotential zu entwickeln, ausgenommen totalitäre Maßnahmen. Das führt nicht nur auf Weltebene zu einem Ausfall kulturell integrativer Kräfte auf eine wirksame internationalistische Idee hin, sondern auch zur Spannung zwischen politischen überstaatlichen Einigungsversuchen und zu Spaltungen im kommunistischen Weltsystem, wo die politische Klammer über die Partei nicht hält. Der Nationalismus als Ideologie kann nicht durch eine weitere, internationalistische Ideologie nämlich überwunden werden.

Historisch entwickelte sich das moderne nationalistische Denken zuerst voll in Frankreich als eine nach außen gerichtete Dynamik der Grande Nation zur Zeit der französischen Revolution. Von international besonderer politischer Bedeutung sollte aber der deutsche Nationalismus werden.[252] Ein gemeinsamer Staat all derer, die ihr Deutschsein nicht nur sprachlich und kulturell, sondern auch politisch verstehen, wurde unter der Formel „Einheit von Volk und Staat" zu einem Trauma der deutschen Geschichte. Heute ist die Wiedervereinigung der deutschen Kerngebiete im Zentrum Europas oder die historische Tatsache, daß es zwei Staatsnationen im geteilten Deutschland nun gibt, nicht nur eine Frage der Deutschen geblieben, sondern eine ungelöste Hauptproblematik der Ost-West-Politik und des zukünftigen Europa.

Offensichtlich ist das Problem des nationalistisch ins rein Staatspolitische verzerrten Nationenbegriffs nur in der Herauslösung aus der ideologisch formulierten Einheit von Volk — Nation — Staat und in der Eingliederung der Nationen in die „Gesellschaft" der Nationen lösbar. Diese gesellschaftliche Einordnung des Nationbegriffs muß in Spannung gesehen werden zur staatlichen Gliederung der internationalen Gemeinschaft und auch verschieden zum Aufbau der Menschheitsfamilie aus Völkern. Die Nation steht an politischem Gewicht gleichsam zwischen dem Begriff Volk als grundlegender allgemein-anthropologischer Realität (Ethos!) und der politischen Einheit Staat. Der Nationbegriff hat politische Relevanz, kann Staatsnation bedeuten und zugleich die Nationalitätenfrage oder nationale Minderheiten ebenso miteinschließen im historisch gewordenen multinationalen Staat

---

[251] Über den Weg dazu gab es bekanntlich verschiedene Auffassungen bei den Austromarxisten (im Vielvölkerstaat der Monarchie) einerseits und bei Stalin (Nationale Frage und Sozialdemokratie, Wien 1913) andererseits.

[252] Vgl. Werner Conze, Die deutsche Nation, Ergebnis der Geschichte, Göttingen ^{2}1965.

oder im Staat mit ethnischen Gruppen neben der einen nationalen Mehrheit. Jede einseitig politische Forderung nach dem nationalen Einheitsstaat ist ebenso Ideologie wie auch politische Sprengkraft innerhalb eines Staatswesens wie für die Staatengemeinschaft. Und zwar ist dies nicht bloß eine politisch-taktische Forderung, sondern das Ergebnis der Einsicht in den Wesensbegriff der Nation auch unter den Bedingungen der historischen Entwicklung, die inzwischen weitergegangen ist.

Weltweit lassen sich zur Zeit verschiedene Stufen der Entwicklung staatspolitisch bedeutsamer gesellschaftlicher Zusammenschlüsse beobachten, die einem naturhaften politischen Pluralismus entgegen sind. Afrika und auch Gebiete Ostasiens sind ein Beispiel, wie familien-(Clans) und stammesmäßige Großgemeinschaften (Tribalismus!) eine politische Eigendynamik unterhalb der Staatsnation — oft aus kolonialer Willkür freilich entstanden — entwickeln, sehr zum Nachteil des staatlichen Gemeinwohls aller, auch mit außenpolitisch gefährlichen Folgen für die Sicherheit der Region. Es gibt also durch falsche Politisierung an sich politisch bedeutsamer gesellschaftlicher Gruppen, die sich aus dem natürlichen Aufbau der Gesellschaft im Staat ergeben, negative Auswirkungen auf das staatliche Zusammenleben. Kriterium der Richtigkeit und sittlichen Berechtigung der Begriffe wie Großfamilie/Sippe, Stammesgemeinschaft, Landsmannschaft, Nation, nationale Minderheit, Volk ist das Gemeinwohl in seinem pluralistischen Aufbau bis zum staatlichen Gemeinwohl. Dieser Pluralismus findet aber sein Ende erst in der internationalen Staatengemeinschaft und ihrem Verhältnis letztlich zur Völkergemeinschaft und dem Weltgemeinwohl. Entsprechendes, z. B. nationales oder völkisches Denken hat demnach sein Korrektiv in der jeweiligen Offenheit zur nächstgrößeren Gemeinschaft bzw. in der föderativen Verankerung dieses Denkens und seiner politischen Äußerungen in den kleineren Gemeinschaften unterhalb dieser Ebene. Handelt es sich zwar um ein Politicum, so ist es doch eine im Sozialaufbau der Gemeinschaft in kultureller und sittlicher Wertverankerung bestimmte Wirklichkeit, die vielfacher elastischer Ausprägung im Zeitverlauf fähig ist, die aber nicht in Konkurrenz zur staatlichen politischen Einheit oder ident mit ihr gesehen werden darf.

Aus der Einsicht in Wesen und Aufgabe der Nation ergeben sich eine Reihe von nationalen Rechten und Pflichten.[253] Berechtigt ist zunächst jedes Volk und jede Nation, jeder Stamm, sein geistig-kulturelles Eigenleben zu führen. Dies kann im Falle nationaler Minderheiten in der Sicherung der eigenen Kultur auch autonome politische Rechte begründen gegenüber der Mehrheit im Staat. Im Falle der Bedrohung der kulturellen Identität und des politisch garantierten Schutzes tritt ein Recht zur Selbstbehauptung auch mit Mitteln gegebenenfalls des Widerstandes ein. Andererseits haben diese

[253] Vgl. auch Johannes Messner, Das Naturrecht, 296 ff und 939.

gesellschaftlichen Gruppen innerhalb der politischen Gemeinschaft auch die Pflicht, durch ihre verantwortlichen Repräsentanten wie auch durch ihre einzelnen Mitglieder und ihr gesellschaftliches Leben von der Basis her die ihnen eigenen geistig-kulturellen Werte zu pflegen und zu fördern. Ein Zwang freilich für den Einzelnen, die eigene nationale Identität zu behalten, kann daraus nicht abgelesen werden.

Erst die Pflege des Reichtums der verschiedenen geistig-kulturellen Werte der einen Menschheit über die verschiedenen naturhaften gesellschaftlichen Lebensformen ergibt das Insgesamt der Menschheitskultur und einen pluralistisch aufgebauten Internationalismus, der mehr als eine rein politische Klammer darstellt. Politisches Einheitsdenken bedarf auf allen Ebenen des Ausgleichs durch kulturelle Vielfalt und deren Erhaltung auch mittels politischer Eigenrechte (Autonomie!) und ebenso des Ausgleichs durch freie personale Entscheidung freier Bürger in der Bestimmung ihrer kulturellen Identitätsfindung, freilich im Rahmen ihrer sozialen Pflichten dem Gemeinwohl gegenüber.[254]

2.4.7. Rassismus

Die im Zusammenhang mit dem Nationalismus im 19. Jh. besonders aufgetretene Ideologie des Rassismus, die damit politisch auf staatlicher Ebene besonders wirksam war, steht heute stärker in kritischer Verbindung mit der Idee der Menschenrechte und ist auch in manchen Bereichen der Welt die Frage von vordringlicher politischer Brisanz.[255] Man denke an das zionistische Problem im Nahen Osten oder die Apartheid in Südafrika oder die innenpolitischen Probleme damit in den USA.

Rasse als Untergruppe der Species Mensch ist zunächst ein biologischer Begriff. Sozialdarwinistisch wurde der Rassismus daher auch im 19. Jh. entwickelt. Anthropologisch faßt der Begriff äußere Ähnlichkeiten zusammen, die besonders auch ihren Einfluß auf die Entstehung der Fortpflanzungsgemeinschaft von Menschen haben. An sich ist Rasse noch keine Vorbestimmung für die Zugehörigkeit zu einem Volk oder einer Nation, diese Zugehörigkeit liegt im Bereich bewußter und sittlich bestimmbarer menschlicher

---

[254] Diesen internationalen Gemeinwohlpluralismus, basierend auf den Rechten der menschlichen Person, hat Johannes XXIII. im 4. Teil seiner Enzyklika Pacem in terris (1963), Nr. 130-145, treffend herausgearbeitet.

[255] Die Bemühungen der OVN gegen Rassendiskriminierung in diesem Zusammenhang siehe bei Andreas Khol, Zwischen Staat und Weltstaat, Die internationalen Sicherungsverfahren zum Schutz der Menschenrechte, Wien — Stuttgart 1969, 173 ff. und 217 ff.

Mitwirkung neben den schicksalhaften Bedingungen des Menschenlebens in einem Zeitabschnitt und einem Lebensraum. Rassische Merkmale können sich durch besondere, auch politische und soziale Umstände erst mit der Entstehung von Minderheiten in einer Bevölkerung und einem Staat verbinden, und so zu rassischen Minderheiten führen.

Dem Rassismus erst ist es eigen, aus rassischen Eigentümlichkeiten menschliche Wertstufen abzuleiten. Dazu freilich ist der Wille notwendig, ein sittlich relevanter Vorgang also, der aus der Tatsache der Verschiedenheit der Menschen nach Rassen politische und soziale Folgerungen für das Zusammenleben der Rassen zieht. Den Rassismus als Ideologie von politischer Mächtigkeit auslösend war im 19. Jh. die Judenfrage und der Antisemitismus. Die theoretische Basis aber schuf Gobineau (gest. 1882) mit seiner These von der Ungleichheit der menschlichen Rassen.[256] Er war für Elitenbildung und gegen Rassenmischung. Damit leugnet er eine sittliche Grundwahrheit, nämlich die Einheit des Menschengeschlechts.

War es dem 19. Jh. und seinem Säkularismus vorbehalten, im Spektrum der Ideologien — Arnold Toynbee nennt sie „nachchristlich" und einen Rückfall „in die Verehrung menschlicher Macht"[257] — den Antisemitismus zu entwickeln, so war doch diesem eine jahrhundertelange Feindschaft zwischen Juden und Christen vorausgegangen. Diese Feindschaft hatte neben religiösen Wurzeln auch ihre sozialen ökonomischen Gründe. Die Bewältigung der religiösen Gegensätze in Toleranz und gegenseitiger Achtung unter anderem durch das Zweite Vatikanische Konzil 1965 seitens der katholischen Kirche war denn auch nur ein — längst fälliger — Beitrag zur Überwindung des Antisemitismus als Spielart des Rassismus von seiten des Christentums. Besonders weiter bestehende kulturelle und sozialökonomische Ungleichgewichte, innerstaatlich wie in der Weltgesellschaft, tragen den Keim rassistischer Spannungen in sich, die mit der gestiegenen Mobilität der Weltbevölkerung und der Information über die Medien zunehmen können. Auch aus nationalen Rassenkonflikten können leicht internationale Konflikte werden, wenn ein Staat aus rassischer Verbundenheit seiner Bevölkerung unterdrückten Minderheiten in anderen Staaten zu Hilfe kommen will.

Neben der entscheidenden Aufklärungsarbeit gegen die rassistischen Vorurteile wird die Überwachung des Rassismus eine vordringliche Aufgabe der internationalen Erziehung sein und internationaler sozialer Hilfe für die Schwachen und rassisch Deklassierten. Es muß aber auch damit gerechnet werden, daß politische Interessen sich mit Rassenproblemen verbinden, die aus anderen ideologischen Wurzeln oder aus reiner Machtpolitik Rassen-

[256] Vgl. Hans Fenske, 406.

[257] Menschheit — woher und wohin?, Stuttgart 1969, 28 f.

spannungen für regionale und sogar weltweite Herrschaftsabsichten ausnützen, wobei auch der Antirassismus durchaus zum Vorwand genommen werden kann. Mehr noch als in der unmittelbaren Konfrontation kann der Rassismusvorwurf in der Propaganda feindselig genützt werden. Letzteres ist besonderes im Felde ideologischer Auseinandersetzungen zu finden. So spielt die (angebliche) Zunahme rassistischer Unterdrückung in sogenannten kapitalistischen Systemen eine wesentliche Rolle bei der Imperialismus- und Kolonialismustheorie des Marxismus. Als bekanntes Beispiel neben den Rassenproblemen in den USA dient die Apartheidpolitik in Südafrika.

Apartheid ist zunächst eine besondere Form der Rassendiskriminierung, da für die unter diesem Namen in Südafrika praktizierte Rassentrennung rassische Merkmal herangezogen werden, die aber mit sozial und politisch verursachten Unterschieden und damit Ungleichbehandlungen verbunden gesehen werden. Als Erbe des Kolonialismus soll daher die Apartheidpolitik und -praxis als Verbrechen gegen die Menschlichkeit verurteilt werden und im Zuge der Befreiung vom Kolonialismus, gegebenenfalls mittels Befreiungsbewegungen gewaltsam, überwunden werden. Die Internationale Konvention der OVN über die Beseitigung und Bestrafung des Apartheidverbrechens[258] bezieht sich daher sowohl auf die Menschenrechte wie auf die Bemühungen der Vereinten Nationen um Entkolonialisierung, meint aber die ganz spezielle Problematik in Südafrika.

Gegen die monokausale Erklärung einzelner Rassenprobleme spricht die verschiedenartige historische, kulturelle und auch ökonomische Wurzel derselben, wenn man von der Verstrickung menschlicher Politik in Schuld und Egoismus, also der sittlichen Hauptursache absieht. Deshalb ist die Lösung der rassistischen Probleme nicht einfach mit der Bekämpfung von rassistischen Ideologien, sei es auch mittels der marxistischen Gegenideologie, und nicht bloß mittels sozialer und ökonomischer Maßnahmen möglich. Häufig sind heute das Problem rassischer Diskriminierung und das Armutsproblem miteinander verbunden, so besonders in den USA. Im Kern ist das Rassenproblem ein moralisches, wobei dem sozialen Gewissen der Menschheit ein besonderes Gewicht zufällt. Daß es sich zutiefst auch um ein Toleranzproblem im Kulturverständnis handelt, zeigt auch das Auftauchen rassischer und kultureller Konflikte in kommunistischen Systemen, z. B. der immer noch starke Antisemitismus in der UdSSR, der freilich den Zionismus nach seiner Interpretation zum Vorwand nimmt.

Der Zionismus ist beispielhaft ein Sammelpunkt vieler Ideologien des 19. und 20. Jhs., die mit verschiedener Gewichtung sich mit dieser in der Sache durchaus berechtigten Bewegung für das Lebensrecht eines besonderen

[258] Angenommen von der Vollversammlung der OVN mit der Resolution 3068 (XXVIII) vom 6. Dezember 1973.

Volkes innerhalb der einen Menschheit verbinden. So finden sich, je nachdem, wie man sich die Verwirklichung dieses Lebensrechts vorstellt — von der Assimilation bis zur nationalen Identität —, alle geistigen Zeitströmungen Europas mit liberalen oder mit imperialistischen Zügen im Zionismus wieder.

Wie in allen Fällen von Diskriminierung ist die machtpolitische Antwort auf den Rassismus auch zur Gegengewalt und im geistigen Bereich zur Gegenideologie hin angelegt. Gewalt ist als Lösung unannehmbar, erzeugt sie doch nur Haß und behindert die Entwicklung gegenseitigen Vertrauens und brüderlicher Liebe unter den Menschen.[259] Das im Kern ethische Problem bedarf neben den kulturellen Anstrengungen der politischen Bemühungen, um ebenso die ökonomischen und sozialen Wurzeln des Übels zu bekämpfen. Für die internationale Lage zeigen sich interne rassistische Konflikte ebenso wie staatenübergreifende regionale Rassenprobleme, noch dazu in Verbindung mit den verschiedensten Ideologien als potentielle Gefahrenherde für den Weltfrieden und die internationale soziale Gerechtigkeit.

2.4.8. Weitere ideologisch bedingte Strömungen zur internationalen Gewaltausübung

Die Faszination politischer Utopien liegt nicht nur in ihrer Verheißung eines besseren Staates, sondern auch einer besseren Welt. Mit dem „Absterben der Staaten" sollte der Menschheit auch der internationale Konflikt erspart bleiben. Je mehr nun eine Staatsutopie in einem Gemeinwesen reale Gestalt gewinnt, man denke an den Kommunismus oder auch neuestens an den islamischen Fundamentalismus (im schiitisch regierten Iran z. B.), desto höher wird der weltpolitische Anspruch dieser Staaten und desto stärker wird ihre subversive Expansion innerhalb der anderen Staaten. So ist die Utopie zwar Erwartung gewaltloser Zukunft ohne Staat, aber ebenso der Motor anarchistischer Gewalttätigkeit auf dem Weg in diese Zukunft. Die Staatsverdrossenheit allenthalben angesichts einer immer in der Natur des Menschen gelegenen, aber zu Zeiten da und dort besonders nach Reformen rufenden Unvollkommenheit in der Verwirklichung des allgemeinen Wohls, kommt hinzu. Das dient dann als Nachweis der Mängel der Legitimation der Staatsgewalt und führt zu Zweifeln an der ethischen Kompetenz eines Staates und seiner bestehenden Ordnung.[260]

---

[259] Vgl. die Rede von Erzbischof Girolamo Prigione als Vertreter des Hl. Stuhls bei der Weltkonferenz gegen die Apartheid-Politik in Lagos vom 25. August 1977 (Osservatore Romano v. 28. 8. 1977).

[260] Vgl. Ulrich Matz, Gerhard Schmidtchen, Gewalt und Legitimität, Analysen zum Terrorismus, Bd. 4, Wiesbaden 1983.

Die Erpreßbarkeit der staatlichen Ordnungsgewalt ist unter den Bedingungen des technischen Zeitalters ungeheuer gestiegen, will man menschliches ungerechtes Leid vermeiden. Hinzu kommt, daß rechtsstaatliche Systeme die Mittel polizeilicher Repression nur in gesetzlichem und kontrolliertem Rahmen setzen können, während die Terrorszene skrupellos vorgehen kann. Den anarcho-terroristischen Gruppen dient die Ideologie jeweils zur Totalrechtfertigung allen ihren Tuns.[261] Sie brauchen nur einen kleinen harten Kern, um den sich ein Kreis von Sympathisanten schließt, der im ideologischen Umfeld von moderner Staatsverdrossenheit bis zu subkulturellen Gruppen gesellschaftlicher Außenseiter und Aussteiger reicht.[262] Auch haben sich heute einzelne Staaten unter totalitärer Führung zu Förderern des internationalen Terrorismus gewandelt. So können kleine Gruppen von Extremisten heute selbst die Weltpolitik beeinflussen, besonders in Zonen schweren sozialen Unrechts und ungelöster Konflikte. Subversion ist aber immer schon ein Mittel feindseliger Politik zwischen Staaten im Vorfeld des Krieges gewesen.[263]

Einzelstaatliche Antiterrormaßnahmen können diese Phänomene wie das Gesamtproblem einer anarcho-terroristischen Erwartung der Welt ohne Staatsautorität und politische Gewalt nicht lösen, dazu reichen die nationalen Mittel nicht angesichts der Internationalisierung von Methoden und Geist des Anarchismus und seiner skrupellosen Verwendung des Terrors gegen die etablierte Staatengemeinschaft.[264] Langfristig wird vor allem das Mittel innerstaatlicher Repression von Militärregierungen in Staaten mit hohem sozialen Unrecht und mit Unterentwicklung hier versagen. Unter dem Vorwand der militärischen Sicherheit wird die soziale Lage der breiten Massen immer unerträglicher, der Terror der einen Seite mittels Gegenterror zu brechen gesucht, der Bürgerkrieg aber auch von außen her immer am Leben erhalten. Soziale, politische und kulturelle Reformen hingegen können mangels Zeit, guten Willens und materiellen Mitteln nicht erfolgen. In

---

261 Vgl. Friedrich Hacker, Terror, Mythos, Realität, Analyse, Wien 1973, Gerd-Klaus Kaltenbrunner (Hrsg.), Wiederkehr der Wölfe, Die Progression des Terrors, München 1978.

262 Vgl. Wolfgang Mommsen und Gerhard Hirschfeld (Hrsg.), Sozialprotest, Gewalt, Terror, Gewaltanwendung durch politische und gesellschaftliche Randgruppen im 19. und 20. Jht., Stuttgart 1982. Ein Schlaglicht auf die nebulosen Ideale vieler Terroristen wirft das autobiographische Buch einer italienischen Rotbrigadistin: Patrizio Peci, Io l'infame, Milano 1984.

263 Bekannt ist der „Traktat vom Kriege" des chinesischen Philosophen Sun Tse (um 500 v. Chr.) mit seinen Anweisungen für eine subversive und psychologische Kriegsführung. (S. Samuel B. Griffith, Sun Tse, The art of war, Oxford 1963). Vgl. auch Frank Kitson, Im Vorfeld des Krieges, Stuttgart 1974, der eine Veränderung im Erscheinungsbild moderner Kriege auf Subversion und Abwehr prognostiziert.

264 Vgl. Martin Rock, Anarchismus und Terror, Sozialethische Aspekte, in: Trierer Theologische Zeitschrift, 4, 1976, 214-229 und 5, 1976, 297-309.

diesem weltweiten politischen Klima kann man heute von einem ganzen Netzwerk des Terrors sprechen oder von einem heimlichen Krieg des internationalen Terrorismus.[265]

Leider ist die Völkerfamilie in der Bekämpfung des Terrorismus von einem umfassenden Konsens weit entfernt. Vor allem über die Wurzel der Probleme herrscht Dissens. So kommt es bei Terrorakten oft zu sehr verschiedenen politischen Auslegungen der Motive derselben, und wird die Auslieferung von Terroristen verweigert, bzw. finden sie Unterschlupf und können untertauchen. Es gibt vor allem Entwicklungsländer, die zur Unterstützung von Befreiungsbewegungen Terrorakte politisch legalisieren und Terroristen den Status von Befreiungskämpfern zugestehen. Nur politisch und kulturell, vor allem im Bereich der Rechtskultur auf demokratisch-rechtsstaatlicher Basis befindliche Staaten können ihre Zusammenarbeit zur Terrorbekämpfung koordiniert aktivieren. So kam es in Europa 1976 im Rahmen des Europarates in Straßburg zu einer europäischen Konvention zur Bekämpfung des Terrors, insbesondere der Luftpiraterie.

Ein wichtiges Mittel gegen den internationalen Terror ist zweifellos die Auslieferung eines Terroristen an die Gerichtsbarkeit des betreffenden Staates. Nur so kann die Ausbreitung von Gewalttaten verhindert werden und lassen sich kollektive Gegenmaßnahmen zur Vergeltung vermeiden, die zumeist neue unschuldige Opfer betreffen, bis zu kriegerischen Vergeltungsschlägen und „Strafexpeditionen" führen, das Übel an der Wurzel aber nie erreichen können. Nur Vernunft und Liebe können die Gegenmaßnahmen zum Terror leiten, sind aber ohne Bereitschaft zur internationalen Zusammenarbeit aller Seiten kaum erfolgversprechend anzuwenden. Es gibt zwar auch eine Fülle von sozialwissenschaftlichen neben politischen Erklärungsversuchen des Terrorismus,[266] im letzten bleibt er ein sittliches Problem und ist daher auch international nicht ohne politisch legitime Gewalt und Zusammenarbeit innerhalb der Staatengemeinschaft zu lösen.

Der Militarismus tritt heute nicht mehr so sehr als expansionistische Machtstaatsideologie auf, sondern nicht selten im Zusammenhang mit dem Problem der Abwehr innerstaatlicher Subversion, die zwar eine Wurzel in innerpolitischen, zumeist schweren sozialen Spannungen hat, aber durch ideologisch beeinflußte, auf revolutionäre Veränderung angelegte und von außen wesentlich getragene Bewegungen zurückgeht. Guerilla-Kriegführung unter Einschluß des Terrors begegnet dem militärischen Machtapparat des

---

[265] Vgl. Claire Sterling, The Terror Network, The Secret War of international Terrorism, London 1981.

[266] Vgl. Die Artikel von Wilhelm F. Kasch in den Stimmen der Zeit: Erklärungsversuche des Terrorismus (Oktober 1978, 665-674), Was ist Terrorismus? (November 1978, 763-770), Bedingungen und Motive des deutschen Terrorismus (Dezember 1978, 841-854).

Staates, der ebenso zum Gegenterror greift. Die Masse des armen Volkes wird zwischen diesen Mühlsteinen mit namenlosem Elend heimgesucht. Beide Bürgerkriegsparteien aber werden durch internationale Unterstützung gefördert. In einem leidvollen und langen Konflikt gibt es keine Sieger und keine Lösung der wirklichen Probleme, stehen doch die beiden Bürgerkriegsparteien für eine extreme ideologisierte Minderheit, von außen materiell unterstützt und machtpolitisch abgesichert.

Der Terrorismus ist als reklamierte „gerechte Revolution" bzw. „gerechte Verteidigung" eine Auflage der Theorie des bellum iustum zur Rechtfertigung der (internationalen) Gewalt. In Wirklichkeit ist dieser internationale Terrorismus die zeitgemäße Spielart des totalen Krieges,[267] deren Entlarvung und Überwindung nur mit einer ebenso moralischen wie politisch-sozialen Anstrengung der gesamten Menschheit möglich sein wird.

Eine besonders aktuelle Form des rechtsradikalen Militarismus stellt die Doktrin der nationalen Sicherheit lateinamerikanischer Diktaturen dar, die ihre erste klare Formulierung 1949 in Brasilien erhalten hatte und in den sechziger Jahren zuerst in Brasilien und dann in Argentinien von Militärregierungen praktiziert worden ist. Drei fundamentale Kennzeichen sind für diese Doktrin typisch: Eine geopolitische Staatsdoktrin identifiziert Nation und Staat als totalitäre machtpolitische Einheiten, die international mit gleichartigen Alliierten ebensolchen Feinden entgegengesetzt sind. So gibt es zwischen Ost und West nach einem Freund-Feind-Schema einen ständigen Kampf. Dazu dient eine totale Strategie, die alle Staatsbürger mobilisiert, niemanden beiseite stehen läßt und vor allem und permanent gegen Subversion im Innern gerichtet ist. Diese Strategie ist umfassend, weil sie ebenso ökonomisch, sozialpsychologisch-kulturell wie politisch ausgerichtet sein muß, um die ganze Nation zu aktivieren. Auf militärischem Gebiet richtet sich die Strategie nach aktuellen Erfordernissen, verlangt aber immer im Dienste größtmöglicher Sicherheit und nationaler Stärke Opfer unter der Zivilbevölkerung und geht zu Lasten der bürgerlichen Freiheitsrechte. Drittens ist das Militär der Träger der gesamten Strategie und die Elite der Nation, da letztlich nur Stärke den Staat erhält. Als Partner sind weitere stabilisierende Faktoren zu sehen, darunter die Kirche nach einer traditionalistischen Vorstellung.[268]

Unter dem Anspruch und Vorwand der weltweiten Subversion durch Ideologien wie den marxistischen Kommunismus und in Verbindung mit Machtpolitik entfalten heute staatliche Geheimdienste und Spionage auch in Friedenszeiten eine weltweite Aktivität. Vor allem in den Randbereichen

---

267 Vgl. Martin Rock, 297.

268 Vgl. José Comblin, Latin America's Version of ‚National Security', in: America, Feb. 1976, 137-139.

der globalen Konfrontation der Machtblöcke mit labilen sozialen und politischen Verhältnissen gehen von Geheimdiensten massive Einflußnahmen bis zu direkten revolutionären Vorgängen aus. Beispiele dafür finden sich in Indochina, in Lateinamerika und Afrika, aber auch in europäischen Staatskreisen sind die Geheimdienste, allen voran das KGB oder der CIA als Instrumente der Supermächte, nicht untätig. Zunächst als Instrument der inneren Sicherheit der Staaten gedacht und im Falle totalitärer Systeme als Mittel der Stabilisierung nach innen, auch mittels Folter und politischen Inhaftierungen, ist neben Militär- und Industrie- oder Wirtschaftsspionage der Geheimdienst auch zu einer internationalen Kraft geworden, die oft in enger Verbindung mit der klassischen Diplomatie oder anderen Formen international üblicher Kontakte, wie Sport, Kunst, Wissenschaft, Tourismus, ihr politisches geheimes Spiel treibt. Einschließlich des in der Zensur beschäftigten Personals rechnet Brian Freemantle z. B. für die UdSSR mit einem inländischen Personal des KGB von 1,5 Millionen und von über 250 000 im Ausland.[269]

Der Schaden für das Ansehen der Diplomatie und die regulären internationalen Kontaktebenen durch den allgemeinen Verdacht auf geheimdienstliche Hintergründe, das durch Fälle von Spionage und offener Einmischung in die Innenpolitik anderer Länder wachgerufene internationale Mißtrauen, ist eine ernste Belastung für die internationalen Beziehungen. Dennoch glauben die einzelnen Staaten, nicht auf geheimdienstliche Abwehr- und Nachrichtentätigkeit verzichten zu können, wohl mit Recht. Allerdings ist der Schritt zur aktiven Nutzung des Potentials zur Subversion und Schädigung der konkurrierenden Interessen auf der internationalen Bühne leicht, und wird der Versuchung dazu, selbst von rechtsstaatlichen Systemen,[270] nicht selten nachgegeben. Dennoch sollte in der internationalen öffentlichen Meinung angesichts des Schadens für das Klima in den internationalen Beziehungen und noch mehr angesichts erfolgter unmittelbarer Einflußnahmen in innere Angelegenheiten anderer Staaten, die einer Kriegführung nahekommen, ungerechte und ungerechtfertigte geheimdienstliche Aktivität als schwerer Verstoß gegen die internationale Gerechtigkeit und als gefährliches Verhalten der dahinter stehenden Staaten geächtet werden.

---

[269] KGB, London 1982. Zur gleichen Zahl für das Ausland kommt John Barron in seinem neuesten Buch, KGB today, The Hidden Hand, London 1984. Die Zahl der unmittelbaren Geheimdienstmitglieder im Inneren der UdSSR schätzt er auf 300 000 bis 400 000.

[270] Vgl. dazu besonders: Christopher Andrew und David Dilks (Ed.), The Missing Dimension, Governments and intelligence communities in the twentieth century, London 1984.

2.5. Die Dynamik der Friedensidee

Auch die Friedenssehnsucht hat als bewegende Kraft in der Menschheitsgeschichte ihre Ambivalenz. Es kommt darauf an, welcher Friede gemeint ist und welche Mittel als zum Frieden führend angewandt werden. Der Traum vom goldenen Zeitalter einer friedlichen Menschheit in grauer Vorzeit wie ebenso in näherer oder fernerer Zukunft kann sich so in der sittlichen Wertsicht des Friedens als gegenwärtiges Menschheitsgut durchaus als als konfliktträchtig erweisen, voll von negativen Auswirkungen für den hier und jetzt erreichbaren Frieden. Der Grundwert Friede kann nicht ohne Verbindung zu den Grundwerten von Freiheit und Gerechtigkeit bestehen. Das Streben nach Frieden darf nicht die Vorläufigkeit und Gebrechlichkeit menschlicher Existenz, zumal im sozialen Verbund endlicher Wesen, außer acht lassen.

Die Friedensidee bezieht ihre Dynamik auch aus Inspirationen, die im kleinen gesellschaftlichen Lebenskreis wirken. Der Friede beginnt nach einem Wort von Carl Jaspers „im eigenen Haus".[271] Mehr noch, der Friede hat eine besondere Dynamik aus der Öffnung des Begriffs auf transzendentale Werte hin, die er dann als Verheißung in die Gegenwart der Politik einbringt. Am deutlichsten wird die Friedensdynamik, wenn sie sich politisch-organisatorisch artikuliert. Mit dem Aufkommen der interessenpluralistisch organisierten Gesellschaft sind es nicht mehr Wirken und Ideen Einzelner, die der Friedensdynamik Ausdruck geben, sondern alle jene gesellschaftlichen Kräfte, die sich entweder im Dienste des Friedens verstehen oder die den Frieden zum Zweck und Ziel ihres Engagements machen, zumeist eben unter dem Titel „Friedensbewegung". Das heißt nicht, daß dieser Organisationstyp nicht in enger Verbindung an eine etablierte politische Kraft stehen kann, z. B. auch an eine totalitäre Staatspartei! Es soll daher hier auf die Friedensbewegung als dynamische Kraft internationalen Lebens eingegangen werden in ihrer Ambivalenz zum sittlich verstandenen Frieden und in ihren vielfältigen Ausdrucksformen.

2.5.1. Die Kompetenz für Friedenserhaltung und Friedensförderung

Das Grundproblem der Friedensbewegung als einer Erscheinung der Neuzeit mit ihrer stärkeren Bindung der politischen Willensbildung an die

[271] Diesen Titel gab auch der österreichische Bundespräsident Rudolf Kirchschläger einem Buch, das seine Gedanken über Österreich enthält (Der Friede beginnt im eigenen Haus, Reden über Österreich, Wien 1980). Vgl. von Rudolf Kirchschläger auch seine Rede vor den Internationalen Organisationen in Wien, am 27. März 1984, Die Sprache des Friedens ist eine stille Sprache, L'Osservatore Romano, Wochenausgabe in deutscher Sprache, vom 1. Juni 1984, 9.

Mitbestimmung immer breiterer Volksschichten (wenigstens nach Angabe der Führungseliten) ist deren politische Kompetenz.[272] Die Kompetenzproblematik stellt sich staatsphilosophisch ebenso wie politisch. Erst daraus lassen sich ethische Grundsätze und Regeln gewinnen.

Radikale Friedenskonzepte stehen unter Anspruch und Erwartung eines bestimmten Friedens, um dessen Erreichung sich gesellschaftliche Organisationen dann bemühen können. Allein das Phänomen des Pazifismus, soweit es in politische Konzepte eingeht, führt zu Programmen, die staatsphilosophisch zum Kapitel Anarchismus gehören: Friede gleichsam durch Beseitigung der Staaten als handelnde Subjekte oder durch eine Art von Weltregierung.[273]

Hier zeigt sich nämlich ein Friedensbegriff, der für viele Vertreter politischer Theorie und Philosophie nicht mehr sinnvoll erscheint, als politisch überlastet, anthropologisch unbegründet und vom Begriffsinhalt willkürlich und überzogen.

Auch eine Naturrechtsethik wird bemüht sein, den Frieden als Wert[274] im Gesamt des Gemeinwohlbegriffs zwar inhaltlich positiv und somit politisch zu bestimmen, die Wertbezüge zur Gerechtigkeit und Freiheit aufzuzeigen, aber immer im Kontext sozialer Realität und historischer Bedingtheit. Die Beobachtungen der rein beschreibenden Politikwissenschaften haben ihre Richtigkeit, daß es nämlich den großen staatsphilosophischen Ideen inhärent ist, sobald sie vereinseitigt werden und zu politischen Ideologien sich entwickeln, radikale Bewegungen zur Praxis eines bestimmten Friedens im politischen Raum zu entwickeln. Beispielhaft seien sowohl Formen des marxistischen Pazifismus oder des christlichen Pazifismus genannt, die unter Umständen auch den Anspruch erheben, authentisch die jeweilige Lehre auf ihre Praxis hin zu interpretieren, die sich dann auch — wie es für die genannten Beispiele auch zutrifft! — trotz ideologisch grundverschiedener Ansätze im Bestreben nach jeweils ihrem Frieden zur Aktionsgemeinschaft verbinden können.

Jedenfalls hat durch ihre Zielsetzung und Aktion die Friedensbewegung unter den Bedingungen des politischen Lebens entwickelter Staaten heute eine politische Dimension und sucht hier den Nachweis ihrer Kompetenz zu finden. Der aktuelle Anlaß ist, man kann dies leicht schon für die Anfänge der bürgerlichen Friedensbewegung zeigen, umso mehr auf ihrem Höhe-

---

272 Vgl. Rudolf Weiler, Zur Kompetenz von Friedensbewegungen, in: Joseph Listl, Herbert Schambeck (Hrsg.), Demokratie in Anfechtung und Bewährung, Berlin 1982, 191-208.

273 Im Modell zeigt Iring Fetscher solche Wege zum Frieden als Themenschwerpunkt der Friedensforschung auf: Modelle der Friedenssicherung, München 1972.

274 Vgl. Valentin Zsifkovits, Der Friede als Wert, München 1973.

punkt um die Wende zum 20. Jahrhundert vor dem 1. Weltkrieg, eine bestimmte Antikriegsbewegung, die nicht selten auch gegen politisch inszenierte Interessenpolitik der Mächte unter Einschluß des Kriegs als Mittel der Politik gerichtet war. Friedensbewegung will den Krieg aber zumeist nicht nur zwischen bestimmten Staaten verhindern, sondern strebt eine Lösung an, die die zwischenstaatlichen Beziehungen so verändert, daß der Krieg als Mittel der Konfliktlösung an sich überwunden werden kann. Hier entsteht dann die Prioritätenproblematik, muß zuerst der Mensch oder müssen zuerst die gesellschaftlichen Verhältnisse geändert werden? Eine weitere Frage ist, wie veränderbar der Mensch überhaupt ist. Für denjenigen, für den der Mensch ein sittlich verantwortlich Handelnder ist, bleibt auch die Politik der Staaten eine Frage des freien Willens und damit des guten Willens. Wenn es folglich um den Frieden, seine Bestimmung und Erhaltung geht, dann ist das ein Politicum, das nicht im Endergebnis aus der Macht, sondern aus dem Recht folgt.

So bleibt Friedensbewegung im Rahmen der politischen Theorie und Philosophie wie ebenso im Rahmen der politischen Legitimierung. Sie hat sich also in ihrer Kompetenz zweifach auszuweisen, durch ihre weltanschauliche Orientierung über das Wesen von Politik wie über ihr Verhalten in der Politik, ob es rechtmäßig ist. Daraus zeigt sich z. B. die Grenze einer Friedensbewegung für die Durchsetzung ihrer Ziele im Rechtsstaat.

In naturrechtlicher Sicht hat Friedensbewegung keinen umfassenden politischen Auftrag und daher auch keine politische Allzuständigkeit. Sie steht neben konkreten Anlässen ihres Entstehens in politischen Zeitsituationen im Dienste einer allgemeinen Friedenserhaltung und Friedensförderung. Es erscheint daher nicht sinnvoll, die Friedensbewegung mit einem politischen Gesamtkonzept zu identifizieren, wie es in der Wurzel schon (und im modernen radikalen Gedanken nach wie vor) für den Pazifismus gilt.

2.5.2. Friedensbewegungen: Entwicklung, Stand und Definition

Der Pazifismus des frühen Christentums war ursprünglich keine politische Bewegung und auch nicht von direkter politischer Wirkung. Als original christliche Bewegung ist er im Anschluß an die Seligpreisung Jesu in der Bergpredigt (Mt 5, 9) entstanden. Vor bald 2000 Jahren ist er erstmals aufgetreten als unbedingte Verwerfung des Krieges durch das Individuum, ungeachtet der Existenz von Ideen der Gewaltlosigkeit auch in den Traditionen anderer Völker.[275] Weiteres Motiv des frühchristlichen Pazifismus war

[275] Vgl. Peter Brock, Pacifism in Europe to 1914, Princeton 1972, 3.

die Sorge für das geistliche Heil des Soldaten im Dienst des heidnischen römischen Kaisers.[276]

Hinzu kamen bereits im Frühchristentum eschatologische und chiliastische Strömungen, die ein Friedensreich Christi als Lösung erwarteten. Besonders der Chiliasmus hatte auch politische Wirkung, später im Mittelalter und besonders noch in protestantischen pietistischen Kreisen, die selbst heute eine gewisse Verbindungslinie zur modernen Friedensbewegung haben. Pazifismus und Chiliasmus sind aber nie in die Glaubenslehre oder Soziallehre der Kirche eingegangen, sie hatten vielmehr Einfluß unter christlichen Sekten. Der Pazifismus wurde aber auch nie vom kirchlichen Lehramt verurteilt.

Man muß sich aber auch vor Augen halten, daß die sozialgeschichtlichen Umstände für eine politisch wirksame Friedensbewegung als organisierte Bewegung von Mitgliedern in einer gewissen Zahl erst mit dem Auftreten politischer Bewegungen überhaupt in der Neuzeit im Gefolge der Aufklärung und in Verbindung mit der französischen Revolution, vollends mit dem demokratischen Pluralismus gegeben war. Den Pazifismus könnte man mit einer gewissen Berechtigung aber zuerst für den Ausdruck einer allgemeinmenschlichen Uridee halten denn für eine Bewegung, wenn auch frühchristliche Gruppen aus ihrem Ethos sie erstmals praktiziert haben. Max Scheler hat in seinem Vortrag „Die Idee des Friedens und des Pazifismus"[277] darauf hingewiesen: der „Ewige Friede" als hoher sittlicher Wert, der sein soll, dessen reale Verwirklichung aber aussteht. Pazifist ist nach Scheler derjenige, der den Frieden anthropologisch für möglich hält und meint, in historisch absehbarer Zeit, ihn mittels systematisch-praktischen Willensmethoden, Techniken oder Einrichtungen herbeiführen zu können.

Die Anerkennung der Idee des Friedens als Wert in der Geschichte der Menschheit im Sinne eines allgemeinen Pazifismus mit Max Scheler bedeutet aber die grundsätzliche Differenz dieser Idee von ihrer Verwirklichung durch Friedensbewegungen je nach ihrer anthropologisch-weltanschaulichen Position und der Wahl ihrer Mittel zum Ziel. Es gibt aber auch die positivistische oder auch nur deskriptive Möglichkeit, unter Pazifismus die „zusammenfassende Bezeichnung für die ... Friedensbewegungen" zu verstehen.[278] Dann wird die bedingungslose Friedensbereitschaft aber zum radikalen Pazifismus. Für die Marxisten-Leninisten aber wird der Pazifismus die „liberale bürgerliche Strömung der Friedensbewegung" mit dessen Vertretern die Friedensbewegungen der sozialistischen (kommunistischen)

---

[276] Vgl. Johannes B. Bauer, Friede in der biblischen und frühchristlichen Überlieferung, in: Rudolf Weiler, Valentin Zsifkovits (Hrsg.), Unterwegs zum Frieden, Wien 1973 (183-203), 198 f.

[277] Erschienen in Berlin 1931.

[278] So Meyers Enzyklopädisches Lexikon, Bd. 8, Mannheim ^{9}1976, 329.

Staaten in der Weltfriedensbewegung zusammenarbeiten können, ohne deren Lösung, „Frieden um jeden Preis" (also auch „Verzicht auf nationale Befreiungskriege und revolutionäre Volksaufstände"!) zu übernehmen. Die „pazifistischen Lösungen" erscheinen in dieser Theorie als Gefahr für den aggressiven und militaristischen „Kapitalismus".[279]

Es empfiehlt sich daher, vom Frieden als allgemeinmenschlichem Wert und seinem Ausdruck in einem allgemeinen Pazifismus zu sprechen zum Unterschied von Friedensbewegungen und deren radikalen pazifistischen Flügeln. Der radikale Pazifismus nimmt für sich auch in Anspruch, daß er durch den unbedingten Verzicht auf Gegengewalt die Methode, den Krieg abzuschaffen, bereits parat hat, während andere Friedensbewegungen erst die ethisch-religiösen, die sozio-ökonomischen oder die völkerrechtlichen Bedingungen für den Frieden schaffen müßten. So scheint Friedensbewegung sowohl der umfassendere Begriff als Pazifismus zu sein, um die realen gesellschaftlich-politisch wirksamen Friedenskräfte zu umschreiben, als auch der engere Begriff, wenn es um die Bemühungen um den Frieden als Idee und Wert geht und um die dieser Idee verbundenen Institutionen und Gemeinschaften, wie z. B. Staat oder Kirche.

Die Zeit der Friedensbewegung im heutigen Sinn, sich mittels Organisation und politischer Tätigkeit im internationalen überstaatlichen Raum der Gesellschaft für den Frieden nach einer bestimmten Idee und einem Konzept einzusetzen, kommt erst nach den napoleonischen Kriegen. Mit dem Wiener Kongreß hatte sich ein Pluralismus souveräner Staaten vollends durchgesetzt und das Völkerrecht war als Vertragsrecht ausgebildet. Zudem war mit der Aufklärung und dem säkularistischen Denken der Prozeß zu einem weltanschaulichen Pluralismus zum Durchbruch gekommen. Aus dem christlichen Erbe eines radikalen Flügels der Reformation, den sogenannten Friedenskirchen, den Quäkern, den Brüderkirchen und den Mennoniten entstehen nun die ersten Friedensbewegungen: 1815 in den USA und im Jahre darauf in Großbritannien die Peace Societies.

Ihre Ablehnung des Kriegsdienstes verbinden sie neben anderen humanitären Zielen mit der Förderung des Weltfriedens. Nach diesen eher bescheidenen Anfängen einer Friedensbewegung kommen weltanschaulich dem Liberalismus und dem Bürgertum verpflichtete Tendenzen stärker zum Tragen. Der diesem Gedankengut zuzuordnende Victor Hugo war auch die Triebfeder des ersten bedeutenden Friedenskongresses 1849 zu Paris. Die Genfer Konvention von 1864 und die Gründung des Roten Kreuzes sind Erfolgszeichen jener Periode.

Einen Durchbruch der bürgerlichen Friedensbewegung signalisiert das Wirken von Alfred Fried (1864-1921), der als Begründer des sogenannten

[279] Vgl. Stichwort: Pazifismus, in: Marxistisch-Leninistisches Wörterbuch der Philosophie, Bd. 3, Reinbek bei Hamburg 1972, 826.

klassischen Pazifismus gilt, den er selbst revolutionären oder ursprünglichen Pazifismus nennt, um sich von einer rein gefühlsmäßigen Bekämpfung des Krieges zu distanzieren. Marksteine des organisatorischen Erfolges sind in Verbindung mit dem Weltfriedenskongreß in Bern 1881 die Gründung der österreichischen (1890) und der deutschen Friedensgesellschaft (1892) unter Anstoß durch das Wirken von Berta von Suttner (Die Waffen nieder, 1890). Die Gründung der interparlamentarischen Union mit Büro in Bern (1888) und die Haager Friedenskonferenzen von 1899 und 1907 waren die politischen Erfolge jener Periode. Bezeichnend aber war im Zusammenhang gerade mit diesen Konferenzen, daß (trotz positiver Haltung des Papstes Leo XIII.) die bürgerliche Friedensbewegung — sie steht hinter dem Ausschluß des Hl. Stuhls von der Haager Konferenz auf Betreiben Italiens hin! — nicht die Unterstützung der katholischen Kirche suchte.[280]

Inzwischen war eine andere weltanschaulich orientierte Friedensbewegung erstarkt, die Sozialistische Internationale. Obwohl hier Alfred Fried ausdrücklich die Zusammenarbeit suchte[281] — auch die Bürger müßten unter dem Krieg leiden wie das Proletariat! —, kam es nicht dazu. Besondere Gegner der Zusammenarbeit waren die deutschen sozialdemokratischen Gewerkschaften. Dies war bereits am Vorabend des Ersten Weltkrieges, mit dem dann die einst so hoffnungsvolle bürgerliche Friedensbewegung praktisch zu Ende geht. In die Satzung des Völkerbunds sind aber noch einige ihrer Ideen eingegangen.

Aus dem Ersten Weltkrieg heraus und mit stärkerer Wirksamkeit in der Zwischenkriegszeit entstanden noch einige katholische oder christliche Friedensbewegungen, von denen heute der Internationale Christliche Versöhnungsbund die größte Bedeutung haben dürfte.[282] Nach 1945 bildet sich im katholischen Bereich Pax Christi.[283] In der Folge des Konzils errichtet Papst Paul VI. die Päpstliche Kommission Iustitia et Pax; auch nationale Kommissionen unter diesem Titel entstehen.

Wie schon Max Scheler betont hat, muß ein „Instrumental-Militarismus" den Pazifismus nicht an sich ablehnen, nämlich Wert und Möglichkeiten

---

[280] Vgl. Beatrix Kempf, Berta von Suttner, Das Leben einer großen Frau, Wien 1964. Betreffend die Teilnahme des Hl. Stuhls an den Friedensorganisationen vgl. insbesondere Heribert Franz Köck, Die völkerrechtliche Stellung des Hl. Stuhls, Berlin 1975, 615 ff.

[281] Vgl. seine Artikel 1906 in der „Friedenswarte"!

[282] Auch das katholische Staatslexikon enthält noch in seiner 5. Auflage, erschienen in der Zwischenkriegszeit, einen eigenen Artikel „Friedensbewegung" (Bd. 2, Freiburg i. Br. 1927, 266-273).

[283] Eine von Frankreich 1944/45 ausgehende, von Bischöfen begründete Friedensbewegung mit einem internationalen Sekretariat und nationalen Sektionen in vielen Staaten heute. Ihre besondere Bemühung galt auch der deutsch-französischen Versöhnung.

des Friedens.[284] Dennoch waren nationale Strömungen in Philosophie und Politik des 19. Jahrhunderts und dann insbesondere der Nationalsozialismus und der Faschismus prinzipieller Militarismus, der sich auch gegen die Friedensbewegungen wandte und sie bekämpfte. Ebenso ist der Kommunismus gegen den radikalen Pazifismus und macht den Frieden von gesellschaftlichen Veränderungen, notfalls mit Gewalt, abhängig. Es empfiehlt sich, aus diesem Überblick heraus mit Waldemar Molinski zunächst vom *Pazifismus im allgemeinen* zu sprechen, allerdings unter Absehung auf persönliche Friedfertigkeit im mitmenschlichen Umgang, eigens bezogen auf das Zusammenleben der Völker.[285] Das Bemühen um geordnete internationale Kooperation im Rahmen des Selbstbestimmungsrechts der Völker, bzw. die Regelung dabei entstehender Konflikte auf gewaltlosem Weg soll nach Molinski diesen allgemeinen Pazifismus bezeichnen. Dabei fällt am Beispiel des Ausbruchs des Ersten Weltkrieges auf, daß es neben den Friedensbewegungen, die recht hoffnungsvoll schienen, keine ausgesprochen militanten Kreise von Einfluß gab. Allerdings gab es in den führenden Schichten und Bürokratien aller Staaten damals am Vorabend des Ersten Weltkrieges Kreise, die in das Kriegsabenteuer steuerten, von dessen Verlauf sie dann überrascht wurden. Nur wenige radikale Friedensgruppen und Pazifisten blieben damals auf beiden Seiten der Kriegführenden ihren Prinzipien treu.[286]

Die Bereitschaft, unter Umständen einen Krieg zu führen oder nicht, Gewalt einzusetzen im Konflikt zwischen den Völkern nach einem Kanon von Gründen oder keinesfalls, ist der Prüfstein der Scheidung zwischen dem *gemäßigten* und dem *radikalen Pazifismus,* wie er von den verschiedenen Friedensbewegungen vertreten werden mag. Auffällig ist, daß der radikale Pazifismus in der Regel mit einem radikalen weltanschaulichen und politischen Programm auch in anderen Fragen verbunden ist, also Extrempositionen einnimmt, ja als Organisation bis zu Subkulturen und Sekten gedeiht. Als Gegengesellschaft ist dann selbst der Umschlag in totalitäre Formen und Taktiken, die gar nicht mehr friedlich sein mögen, für solche Bewegungen möglich, ja konsequent. So können Militarismus und Pazifismus einander begegnen. Ebenso werden weltanschauliche Zielsetzungen oder gesellschaftspolitische Theorien unmittelbar in Praxis umzusetzen gesucht, ohne auf das politisch zur Zeit Mögliche oder auf Alternativen zu achten. Pazifismus allgemein verstanden als Bemühen um den Völkerfrieden kann daher das Ziel von Friedensbewegungen aller Art ebenso umschreiben wie er auch

[284] a.a.O., 33.

[285] Kirche und Pazifismus, in: Armand Clesse und Waldemar Molinski (Hrsg.), Proteste für den Frieden — Sorgen um die Sicherheit, Die Friedensbewegungen und die Zukunft der westeuropäischen Verteidigung, München 1983 (27-52), 29.

[286] Interessante neue Untersuchungen bringt hierzu F. L. Carsen, War against War: British and German Radical Movements in the First World War, London 1982.

von politischen Kräften in Anspruch genommen werden kann, soferne sie nicht radikal-militaristisch sind.

Nach ihrer weltanschaulichen Herkunft oder Beeinflussung ergibt sich ein breites Spektrum von Friedensbewegungen, die ihre weitere Spezifizierung bekommen je nach dem aus der Analyse der Kriegsursachen die Mittel und Wege zum Frieden im allgemeinen und die friedens- und sicherheitspolitischen Konsequenzen im besonderen gesehen werden. Auch hier bedeutet die Radikalität des vertretenen Pazifismus jeweils die konsequentere Vertretung eines Weges zum Frieden. Nach dem Schwerpunkt der Analyse und des eingeschlagenen Weges zum Frieden lassen sich folgende Pazifismen in der Friedensbewegung ausmachen: Der *ethisch-religiöse Pazifismus* setzt auf die sittlich-religiöse Erneuerung. Der *soziale und wirtschaftliche* Pazifismus sucht den Frieden mittels sozio-ökonomischer Veränderungen in der Gesellschaft, der *völkerrechtliche Pazifismus* mittels Verrechtlichung der internationalen Beziehungen. Schließlich ist der *radikale Pazifismus* methodisch jedenfalls festgelegt auf Frieden durch Verweigerung des Kriegsdienstes und Verzicht auf militärische Verteidigung.

In den achtziger Jahren hat der Pazifismus der neuen Welle von Friedensbewegung aus dem gesellschaftlichen Protestpotential gegen die Industriekultur und ihre „angebotsorientierte Leistungsgesellschaft", aus der Sinnkrise angesichts der sichtbar gewordenen Grenzen des Wachstums und der wirtschaftlichen Krise der Industriestaaten Zuzug bekommen.[287] Hier erweist sich das Phänomen der Zukunftsangst sowohl vor der drohenden atomaren Weltvernichtung als vor den Folgen einer technologischen Katastrophe für den Lebensraum Erde als Kristallisationspunkt sowohl pazifistischer wie alternativer Initiativen wie auch als Amalgam der Verknüpfung dieser beiden Kräfte. Bei beiden Kräften handelt es sich zudem nicht selten um Menschen, die sich von der Problemlösungskapazität der etablierten Politik enttäuscht sehen und eigene Wege suchen.[288] Insofern sich darin auch Enttäuschung an den institutionellen Wissenschaften findet, ist darin auch ein Grund für das Aufkommen eigener Versuche von kritischer Friedenswissenschaft, die in die Motivengeschichte der Friedensforschung hineinspielt, bzw. auf einige ihrer Protagonisten eingewirkt hat, die aber auch

[287] Aber schon 1984 schrieben Kommentatoren in der BRD zu Recht, daß die Aktionen dieses Jahres nicht mehr den Anspruch von einer Massenbewegung hinter sich erheben können, wie es noch 1983 geschienen hatte! Was blieb, sind erhebliche Wirkungen auf das öffentliche Bewußtsein. So Hein-Wilhelm Brockmann, Friedensdiskussion, in: Stimmen der Zeit 5/84, 353-355. Vgl. auch Heinrich Schneider, Zur Entwicklung der Friedensbewegung in Österreich, Ein Bericht mit besonderer Berücksichtigung kirchlicher Komponenten, in: Österr. Jahrb. f. Politik 1983, 571-611.

[288] Vgl. Peter Schlotter, Die Zukunft der Friedensbewegung, Rahmenbedingungen alternativer Politik, in: Reiner Steinweg (Red.), Die neue Friedensbewegtung, Frankfurt 1982 (16-33), 21 f.

die oft schmale Argumentationsbasis und -bereitschaft von Gruppen der Friedensbewegung miterklärt.[289]

Nach diesen Überlegungen wird man, zumindest für einen Kern der Friedensbewegung der achtziger Jahre, Günther Schmid zustimmen können, der in seiner Analyse der „Grobstruktur der ‚Friedensbewegung'" sie aus drei großen Gruppen zusammengesetzt sieht: „Linke, Christen, Alternative."[290] Peter Schlotter sieht sogar die „Massenbasis der Bewegung ... aus dem kirchlichen und alternativen Bereich rekrutiert,[291] was Günther Höfler zur Erklärung dafür verwendet, „daß in große Teile der Friedensbewegung unreflektierte Paradies- und Erlösungsvorstellungen (politisch interpretiert) Eingang gefunden haben, denen quasi-mythologische Substrate zugrunde" lägen.[292] Es ist nicht einzusehen, warum nicht dieselbe Anfälligkeit für die linken Kräfte in der Friedensbewegung gelten sollte, was entweder ihrer Erwartung in eine erst zu realisierende sozialistische revolutionäre Weltveränderung auf Frieden hin entspricht oder ihrem unbedingten Glauben an die Friedfertigkeit des bereits politisch in Teilen der Welt verwirklichten (realen) Sozialismus.

Unter Hinweis freilich auf den oben bestimmten Pazifismus im allgemeinen und Formen des gemäßigten Pazifismus im besonderen wird man die Rekrutierungsanalyse von Günther Schmid nur für einen Teil des Spektrums derer verwenden können, die sich so als Friedensbewegung verstehen und die um den NATO-Nachrüstungsbeschluß herum Anfang der achtziger Jahre einen Kern der vor allem westeuropäischen Friedensbewegung gebildet haben. Der radikale Pazifismus geht von weltanschaulichen Voraussetzungen aus, deren politische Realisierung theoretisch wie praktisch von vielen als utopisch bezeichnet wird, zumindest nicht absehbar erscheint. Es besteht also oft eine zu große Distanz zur realen Politik, so daß er als Friedensbewegung entweder keine politische Umsetzung erfährt oder von politischen Kräften einfach in Anspruch genommen wird und damit mißbraucht oder wieder als naiv diskreditiert wird.

Dennoch kommt dem radikalen Pazifismus eine inspirative Kraft zu, wenn er sich um die ethisch-moralischen Probleme des internationalen Zusammenlebens grundlegend bemüht, die auf die Dauer tieferen Einfluß hat als eine stark politisch engagierte bestimmte Welle und Richtung von Friedensbewegung. Verbunden mit dem Vorschlag völkerrechtlicher Alternati-

---

289 Vgl. Günther Höfler, Friedensforschung und Friedensbewegung, Präliminare Überlegungen zu ihrem Verhältnis, Zeitschrift für Wissenschaftsforschung, Sondernummer 1, Nov. 1983 (149-154), 151 f.

290 Sicherheitspolitik und Friedensbewegung, Der Konflikt um die „Nachrüstung", München [3]1983, 88.

291 a.a.O., 21.

292 a.a.O., 152.

ven zum Krieg, wie ihn z. B. der österreichische Pazifist Stefan Matzenberger, ein im Krieg 1942 verwundeter und darauf erblindeter Jurist, persönlich überzeugend vertritt,[293] vermag dieser Pazifismus zu seinen Appellen an die Politik auch Beiträge zu einer sachlichen Argumentation zu liefern oder auf anderen Gebieten zu neuen Anregungen zu führen im Sinne von Friedensförderung. Der so verstandene radikale oder absolute Pazifismus ist vielmehr eine ideelle Grundströmung, die praktische Auswirkungen in der Friedensbewegung natürlich hat, als eine Friedensbewegung mit aktuellen Zielsetzungen im Interessenfeld internationaler Politik.

Beachtenswert ist es auch, daß sich der radikale Pazifismus heute in verschiedenen Richtungen der Friedensbewegung findet und auch verschiedenen Friedenskonzepten zuneigen kann, insoferne diese das pazifistische Endziel anerkennen. Auch politische Ideologien haben ihre pazifistischen Flügel. Dieser Pazifismus kann selbst den Charakter einer Ideologie annehmen.

Friedensbewegung ist zumeist um unmittelbare Umsetzung von (meist ideologisch getragenen) Friedenszielen ihrer Sicht in die Politik bemüht. Damit findet sich jede Friedensbewegung mit ihren Aktivitäten im Kräftefeld der internationalen Politik und kommt ihr direkte politische Bedeutung zu. Ist eine Friedensbewegung dann noch ideologisch mit einer Staatenpolitik verbunden, kommt sie sehr leicht in eine Parteienstellung hinein: sie wirkt nicht für *den* Frieden, sondern für einen bestimmten Frieden. Besonders gilt das für Friedensbewegungen, die in Staaten wirken, die keine pluralistische Demokratie kennen und deren öffentliche Meinungsbildung unter der Vorherrschaft einer totalitären Staatsmacht steht. So ist im kommunistischen politischen System zwar die Friedensbewegung als für alle gesellschaftlichen Kreise, einschließlich z. B. der religiösen, offen konzipiert, in Wirklichkeit aber hat sie kaum die Möglichkeit, wenn sie dies wollte, die offizielle Außenpolitik unabhängig zu beurteilen. Bei der Führungsrolle der Partei und ihrer marxistisch-leninistischen Ideologie, wonach die kommunistische Außenpolitik nur Friedenspolitik sein kann, gibt es für eine weltanschaulich anders fundierte außen- und friedenspolitische Aktivität keine andere Praxis als die Unterstützung der gegebenen Politik. Wir haben die Situation des „geschlossenen Friedens" vor uns.

Die Einheit der Friedensbewegung unter diesen Bedingungen ist kein Ergebnis freier Entscheidung, sondern eine Folge der politisch-ideologischen Verhältnisse. Andere weltanschauliche als marxistische Richtungen haben über die Friedensbewegung aber die Möglichkeit, sich zwar nicht inhaltlich an der Friedenspolitik zu beteiligen, aber doch formal als eigene

[293] Pazifismus im Atomzeitalter, Kriegsverhinderung durch Friedensaktivität, Wien [2]1983.

gesellschaftliche Organisationen in der sonst kommunistisch beherrschten Öffentlichkeit — sogar als weltanschaulich eigenständig! — aufzutreten und auch als solche eigens Kontakte zu nicht-kommunistischen Gesinnungsgemeinschaften nach außen zu unterhalten. Wer dann im Ausland den friedenspolitischen Interessen der kommunistischen Staaten entspricht, ist dann Bundesgenosse in der „Friedensfront", wer „antikommunistisch" ist und etwa gegen die „pax sovietica" ist, ist ein zumindest potentieller Kriegshetzer, z. B. wer mit den Friedenszielen auch nur Forderungen nach Menschenrechtswirklichungen in einem anderen als marxistischen Verständnis verbindet.

Darum ist zwar auch in den pluralistischen Demokratien der kommunistische Ruf nach Einheit der Friedensbewegung laut und die Taktik darauf gerichtet, zumindest die wesentlichen außenpolitischen Ziele der kommunistischen Staaten als das Kriterium für die Aufnahme in die „eine" Friedensbewegung durchzusetzen. Ideologisch und in der politischen Praxis ist der Einheitsgedanke ein primäres Ziel der kommunistischen Weltbewegung vor allem dort, wo die Kommunisten in der Minderheit sind. Um der „Einheit" willen nämlich sind sie zu Bündnis und Kompromiß bereit, soferne sie so auf die Hauptziele ihrer Politik hin arbeiten können. Der Vorwurf der Spaltung der Friedensbewegung, aus dem kommunistischen Lager kommend, darf daher nicht hindern, daß eine Friedensbewegung gegebenenfalls das Bündnis mit totalitär auftretenden Friedensbewegungen gar nicht erst eingeht oder sich den Freiraum des Dissenses bewahrt, wenn es zur partiellen Zusammenarbeit kommt.

Jede Friedensbewegung muß daher ihre Auffassung von Frieden und den Mitteln und Wegen zu seiner Erlangung mit der realpolitischen Situation der Welt und dem Geflecht der Staaten mit ihren Beziehungen und sicherheitspolitischen Interessen in Beziehung setzen, wenn sie nicht nur eine Gesellschaft zur Förderung der Außenpolitik ihres eigenen oder eines bestimmten Landes sein will. Durch ihr Bekenntnis zum Frieden und ihre Absage an den Krieg verläßt sie ebenfalls den engen Rahmen eines Staates und seiner Interessen und gewinnt im Anspruch internationale Dimensionen und Partner des gleichen Zieles, deren kleinster gemeinsamer Nenner zu suchen ist.

Die Sorge um Frieden und Sicherheit gehört in den unmittelbaren Aufgabenbereich der Politik oder Staatskunst und ist daher den sittlichen Normen der politischen Ethik unterworfen. Der Staat und die für die Leitung des Staates und der Staatengemeinschaft zuständigen legitimen Organe stehen unter der sittlichen Friedenspflicht für das Weltgemeinwohl wie für das Gemeinwohl des einzelnen Staates, woraus sich die Pflicht zur eigenen Sicherheitspolitik und Selbstverteidigungspolitik ergibt angesichts der mangelnden Effizienz der gemeinsamen Sorge der Staaten für den internationalen Frieden. Erst ausreichende Rechtssicherheit öffnet für die Staaten den Weg zur gewaltfreien Konfliktregelung. Auch die zur Findung der rechtmäßigen staatlichen Autorität vorhandenen Institutionen des politischen Lebens, wie demokratische politische Parteien oder auch Verbände, gehören in den Bereich der gesellschaftlichen politischen Ordnung, zu deren Interessennahme und sittlichen Pflicht auch jeweils die Friedenspolitik oder Teilbezüge derselben ressortieren.

In einem weiteren Begriffssinn von Frieden gehört der Friede zur Heilsaufgabe der Kirche und meist auch in die Mitsorge der Religionen.[294] Die christliche Soziallehre hat vor allem auch unter Bezug auf das Naturrecht und die sozialwissenschaftlichen Ergebnisse u. a. der Friedensforschung einen Schwerpunkt ihrer Ordnungsideen im Bereich der Friedenspolitik gesetzt.[295] Man kann aber nicht von den Kirchen selbst als Friedensbewegungen sprechen.

Abgesehen von der nationalen Situation der Theorie und Praxis der Trennung von Kirche und Staat besteht eine grundsätzliche Distanz zwischen Kirche und Politik und ein nur indirekter Einfluß der Kirche/Religion auf die Politik bzw. wird dieser Einfluß unmittelbar durch die Gläubigen ausgeübt. So kann es im Einzelfall zu einer starken Annäherung zwischen Kirche/Religion und Staat in friedenspolitischen Fragen kommen, in der allgemeinen Beurteilung aber weder zu einer Identität noch zu einer völligen Abstinenz noch zu einer Äquidistanz zu den Staaten. Dasselbe gilt aber auch besonders für die Friedensbewegungen im gesellschaftlichen Bereich. Keinesfalls entspricht es dem Verständnis der Kirche und des Christentums, den Standpunkt und die Friedensziele einer bestimmten Friedensbewegung oder eines Staates auf dem Wege seiner einheitlich deklarierten Friedensbewegung einfach zu decken. Das ist nicht im Auftrag der Kirche gegeben. Darum hat zum Beispiel die katholische Kirche immer das geschlossene Engagement ihrer Amtsträger in einer Friedensbewegung, vor allem einer an ein totalitäres System angeschlossenen, abgelehnt, wie zum Beispiel in der Friedenspriestervereinigung Pacem in terris in der ČSSR.

Die bürgerliche Friedensbewegung hat die Entwicklung einer Friedenswissenschaft betrieben und ist damit dem wissenschaftlichen Fortschrittsglauben des 19. Jahrhunderts vor allem gefolgt. Anders als die traditionell internationalen Fragen zugewandten Wissenschaften steht auch die noch junge Sozialwissenschaft der Friedensforschung, besonders der kritischen Richtung, in Wechselwirkung mit der Friedensbewegung, die sich auch in personeller Zusammenarbeit findet. Haben schon früher prominente Wis-

---

[294] Vgl. Jacob Kremer, Der Frieden — eine Gabe Gottes, in: Stimmen der Zeit, 3/1982, 161-173. Manche Religionen haben eher einen nur sehr entfernten Bezug auf die internationale Friedensordnung, wie der Buddhismus, andere haben zumindst zeitweilig einen ambivalenten Einfluß auf Krieg und Frieden genommen.

[295] Vgl. z. B. Norbert Glatzel und Ernst Josef Nagel (Hrsg.), Frieden in Sicherheit, Zur Weiterentwicklung der katholischen Friedensethik, Freiburg i. Br. 1981.

senschaftler sich für Friedensbewegungen engagiert, so kommt es hier zu einem bedeutenden Anstoß aus der Wissenschaft zu einer Sozialbewegung hin und umgekehrt zu einer Rückfrage aus den Bewegungen an die Wissenschaft, allerdings an eine Wissenschaft, die sich ebenso auf die Tauglichkeit ihrer Ergebnisse für eine gewünschte Praxis befragen lassen muß, also aus einem Wertstandpunkt heraus zu prüfen ist. Es wird daher nicht immer leicht sein, die Trennungslinie zwischen solcher Friedensforschung als Sozialwissenschaft und Friedensbewegungen als Sozialbewegungen zu finden. Hier zeigt sich auch, daß die sogenannte „neue Friedensbewegung" eine Wurzel in der Welle der linken revolutionären Studentenbewegung der ausgehenden sechziger Jahre hat. Darum ist auch in der Friedensforschung wie in der neuen Friedensbewegung weniger der pazifistische Grundgedanke aktiv als strategiemäßige Überlegungen, wie zum Frieden zu gelangen wäre. Darum finden sich auch in Theorie und Praxis der „neuen Friedensbewegung" fundamental-demokratische Vorschläge.

Was die sogenannte neue Friedensbewegung betrifft, handelt es sich nicht einfach um eine neue Phase der Friedensbewegung allgemein gesprochen,[296] sondern eher um eine neue Species des breiten Begriffs von Friedensbewegung, der aktuell dominieren mag, aber weder für die gesamte Friedensbewegung heute sprechen kann noch in sich selbst die *eine* Friedensbewegung darstellt, wenn auch versucht wird, an der Fiktion der „einen" Friedensbewegung festzuhalten.[297]

Aus all diesen Überlegungen kann daher Friedensbewegung definiert werden als eine gesellschaftspolitische Bewegung (mit oder ohne Nahverhältnis zu anderen Bewegungen dieser Art) gegen den Krieg, gegen Rüstung und Maßnahmen zugunsten eines Krieges und zum Zwecke der Abschaffung

[296] Vgl. zum Begriff Reiner Steinweg, Die neue Friedensbewegung — Analysen aus der Friedensforschung (Friedensanalysen 16), Frankfurt 1982. In seiner Analyse der „neuen unabhängigen westeuropäischen Friedensbewegung(en)" spricht auch Ben ter Veer von Friedensbewegungen, obwohl er diese sehr stark auf die gemeinsame Wendung „gegen Rüstungspolitik der Supermächte, gegen den antikommunistischen Kreuzzug Reagans und seine nukleare Rhetorik" zurückführt. (The new peace movements in Western Europe, in: International peace research newsletter 3/83 (10-16), 10 f.).

[297] Angesichts der organisatorischen Vielfalt von Friedensbewegungen, ihrer Verschiedenheit von der Definition des Friedens und von den Strategien dahin, ist es ein reines Postulat, die „notwendige Einheit" der Bewegung zu berufen, das auch gar nicht im Wesen von gesellschaftlichen Gruppen liegt. Die Einheit des Friedens kommt nicht allein aus der Bewegung dahin, sondern aus einem kulturellen und politisch-ethischen Grundkonsens, zu dem die „Bewegungen" nicht beitragen können. Insofern kann die Forderung nach „Einheit im Friedensbegriff und in der Friedensstrategie" nur als ethischer Imperativ an die Friedensbewegungen gerichtet werden. So Valentin Zsifkovits, Perspektiven der Friedensbewegung, in: Theologisch-praktische Quartalschrift, 132, Jg. H. 1/1984, 76-88.

des Krieges und der Überwindung seiner Ursachen durch Ablehnung des Militärdienstes und/oder durch Aufbau einer internationalen Gemeinwohl-Ordnung einschließlich von Mechanismen der friedlichen Konfliktlösung. Die Friedensbewegung kann ihre Motive aus einer Zeitsituation und deren Ängsten ebenso nehmen wie auch aus weltanschaulichen Motiven im Sinne einer gesellschaftlichen und/oder geistigen Veränderung des Menschen hin auf eine Erwartung (Friedensutopien!), deren Verwirklichung zumindest auch umstritten ist. Sie kann ebenso den Rückgriff auf die Wissenschaft fordern als Mittel zum Frieden, so wie sie aus der Wissenschaft selbst Antriebe erfährt.[298]

2.5.3. *Zur sittlichen Beurteilung von Friedensbewegungen*

Nach dem historischen Überblick zum Stand der Friedensbewegungen heute und einer danach erfolgten Definition des Begriffs soll unter Anwendung sittlicher Kriterien der Versuch gemacht werden, das Phänomen der Friedensbewegungen zu untersuchen.

Friedensbewegungen, selbst wenn sie den Hintergrund einer Weltanschauung und einen wertbezogenen Friedensbegriff haben, sind, wie wir zeigen konnten, in ihrem Auftreten eher mit aktuellen Situationen der internationalen Politik gekoppelt. Eine Ausnahme macht der grundsätzliche Pazifismus, der, einmal unter christlicher Inspiration formiert, seit den Zeiten der alten Kirche, später auch in säkularisierter Form, als Bewegung prinzipieller Gewaltlosigkeit und des Verzichts auf militärische Mittel gegen das Unrecht einen ideologischen Kern der Friedensbewegung darstellt. Zeiten der Kriegsgefahr fördern das Entstehen von Friedensbewegungen wie ebenso die erlebten Kriegsschrecken solche Initiativen hervorrufen. Eine positive Korrelation besteht weiters zwischen dem Entstehen von Friedensbewegungen und der Entwicklung neuer Waffen. So war die Erfindung der Armbrust im Mittelalter Ausgang von Abrüstungsinitiativen, so war es auch beim Gaskrieg oder zuletzt bei der Entwicklung der Nuklearwaffen. Gerade das Phänomen des technisch perfekten Krieges mit der Gefahr der totalen

[298] Anatol Rapaport verweist darauf, daß gerade die Friedensforschung, obwohl Sozialwissenschaft, nicht streng wertfrei vorgehen kann, wenn sie den Frieden zum Ziel hat. Um die Distanz zwischen den Friedensforschern und den Friedensaktivisten zu beschreiben, wählt er die Analogie zur medizinischen Forschung über Krankheitsursachen und die pragmatische Anwendung der betreffenden Erkenntnisse. Die unmittelbare Aufgabe der Friedensforschung ist nach ihm, „die Basis für öffentliche Aufklärung zu schaffen betreffend die Betrachtung der Welt rein geopolitisch und die tödliche Logik der millionenfachen Todestechnologie, um die Legitimität der Machteliten, die in diesen Begriffen denken, zu beseitigen". (Peace research and peace movements, in: International peace research newsletter, 3/83 (2-9), 3 u. 9).

Zerstörung legt es nahe, von einer neuen Qualität der Friedensbewegung zu sprechen. Im agitatorischen Sinn ist es zutreffend. Wenn Politik aber Sorge um das Gemeinwohl ist, ist angesichts der Folgen eines totalen Krieges dieser auch nicht mehr Gegenstand des politisch Machbaren. Die Funktion der Friedensbewegung hat sich in ihrer Bedeutung des Einflusses auf die öffentliche Meinung und die Politik gegebenenfalls nur entscheidend vertieft.

Ähnlich verhält es sich mit anderen für die Meinungsbildung einer Menschheit, die an neue Grenzen des Verantwortbaren ihrer technologischen Entwicklung stößt, bedeutsamen Strömungen, mit Angst- und Protestpotentialen, die indirekte Konfliktherde darstellen, wie die „Bevölkerungsbombe" oder ökologische Probleme als Überlebensfragen der Menschen in Zukunft. Nicht zuletzt Fragen der Kosten und der Vergeudung von Ressourcen für Kriegstechnologien führen dann zum Bündnis auch zwischen alternativen Gruppierungen und Friedensbewegungen.

Die Nähe zu einer Weltanschauung oder zu einem internationalen Lager oder zu einer bestimmten politischen Bewegung führt weiter zu verschiedenen Positionen in der Beurteilung von Friedens- und Sicherheitspolitik. Grundsätzlich hätte zwar der Friede als Idee für eine Friedensbewegung Vorrang. In Wirklichkeit entsteht ein verschiedenes Distanzverhalten zur Friedenspolitik der Staaten. Das Problem ist, wie und wo ein Minimalkonsens dann für die verschiedenen Typen und Interessenlagen der Friedensbewegungen gefunden werden kann, um deren Aktivität glaubhaft im Sinne ihrer Ansprüche und im Sinne von allseits annehmbaren Konfliktlösungen zu machen. Ein entscheidendes Kriterium wird die Voraussetzung der Koalitionsfreiheit und der Meinungsfreiheit in der politischen Ordnung des Staates sein, aus dem die Friedensbewegung kommt. Da dies nicht oder nur sehr mangelhaft für viele Staaten heute gilt, kommt dem Zu- und Gegeneinander von Friedensbewegungen in der öffentlichen Weltmeinung ein positiver Aspekt des Ansatzes zu. Mit der Denunziation einer Friedensbewegung, sie arbeite für den Krieg, ist es nicht getan, solange nicht die vorhandene Basis zur Kooperation genützt wird.

Die Kompetenz oder Befugnis von Friedensbewegungen, sich der Friedenspolitik anzunehmen, kann zuerst positiv rechtlich nach der bestehenden Verfassungsordnung überlegt werden. Hier wird die rechtsstaatliche Ordnung verbunden mit der politischen Gewaltenteilung und dem demokratischen Mehrparteiensystem der Bildung von Friedensbewegungen sehr günstig sein, aber auch sonst die öffentliche Kontrolle der Friedenspolitik der Regierung weitgehend gesichert erscheinen. Es ist aber auch die internationale Wirkung von Friedensbewegungen zu bedenken, wenn sich dafür demokratisch ausgewiesene Bewegungen finden. Von solchen Staaten aus haben die radikal pazifistischen Bewegungen auch ihre Chance zur organisierten Aktion.

Die Kompetenz zum legitimen Sprechen und Werben für den Frieden haben Friedensbewegungen im Grunde durch die letztverantwortliche Aufgabe des Volkes, als politische Ordnungseinheit die Grundwerte der Politik zu bestimmen und die Staatsgewalt naturrechtlich daran zu binden. Das Gemeinwohl zu bestimmen, ist Sache des Volkes im Staat gemäß der Naturordnung des Staates und ihres Bezuges auf die menschliche Entwicklung aller Bürger. Diese im Volk verwurzelte Ordnung des Gemeinwohls begründet auch das Weltgemeinwohl und folglich eine Völkerordnung in Friede und Gerechtigkeit.[299]

Da es aber bei der Friedensordnung der Staaten um einen weiten Bereich der Zweckordnung und des Interessenausgleichs geht, die noch weitgehend zu entfalten der Menschheit aufgegeben ist, haben Friedensbewegungen durchaus auch die Funktion von Motoren einer Entwicklungsdynamik und der Konkretisierung der Friedensidee, und sei es auch durch utopisch scheinende Vorschläge. Insoferne haben sie auch die Funktion einer Stimme der öffentlichen Meinung, insbesondere eine solche für die Friedensidee und -aktion. Hier trifft sich ihre Sendung mit der von Religion und Kirche, die diese Friedensfunktion unter dem Fortgang des Friedensbewußtseins der Menschheit heute auch verstärkt mit politischem Einsatz zu verfolgen haben, ohne sich in Friedensarbeit aufzulösen, unter besonderer Beachtung der sittlich-religiösen Ursachen des Krieges und der gewaltlosen Mittel zum Frieden.[300]

Friedensbewegungen werden in ihrem Engagement und ihrer Überzeugung von der Kürze der Zeit zur Durchsetzung fundamentaler Ziele immer eine begrenzte direkte demokratische Legitimation haben. Ihre legalen Möglichkeiten werden — zumindest von der Organisation als Mitgliederbewe-

[299] In diesem Zusammenhang sei nochmals auf das Problem des absoluten Souveränitätsanspruchs des politischen Machtträgers im Staat verwiesen. Dieses Souveränitätsdenken genügt weder den Interessen des Staatsvolkes in seinem Gemeinwohl noch den Interessen der Staatengemeinschaft in ihrer Verbundenheit im Weltgemeinwohl. Die Periode des Absolutismus des ancien régime am Beginn der Neuzeit hat das Wohl der Dynastie zur absoluten Norm erhoben, die Folge waren die zahlreichen Erbfolgekriege in Europa. Es kam die Periode der nationalen Kriege und schließlich im 20. Jht. die Gefahr der Klassenkriege unter dem hegemonialen Vorrangsanspruch von Ideologien, ob der Gleichheit, der Rasse oder der Freiheit. Gerade das ideologische Zeitalter ist ein Zeitalter der „Bewegungen"!

[300] Irreführend wäre es aber, die Kirchen als eine „Lobby des Friedens" zu bezeichnen, sie auf die Ebene eines Interessenverbandes und dessen Agitation damit zu drücken. Diesen Ausdruck verwendet Eberhard Stammler in einer Analyse der Friedensdebatte im deutschen Protestantismus, vgl. Christen im Streit um den Frieden, Gegen Rüstung oder für militärische Sicherung?, in: Evangelische Kommentare 14 (1981), (7-11), 10. — Zum Stand der innerkirchlichen katholischen Diskussion über die Friedensbewegung vgl. Heinrich Schneider, Erfordernisse des Friedens. Ein Diskussionsbeitrag. Wien 1982. Auch eine von kirchlichen Kreisen gegründete Friedensbewegung, wie Pax Christi, spricht nicht in der Kompetenz des Lehramts der Kirche!

gung her, kaum eine Minderheitsposition überschreitend — zumeist nicht ausreichen, wenn sie nicht das Bündnis mit anderen politischen Kräften und Vorgängen finden. Um so mehr muß sich ihre Kompetenz durch Argumente ausweisen. Der Appell an Emotionen und der Verweis auf ihre charismatische Glaubwürdigkeit kann taktisch genützt werden, gehört aber in den Bereich sittlicher Selbstverantwortung und allgemeiner Beurteilung angesichts irrationaler Faktoren in der Politik. Der kritische Umgang mit Friedensbewegungen gehört zur Aufgabe geradezu aller legitimen Kräfte und Einrichtungen für die Politik wie für die Gewissensbildung in der Politik, also auch der Kirchen. Leidenschaft für den Frieden, Ängste und andere Triebkräfte sind nicht die Ausgangslage für „verantwortbare politische Lösungen".[301]

Der Verweis auf das rationale Argument und die legitime Vorgangsweise mit dem Mittel der demokratischen Mehrheitsfindung für ein Konzept der Friedenspolitik wird in zwei Fällen nicht ausreichen: Im Falle einer Diktatur in einem Staat, dessen Politik als Friedensgefahr erkannt wird und im Falle einer radikal pazifistischen Position. Ersterer Fall könnte national für eine naturrechtliche Sozialethik nur nach den sittlichen Normen des Widerstandsrechtes und der -pflicht geregelt werden. International wäre es ein komplizierter Fall der Intervention durch die Völkergemeinschaft und realistisch eben nur durch polititische Mittel der Verhandlung und Druckausübung zu regeln. Der Fall eines Staates als internationaler Erpresser gegen die Völkerfamilie gewinnt zumindest in der Theorie Denkbarkeit und drängt auf praktische internationale Kontrolle der Mittel der totalen Zerstörung der Welt. Solange noch rational ansprechbare Akteure mit Selbsterhaltungswillen[302] die Staaten lenken, ist auch mit totalitären Systemen ein Minimum an Gemeinsamkeiten der Friedenspolitik vorhanden. Diese können durch die internationale Friedensidee und ihre verschiedenen Exponenten seitens der Friedensbewegungen gefördert werden, bzw. könnten sich Friedensbewegungen einer gewissen Logik der Sprache nicht entziehen. Gerade die Dialogbereitschaft wäre ein erstes entscheidendes Kriterium für das Zutreffen der Selbstbezeichnung als Friedensbewegung.

Die kommunistisch inspirierte und durch die Partei kontrollierte Friedensbewegung hat in diesem Zusammenhang immer versucht, ihre Glaub-

---

[301] So die Stellungnahme der Vollversammlung des Zentralkomitees der deutschen Katholiken vom 14. Nov. 1981 zur Friedensbewegung. Vgl. Berichte und Dokumente. Hrsg. vom Zentralkomitee der deutschen Katholiken. Nr. 48, März 1982, 46 ff. Vgl. Konrad Blokesch, Irrlichter in der Friedensdiskussion, in: Kirche und Gesellschaft. Hrsg. von der Katholischen Sozialwissenschaftlichen Zentralstelle Mönchengladbach. Nr. 89, 1982.

[302] Die Selbsterhaltungsinteressen gewinnen quantitativ eine größere Basis, wenn es sich nicht um die Diktatur einer Person, sondern um die einer elitären Großgruppe, wie einer politischen Partei, handelt.

würdigkeit durch die Aufnahme nichtkommunistischer Vertreter im In- und Ausland zu erhöhen, unbeschadet freilich der fundamentalen politischen Zielsetzungen mit dieser Bewegung. Sie setzt sich trotzdem damit einem —wie sie glauben mag, kalkulierbaren — Risiko des Pluralismus aus. Unter diesen Gesichtspunkt fallen auch die Befreiungsbewegungen, die für sich den Namen von Friedensbewegungen zugleich reklamieren und (im Fall ihrer politischen Einordnung in Dogma und Konzept der marxistischen Theorie von antikolonialistischen und antiimperialistischen Prozessen) auch als solche von der kommunistischen oder sonstigen linksorientierten Friedensbewegung trotz ihrer Terrorakte anerkannt und unterstützt werden. Die Berechtigung ihres Kampfes um nationale Unabhängigkeit und soziale Gerechtigkeit ist jedoch aus der Gemeinwohlnot einer entsprechenden Großgruppe von Menschen und der Erschöpfung aller anderen Mittel ebenso wie durch die verantwortbare Kampfführung und die gesicherten Ziele derselben allenfalls abzuleiten. Es handelt sich also um einen Sonderfall des Notwehrrechts und nicht um ein prinzipielles Recht auf Revolution.[303]

Eine neue Seite der Friedensbewegung zeigt aber die Entwicklung um den Pazifismus auf. Ein Gesinnungsmilitarismus, wie ihn Max Scheler definiert hat, wonach Friede kein positiver Wert ist und er nicht als menschenmöglich gilt,[304] dürfte heute nur mehr von rechtsradikalen Extremisten vertreten werden. Daß Krieg nicht sein soll, steht im Zeitalter des totalen Krieges, zumindest für diesen, fest. Doch hat sich auch das 2. Vatikanische Konzil außer der Verurteilung des totalen Krieges, der Lehre bereits Pius XII. folgend, für das Nebeneinander von berechtigter Selbstverteidigung und Ächtung des Krieges, von Friedensdienst mit der Waffe und ohne Waffe, des Soldaten und des Wehrdienstverweigerers entschieden.

In die Zeit des Auftretens einer neuen Welle von Friedensbewegung um die Aufrüstung der atomaren Supermächte und ihrer Paktsysteme in den späten siebziger- und beginnenden achtziger Jahren fällt auch die neue Belebung der radikalen pazifistischen Ideen. Die Gefahr, daß die Schwelle zum Atomkrieg gesenkt wird, die Führbarkeit von Kernwaffenkriegen diskutiert wird, läßt auch das bisherige politische Abschreckungssystem mit totalen Kriegswaffen als überaltet erscheinen. Der Pazifismus greift erstmals auch in stärkerem Ausmaß in die kommunistische Staatenwelt über, wo es ihn ex definitione der eigenen Friedenspolitik nicht geben dürfte. Eine neue Herausforderung an gewohnte Bahnen militärischer Defensivkonzepte und völkerrechtlicher Kriegsordnungen stellen Ideen gewaltfreier Verteidigung

---

303 Zur normativen Seite des Problems aus der Sicht des Verfassers siehe: Katholische Soziallehre und Revolution, in: Jahrbuch für christliche Sozialwissenschaften, Bd. 10, Münster 1969, 197-233.

304 Die Idee des Friedens, 11 f.

bis sozialer Verteidigung dar, die im Übergang auch mit militärischen Kampftaktiken gepaart gedacht werden.[305]

Hier haben auch kirchliche Kreise ihr Maß Anteil an der Entwicklung bzw. haben sie die Herausforderung der Stunde gespürt. Kreise der Wissenschaft, sonst oft rein pragmatisch denkende Träger der militärisch-technischen Innovationen, spielen heute auch eine große Rolle bei der Information der Öffentlichkeit über Ausmaß und Folgen des Krieges oder sind selbst Aktivisten der Friedensbewegung. Das Echo in der engagierten Jugend ist bedeutend. Die Publikationen allein in der katholischen Moraltheologie und in der katholischen Soziallehre haben zum Thema sehr zugenommen. Politische Großparteien müssen ihre sicherheitspolitischen Konzepte neu überdenken. Analoge Vorgänge in totalitären Systemen lassen sich freilich meist nur vermuten. Zugleich bedeutet das aber, daß die mit dem Frieden als Überlebensfrage der Menschheit heute gestellte Aufgabe, den Krieg als Völkermord abzuschaffen und politisch realistische andere Wege des Selbstschutzes und der Konfliktregelung zu finden, politisch und völkerrechtlich ansteht. Mit der Formulierung Kardinal Franz Königs z. B., Atomkrieg sei kein Krieg,[306] ist völkerrechtlich noch wenig gesagt. Was sagt aber das Völkerrecht wirklich zum Schrecken eines auch nur begrenzt gedachten Atomkriegs und seiner Folgen? Das Abschreckungssystem durch Gleichgewicht der militärischen Kräfte hat für Europa bis heute funktioniert. Aber über seinen Ersatz als moralische Forderung zu sprechen, kann nicht verantwortungslose Destabilisierung bedeuten, sondern notwendige Herausforderung an die Rechtsentwicklung.

Darum scheint es notwendig, einige Hinweise zur Funktion und Bewertung von Friedensbewegungen im Rahmen der Bemühungen um den Völkerfrieden zu geben, sind doch die Aufgaben dieser durchaus gegenüber der internationalen Politik gegeben. Zum Unterschied der vom Gemeinwohl ständig legitimierten politischen Instanzen in der Sorge um Friedenspolitik, den Regierungen und den diese kontrollierenden, nach den Verfassungen bestehenden souveränen Einrichtungen, zum Unterschied von für die sittliche Ordnung und ihrer Vermittlung im Volke mit zuständigen geistig-kulturellen Trägern und Kräften der öffentlichen Gewissensbildung wie die Kirche oder Religionsgemeinschaften, ist eine Friedensbewegung eine im gesellschaftlichen Raum wirkende freie Vereinigung nach dem Bürgerrecht auf Koalition.

Sie richtet sich nach den besonderen Interessenformulierungen zugunsten des Friedens ihrer Mitglieder und den Erfordernissen einer Zeit. Sie kann als

---

305 Vgl. Andreas Maislinger, Politische und rechtliche Fragen an die „Spannocchi-Doktrin", in: Wiener Blätter zur Friedensforschung, Nr. 22/23, Dezember/Jänner 1979/80, 55-62.

306 Vgl. Frankfurter Allgemeine Zeitung vom 3. März 1982, Nr. 52, 10.

Interessenverband wirken, vorübergehend oder auf längere Sicht, je nach der speziellen Zielsetzung. Ihre Selbstbezeichnung als Friedensbewegung muß sich aber Kriterien der gesellschaftlichen Beurteilung und Kritik unterwerfen. Welche sind diese? Bei der Weite des Friedensbegriffs können es durchaus Teilziele sein, sofern sie nicht mit den Kerngedanken des Friedens in Widerspruch stehen. Solche sind zunächst Ziele der Kriegsverhinderung und des weiteren bestimmte Vorstellungen für die Gestaltung und Entwicklung des Zusammenlebens der Völker durch Abbau von Kriegsursachen und Aufbau von Mechanismen und Kräften (auch geistigen) der Konfliktregelung im allgemeinen und besonderen. Folglich haben Friedensbewegungen zumeist auch einen weltanschaulichen (anthropologischen und sozialen) Hintergrund und stehen in Verbindung mit anderen gesellschaftlichen Zielen bis zu Vorstellungen der rechtlichen Verfassung der Völkergemeinschaft. Andererseits haben viele Weltanschauungen oder Ideologien einen Bestand an internationalen Werten und Zielen. Je nach diesem Hintergrund können Gesamtkonzepte des Weltfriedens bestehen oder nur regionale oder auf bestimmte Konflikte bezogene Vorstellungen vertreten werden.

Entscheidend für die kritische Beurteilung des Konzeptes einer Friedensbewegung ist es, ob sie einen offenen und positiven Friedensbegriff vertritt, der auch den Frieden der anderen Seite berücksichtigt und die Basis menschlicher Grundrechte für alle anerkennt.

Es ist auffällig, daß in der Welle der neuen Friedensbewegung kaum traditionelle Friedensbewegungen mit Ausnahme derer aus der kommunistischen Tradition — die bürgerliche Friedensbewegung war praktisch ausgelaufen,[307] die christliche hatte wenig Massenwirkung — bemerkbar sind. Sonstige gesellschaftspolitische Gruppen wie Parteijugenden oder neue Initiativen auch aus dem Bereich ökologischer Alternativbewegungen oder kirchliche Organisationen waren die Kerne dieser neuen „Friedensbewegung", die einzeln meist gar nicht diese Namensbezeichnung führen müssen. Hier muß gefragt werden, ob die Zielsetzung Friede sich mit dem Gesamtkonzept der Gruppe verbinden läßt oder ob nicht der Friede als Aufhänger für andere Ziele herhalten muß. Diese anderen Ziele können direkt dem Frieden entgegengesetzt sein, z. B. durchaus gewaltsame gesellschaftsverändernde Taktiken einbeziehen, oder können sich auf die Dauer gegenüber dem Friedensziel als dominant erweisen. So ist zu fragen, ob die bedingungslose Bindung einer Friedensbewegung an eine bestimmte Politik eines Staates oder einer Partei dieselbe nicht kritiklos und für den wahren Frieden eher gefährlich erscheinen läßt, ob also nicht oft auch ein Mißbrauch des Namens Friedensbewegung in Wirklichkeit vorliegt.

---

[307] Vgl. Beatrix Kempf, Beginn und Geschichte der bürgerlichen Friedensbewegung 1815-1918, in: Wiener Blätter zur Friedensforschung, Nr. 24/25, Juli/August 1980, 67-73.

Wenn als Funktion der Friedensbewegung die Förderung des internationalen Friedens feststeht, wenn weiter feststeht, daß der Raum der Tätigkeit ergänzend und befördernd neben den für das Gemeinwohl bestehenden politischen und sittlichen Kräften ist, wendet sich eine Friedensbewegung an die öffentliche Meinung im allgemeinen und die genannten Träger im besonderen. Ihre ordentlichen Mittel sind die Verbreitung von Gesinnung, von Ideen und Vorschlägen für den Frieden und die Durchsetzung dieser mittels friedlicher politischer Methoden, durch Überzeugen also. Gerade Information und Mobilisierung der Öffentlichkeit erweisen sich als Weg, um auch an die die Politik gestaltenden Kräfte heranzukommen. Die Existenz eines Pluralismus von Friedensbewegungen ist geradezu ein Zeichen für eine freie und offene Gesellschaft.

Friedensbewegungen können eine geistige oder organisatorische Nähe besonders zu politischen Parteien, Weltanschauungen, Religionen oder Kirchen haben, ohne aber mit diesen Gemeinschaften ident zu sein, da diese ihre eigenen Zwecke haben, zu denen in verschiedener Weise durchaus auch die Sorge und der Dienst am Frieden gehören kann. Die Friedensbewegungen können in diese hinweinwirken und können ihrerseits von ihnen Impulse empfangen.

2.5.4. Zur Ethik von Friedensbewegungen im einzelnen

Abschließend sei noch eine Reihe sittlicher Forderungen an die Friedensbewegungen für ihr Verhalten formuliert:

1. In der Entwicklung der öffentlichen Meinung für die Werte des Friedens kommt den Friedensbewegungen eine wichtige Aufgabe und Verantwortung zu. Daher ist die Beteiligung an Friedensbewegungen sehr wichtig und zu fördern.[308]
2. Der Tätigkeit der Friedensbewegungen kommt heute angesichts des geringen Fortschritts der politischen Kräfte zur Friedenssicherung neue

[308] In dieser Funktion sieht Heinrich Schneider die Friedensbewegung vor allem als produktiv an, wenn sie die bisherigen „Kalkulationsgewohnheiten" — und zwar auf beiden Seiten! — der hochgerüsteten Parteien im Abschreckungssystem der gegenwärtigen Lage „verunsichern" und ein friedenspolitisches Umdenken einleiten können. Die Ausgewogenheit von Friedensappellen aus kirchlichen Kreisen, die keinen einseitigen Interessen eines militärischen Machtblocks entsprechen würden, erscheint ihm ein Merkmal eines solchen Beitrags zur allgemeinen „Metanoia". Friedensbewegung müßte die Einstellung beider Seiten zu ändern trachten! Vgl. seinen Artikel Probleme der Friedenssicherung heute, in: Gerechtigkeit, Freiheit, Friede, hrsg. von Paulus Gordan, Graz 1983 (93-130), 127 ff.

Aktualität und Wichtigkeit zu. Die Mitarbeit für Frieden in Wahrheit und Gerechtigkeit ist eine Pflicht aus der sozialen Liebe und der sozialen Gerechtigkeit gegenüber der Menschheit für jedermann.

3. Das Friedensproblem ist mit sittlich-religiösen Wertfragen verbunden. Daher haben die Friedensbewegungen die Kompetenz zur Verkündigung solcher Werte durch religiöse Einrichtungen und die Kirchen für ihre Gläubigen zu respektieren, bzw. stellen sie zwar im Bereich der Moral eine Kraft öffentlichen Gewissens dar, haben aber kein Monopol in der öffentlichen Meinungsbildung für den Frieden.
4. Der Anspruch, Friedensbewegung zu sein, muß durch die jeweils vertretenen Ziele der Bewegung gerechtfertigt werden, welcher Friede und mit welchen Mitteln der Friede erreicht werden soll. Die Problematik des Friedensbegriffs und des Sprechens von Frieden kann nur ethisch wertend und im Kontext des Völkerrechts gelöst werden.
5. Da die moderne Friedensbewegung ihren Zulauf aus Kräften und Bewegungen mit bestimmten gesellschaftspolitischen Zwecken hat, darf das Friedensziel, das hier hinzukommt, zumindest nicht im Widerspruch zur anderen Zielsetzung stehen oder als taktischer Vorwand dafür benützt werden.
6. Neue Ideen, Argumente und die Sensibilisierung und Mobilisierung der öffentlichen Meinung sind die Wege zur Durchsetzung der Ziele einer Friedensbewegung, die — ausgenommen den Fall aktueller höchster Gemeinwohlnot und folglicher Aktion nach dem Widerstandsrecht gegen eine Politik der Kriegsabenteuer — mit den verfassungsmäßigen oder völkerrechtlichen Mitteln der politischen Willensbildung innerstaatlich und in der Völkergemeinschaft vorzugehen hat.[309] Den Frieden zu sichern, liegt in der politischen Kompetenz der legitimen Organe. Ein Anwendungsfall und zugleich oft Auslöser von Friedensbewegungen ist der Waffenexport oder die Produktion von Massenvernichtungswaffen und deren Verhinderung. Wenn diese als unsittlich erkannt werden, können die Mittel der Verhinderung bis zum Streik und unter Umständen bis zum Widerstand reichen, sofern dies international geschieht und nicht das Gleichgewicht entscheidend für einen ebenfalls als potentiell zu betrachtenden Angreifer verändert wird.
7. Solange die Politik ihrer Gemeinwohlorientierung genügt und legitimiert erscheint, gehört ihr der Primat vor der Friedensbewegung, insbesondere, wenn diese eine Minderheitsposition einnimmt.
8. Friedensbewegungen sind selbst zur inneren Demokratie und Offenlegung ihrer geistigen Bindungen und organisatorisch-materiellen Verhält-

---

[309] Vgl. Carl-Dieter Spranger, Inwieweit sind Ziele und Perspektiven der deutschen „Friedensbewegung" grundgesetzkonform?, in: Beiträge zur Konfliktforschung 2/84, 5-21.

nisse oder Abhängigkeiten verpflichtet. Dies gilt im besonderen auch, wenn die betreffende Friedensbewegung dem Frieden verwandte oder auch andere Ziele verfolgt, wie z. B. Menschenrechte oder eine bestimmte Gesellschaftsordnung. Die Vereinbarkeit der Zielsetzungen unterliegt dann auch dem Urteil der öffentlichen Meinung.

9. Besondere Merkmale einer Friedensbewegung wären allgemein ihre integrative Kraft zur nationalen und internationalen Zusammenarbeit mit anderen, im einzelnen ihre Dialogfähigkeit,[310] ihre Achtung vor den Freiheits- und Menschenrechten, ihre im Grunde friedliche Praxis und Kooperationsbereitschaft.

2.6. Die Dynamik der Rechtsidee

Die Bedeutung von subjektiven Rechtsüberzeugungen für die Entstehung von Völkergewohnheitsrecht haben auch strenge Rechtspositivisten wie Hans Kelsen[311] schließlich anerkannt. „Nach der heute im Völkerrecht herrschenden Lehre wird Völkergewohnheitsrecht in der Regel durch eine gleichförmige Übung mit *allmählich hinzutretender Rechtsüberzeugung* gebildet."[312] Jedenfalls ist die Tatsache und die Wirkkraft eines gesellschaftlichen Rechtsbewußtseins eine allgemeine kulturelle Tatsache, die eine besondere Bedeutung in den Räumen hat, wo es noch genügender positiver Normierungen ermangelt, wie in Bereichen der Völkergemeinschaft. Die Frage nach der in der Kultur- und Rechtsgeschichte der Menschheit bewiesenen Kraft und kritischen Ausrichtung auf Gerechtigkeit und Billigkeit (in Ermangelung positiver Rechtsregelungen) dieses Rechtsbewußtseins in seinem Ursprung ist ein wichtiges Argument für die Annahme eines sittlichen Rechtsgewissens, eben des Naturrechts.[313] Als konkretes Beispiel sei auf die Entwicklung des traditionellen ius gentium hingewiesen, das sich (als se-

---

310 „Soll es nicht zum ‚Krieg' der verschiedenartigen Friedens-‚Kämpfer' untereinander... kommen", müsse ein Dialog stattfinden, den Valentin Zsifkovits auch „Dialog der Friedens-Kämpfer" nennt. „Intoleranz und Diskriminierung Andersdenkender in Sachen des Friedens" seien sicher nicht friedensfördernd. Sicherung des Friedens, in: Die neue Ordnung 5/82 (372-382), 381.

311 Vgl. Principles of International Law, hrsg. v. Tucker, ²1966, 450 f., zit. bei Alfred Verdross, Bruno Simma, 277.

312 Alfred Verdroß, Bruno Simma, 277.

313 Vgl. Johannes Messner, Das Naturrecht, 368. Ebenso argumentiert eindrucksvoll der bedeutendste polnische Naturrechtsvertreter Czesław Strzeszewski für das Naturrecht als Basis des Völkerrechts (Katolicka Nauka Społeczna, Warschau 1985, 549 ff.)

kundäres Naturrecht verstanden) historisch entwickelt hat zu Rechtsprinzipien, wie sie heute mit den Menschenrechten vorliegen, die sich zumindest erklärtermaßen nun allgemeiner Anerkennung erfreuen. Dabei mußten viele zeitbedingte Irrtümer dieser Fassung des Naturrechts, wie die Beurteilung der Sklaverei, erst überwunden werden. Ein wachsender Bestand des Rechts und die Kraft der Selbstkorrektur von Irrtümern und der Erneuerung weist hier auf die dem Rechtsbewußtsein immanente Kraft zum Fortschritt hin als Ausdruck des Rechtsgewissens. Im besonderen hat der Richter im Rechtsbewußtsein Ansehen, und wird seiner Tätigkeit eine rechtsschöpferische Aufgabe zuerkannt, insbesondere im Falle der Höchstgerichte.

Nun wäre das Rechtsgewissen allein nicht ausreichend, den subjektiven Irrtum zu verhindern. Erst seine Einbettung in eine Rechtsgemeinschaft auf einen längeren Zeitraum hin, kann in Richtung der Überwindung von Rechtsirrtümern führen. Dieses damit berufene, kulturell und sozial wirkende Rechtsethos, letztlich der ganzen Menschheit, drängt in die rechte Richtung. Dieses Rechtsethos ist ja gebunden an eine Naturverfassung des Menschen, der ein Bestand an unveräußerlichen Rechten des Menschen entspricht gemäß seinen existentiellen Zwecken. Das Rechtsethos erstreckt sich so auch auf soziale institutionelle Einrichtungen und deren Rechtsstatus hinsichtlich ihrer sachlichen Entsprechungen. Man denke etwa an das Institut des privaten Eigentums und des Eigentumsrechts, das sich dann durch seine Sachrichtigkeit, also gemäß der Natur der Sache auszuweisen hat und somit vom Rechtsbewußtsein her überprüfbar ist.

2.6.1. Das Rechtsethos in der Völkergemeinschaft

Die gegenwärtige geistesgeschichtliche Entwicklung kennzeichnet das Ende der Vorherrschaft des Meßbaren, des Empiriebegriffs der Naturwissenschaften für die Sozialwissenschaften und die Rückbesinnung auf für den Menschen konstitutive Eigenschaften, seine Personwürde und sittliche Verantwortlichkeit. Die folgliche Abkehr von nur quantitativen Beobachtungsgrößen rehabilitiert die ethische Sicht für Fragen nach dem Recht und der Gerechtigkeit im Sozialen und die verantwortliche Stellung des Einzelnen in der Gemeinschaft. Damit wird der Blick frei für eine nicht nur positivistische Sicht der gesellschaftlichen Entwicklung.[314]

Die Tatsache des wachsenden Bewußtseins von den Menschenrechten und der hier wirksamen Dynamik läßt sich letztlich nur durch die sittliche Erklärung dieses Wissens begründen, daß nämlich über den Weg von „trial and error" Karl R. Poppers hinaus das Gewissen, näherhin das Rechtsgewis-

[314] Vgl. Friedrich H. Tenbruck, Die unbewältigten Sozialwissenschaften oder die Abschaffung des Menschen, Graz 1984.

sen des Menschen, am Werke ist. Diese positiv gerichtete Dynamik[315] in der Geschichte der Menschheit ist ein geistiges Erbe, das als Rechtsethos auch in der Völkergemeinschaft letztlich den Menschen Subjekt der Entwicklung sein läßt, auch gegebenenfalls zu Zeiten und manchen Orts gegen herrschende Strukturen, die das Ergebnis von Ungerechtigkeit sind.

Abgesehen vom wachsenden Bestand der Erkenntnis der Menschenrechte, wenn auch mit diesen im Zusammenhang, zeigt sich, daß jede politische Macht und ihre Manifestation sich auch im internationalen Raum auf ihre Legitimation befragt sieht. Seien es politisch Hegemonialansprüche, seien es Grenzziehungen zwischen Staaten als Ergebnis von Machtausübung oder seien es wirtschaftliche oder kulturelle Expansionsbestrebungen, ein geschärftes Rechtsbewußtsein der Menschheit fordert kritische Beachtung. Realpolitik im Sinne von reiner Machtpolitik steht vor den Schranken des Rechts als Bewußtseinswirklichkeit, dessen Durchsetzung freilich eine wechselvolle Geschichte aufweist. Das Forum des Rechts als gesellschaftliche Kraft ist jedenfalls nicht nur ein rein inneres Rechtsforum des einzelnen Gewissens, sondern auch eine Kraft und ein Gut des gesellschaftlichen Gemeinwohls und seiner sittlich-rechtlichen Dimension.

Rechtsidee und Rechtsethos sind keine abstrakten Größen. Sie wirken in der Rechtsentwicklung hin auf das richtige Recht, was besonders im Fluß der Rechtsfindung, später der Rechtskritik zum Ausdruck kommt. Gerade innerhalb der Völkergemeinschaft wird dies mangels einer gesetzgebenden übernationalen Autorität deutlich, wie es bereits oben mit der Erwähnung des Völkergewohnheitsrechts bemerkt wurde. Mit dem Vorliegen einer als Recht allgemein anerkannten Übung wird von einer Norm des allgemeinen Völkergewohnheitsrechts gesprochen.[316] Nach der geltenden Lehre des Völkerrechts bedarf es zur Erzeugung der Norm sowohl des objektiven Elements der intensiven allgemeinen Übung in der Praxis der Staaten als auch der subjektiven Rechtsüberzeugung, der opinio iuris sive necessitatis, damit also ein „Recht" vorliege. Alfred Verdroß und Bruno Simma setzen sich dabei mit dem Einwand auseinander, das Rechtsbewußtsein sei ein „innerseelisches Erlebnis, das eine juristische Person wie der Staat nicht haben könne". Die Organe, die für den Staat handelnd, das Völkerrecht anzuwenden haben, seien aber Menschen, um ihr Rechtsbewußtsein handle es sich. Von uns aus wäre noch hinzuzufügen, daß das Rechtsbewußtsein dieser Menschen dem Rechtsethos einer Gesellschaft allgemein angehört,

---

[315] Erst so wird aus irrationalen Trieben nach Macht wie ebenso aus geistigen Versuchungen, Macht zu mißbrauchen, die negative Dynamik der Macht im gesellschaftlichen Leben bis zur Staatengemeinschaft auch deutlich als widersittliche Macht und Macht des Bösen. Vgl. dazu Gerd-Klaus Kaltenbrunner, Wehe den Machtlosen! Eine dringende Klärung, München 1984.

[316] Nach Alfred Verdroß, Bruno Simma, 279.

das vielfach zum Ausdruck seiner Überzeugung auch in völkerrechtlichen Fragen kommt, als Teil des Menschheitsethos insgesamt.

Beispiele für Entstehung von Normen des Völkergewohnheitsrechts bringen die genannten Autoren eine ganze Reihe. Sie verweisen ebenso am Beispiel der Deklarationen der Generalversammlung der OVN auf den wechselhaften Zusammenhang von Rechtsüberzeugung und Praxis beim Entstehen dieser Normen des Völkerrechts, ob zuerst nämlich eine Rechtsüberzeugung vorliege, die dann durch die Praxis bestätigt würde, oder zu einer Übung später die opinio iuris hinzukomme.[317]

Zurecht zieht Johannes Messner das Beispiel der Geschichte des Völkerrechts heran als Erweis für die Richtigkeit der Naturrechtslehre und der Bedeutung des Rechtsbewußtseins der Menschheit in seiner Dynamik für die Entwicklung des Rechts in die Richtung der Werte und Ideale der Gerechtigkeit, hier der internationalen Gerechtigkeit: die Geschichte des Völkerrechts sei im Grunde doch „die Geschichte des vom Glauben an die Persönlichkeitswürde des Menschen und daher vom Glauben an sittliche Werte und Ideale getragenen Bestrebens, die Beziehungen zwischen den Staaten einer Ordnung zu unterstellen, die eben der sittlichen Natur des Menschen entspricht".[318] Träger dieser Rechtsdynamik ist in der Menschheitsgeschichte der Staat, dem als Gesellschaft besonders die Wahrung des Rechts zukommt. In der Staatengemeinschaft wirkt diese Rechtsdynamik auf eine einheitliche Rechtsgemeinschaft der Staaten hin wie es der Idee von Recht und seiner Aufgabe entspricht, neben der Vielheit von Rechten auf die Einheit des Rechts zu achten.

Ein weiteres Argument für die dynamische Wirkung des Rechtsbewußtseins auf die Durchsetzung der Gerechtigkeit, für die Kraft des Rechtsgewissens im staatlichen Leben, ist der Hinweis auf den Widerstandsfall gegen ungerechte politische Gewalt, auf das Widerstandsrecht als naturrechtliche Rechtsnorm.[319] Als politische Ordnungseinheit ist das Staatsvolk eine gesellschaftliche Größe, die kraft Naturrechts letzte Instanz für die Beurteilung der Erfüllung der Gemeinwohlpflicht der politischen Autorität im Staat ist. Vom Gemeinwohlzweck und seiner Erfüllung her stammt die letzte Legitimation politischer Gewalt und deren institutioneller Ausgestaltung. Sie ist also an den Rechtswillen des Staatsvolkes gebunden.[320] Daher kennt die Naturrechtslehre im Falle des Versagens der Regierungsgewalt und der bestehenden Rechtsordnung, die sich nur mehr als Unrechtsordnung dann

317 a.a.O., 396 f.

318 Das Naturrecht, 953.

319 Vgl. Johannes Messner, Das Naturrecht, 459.

320 Für den Fall einer Neuordnung des Staates durch Verfassungsänderung beruft sich Johannes Messner, a.a.O., 784, ausdrücklich auf den Rechtswillen des Volkes.

zeigt, den Fall der berechtigten Verfassungsänderung, bzw. des Widerstandsrechts und selbst der -pflicht.

Ist das Volk naturrechtlich aber letzter Träger der Staatsgewalt, dann ist dasselbe Volk vom Selbstbestimmungsrecht her auch befugt, über die faktisch bestehende internationale Abgrenzung der Staaten und ihrer souveränen Territorien zu befinden. Das Gut sicherer Grenzen bestehender souveräner Staaten ist ohne Zweifel nur dann in Frage gestellt, wenn schweres Unrecht am Ursprung solcher Grenzen vorlag und alle Wege friedlicher Entwicklung verschlossen blieben. Auch die Mittel, das Selbstbestimmungsrecht zum Durchbruch zu bringen, müssen angemessen sein und gültige internationale Verträge achten. Dennoch wäre am prinzipiellen Recht des Volkes, seine Herrschaft zu bestimmen, festzuhalten. Ein Beispiel sei die Spaltung von Völkern und Staaten infolge gewaltsamer politischer Entwicklung von außen oder innen in mehrere oder wenigstens zwei Staaten. Hier besteht grundsätzlich ein Recht zur Wiedervereinigung. Ebenso kann es aber auch den Fall politischen Neuanfangs durch Staatenteilung geben im Rekurs auf das Selbstbestimmungsrecht.

Ein weiteres eindrucksvolles Beispiel für die positive Dynamik des Rechtsbewußtseins im internationalen Raum ist das immer besser neuestens erfaßte internationale Verbrechen gegen das Lebensrecht eines Volkes. Zuerst wurde diese Idee verwirklicht in Form eines internationalen Gerichts gegen die Schuldigen am Zweiten Weltkrieg in den Nürnberger Prozessen gegen die Kriegsverbrecher aus Hitler-Deutschland. Trotz Einseitigkeiten und Mängel in der Durchführung stellen die Prozesse einen Rechtsfortschritt dar, Kriegsverbrechen aufzudecken und vor einem internationalen Forum zu bestrafen.[321] Die rechtliche Basis ist im Naturrecht zu suchen. Aktuell hat sich im Völkerrecht der Völkermord heute als delictum iuris gentium erwiesen. Es werden weitere solcher Delikte heute bereits erkannt, z. B. die Luftpiraterie.[322] Dies alles hat bei Bewußtwerden eine Dynamik auch zur positiv rechtlichen Fassung und tatsächlichen strafrechtlichen Verfolgung ausgelöst.

---

[321] Mit dem Problem der Sicherung des Weltfriedens durch Recht und Gesetz unter Strafandrohung gegenüber einzelnen Politikern und Staatsmännern heute unter Verweis auf diesen ersten internationalen Militärgerichtsprozeß in Nürnberg befaßt sich in Verbindung mit Überlegungen, welche Voraussetzungen zu einem wirksamen Völkerstrafrecht erforderlich sind, um Willkür der Sieger möglichst auszuschließen, Eberhard Schepple, Das Verbrechen gegen den Frieden und seine Bestrafung, Unter besonderer Berücksichtigung des Grundsatzes „nulla poena sine lege", Frankfurt 1983.

[322] Vgl. Alfred Verdroß, Bruno Simma, 224 f.

2.6.2. Das Recht auf Frieden

Besonders beim Friedensvölkerrecht läßt sich seit den Haager Konferenzen beobachten, daß sich auch das positive Völkerrecht unter dem Einfluß des wachsenden Rechtsbewußtseins der Menschheit entwickelt. Ein universales Recht der ganzen Menschheit, das Recht der Völker und damit jedes Menschen dieser Erde, in einer Zeit des Friedens zu leben, ist heute wachsend im Bewußtsein der Menschen.[323] Es kann sich, wie bei allen sozialen Menschenrechten, nur um einen verbindlichen Auftrag an die Regierungen der Staatengemeinschaft handeln, den internationalen Frieden wirksam zu sichern und jeden Krieg ebenso wirksam zu ächten. Dem Recht auf Frieden entspricht die Pflicht, den Frieden zu sichern, insbesondere durch Beseitigung der Kriegsursachen und durch allseitige Friedensförderung.

Nach der marxistisch-leninistischen Theorie der Menschenrechte freilich hängen diese, also auch und zuerst die sozialen Rechte vom Gesellschaftssystem wesentlich und erstursächlich ab. Das Rechtsbewußtsein wäre letztlich das Ergebnis der gesellschaftlichen Entwicklung, das Menschenrecht auf Frieden entsteht durch den weltweiten Sieg des sozialistischen Internationalismus. Doch allein die Dynamik des Rechtsbewußtseins um den Frieden in allen Staaten und Systemen heute beweist seine geistige Kraft *vor* allen materiellen Voraussetzungen. Der Mensch vor der Sinnfrage der Geschichte kommt kraft seines Rechtsgewissens im Horizont der Weltgesellschaft von heute, auch angesichts verschiedener politischer Ideologien und Systeme, zur Erkenntnis, daß Friede ein Menschenrecht ist.[324] Wieweit hier das Sollen Rechtsgestalt in dieser Weltordnung bereits angenommen hat, ist wohl die vordringlichere Frage als die Entscheidung der rechtsmetaphysischen Ursachenfrage dieses faktisch wirksamen Menschenrechts auf Frieden und dessen fortschreitende Sicherung.

---

[323] Ausdrücklich genannt findet sich „das Recht aller Völker der Welt, im Frieden zu leben, frei von Furcht und Not" in der Präambel der japanischen Verfassung von 1946. Vgl. Yasuhiko Saito, Japan and Human Rights Covenants, in: Human Rights Law Journal, Vol. 2 (1981), 79-107.

[324] Christian Tomuschat, Recht auf Frieden, in: Europa-Archiv 9/1985, (271-278), 278, sieht im „Recht auf Frieden" nur höchstens „eine Appellfunktion" gegeben, die „Schaffung von Systemen kollektiver Sicherheit zu beflügeln". Man müsse sich aber jedenfalls bewußt sein, „daß mit dem Recht auf Frieden die menschenrechtliche Dimension verlassen ist, weil der Einzelne nicht Träger eines solchen Rechts sein kann". Trotzdem gibt der Autor eine gewisse aktuelle Verpflichtung der Supermächte als Grund an, die ein solches „Recht" an die Staaten bedeuten würde, nämlich den Auftrag, die gesamte Menschheit vor dem Untergang zu bewahren. Man sieht hier deutlich, daß eine strikt internationalistische Auffassung der Menschenrechte den sozialen Bezug auf das Gemeinwohl bis zum Weltmaßstab letztlich nicht leugnen kann, sondern nur die Rechtsdimension dem abzusprechen versucht. Dies erscheint uns willkürlich und gegen die Entwicklung diesbezüglichen Rechtsbewußtseins der Menschheit.

Kant sah in seiner Schrift zum ewigen Frieden in der Idee eines Weltbürgerrechts die „notwendige Ergänzung... sowohl des Staats- und Völkerrechts zum öffentlichen Menschenrecht überhaupt, und so zum ewigen Frieden".[325] Wenn zu einem solchen Weltbürgerrecht noch heute die Voraussetzungen fehlen, ist doch die Anerkennung universeller Menschenrechte im Schoße der heute existierenden Weltorganisation der Vereinten Nationen eine Tatsache und ebenso die Anerkennung des wesentlichen Konnexes dieser Rechte für die Erhaltung des Friedens. Ein eindrucksvolles Zeugnis ist u. a. das Prinzip VII aus dem 1. Teil der Schlußakte der Konferenz für Sicherheit und Zusammenarbeit in Europa vom 1. 8. 1975 in Helsinki: „Die Teilnehmerstaaten anerkennen die universelle Bedeutung der Menschenrechte und Grundfreiheiten, deren Achtung ein wesentlicher Faktor für den Frieden, die Gerechtigkeit und das Wohlergehen ist, die ihrerseits erforderlich sind, um die Entwicklung freundschaftlicher Beziehungen und der Zusammenarbeit zwischen ihnen sowie zwischen allen Staaten zu gewährleisten."

Gerade beim Menschenrecht auf Frieden wird heute die Spannung sichtbar zwischen den zwei unterschiedlichen Traditionen der Menschenrechte im internationalen Raum, der freiheitlich-individualistischen und der sozialistisch-kollektivistischen Auffassung. Von einem Menschenrecht auf Frieden sprechen vor allem die von der marxistischen Ideologie bestimmten sozialistischen Staaten, die die sozialen Grundrechte von ihrem Gleichheitsbegriff her bevorzugen und individuelle Freiheitsrechte ohne gesellschaftliche Basis als formal und abstrakt auffassen. In der politischen Ideengeschichte jedoch entstanden zuerst die bürgerlichen Freiheitsrechte als Abwehrrechte gegen den absoluten Staat und später erst entwickelte sich das Netz der staatlichen sozialen Wohlfahrt, nicht als Ablöse, sondern als notwendige Ergänzung. Sozialphilosophisch besteht ein innerer Zusammenhang[326] zwischen den individuellen und den sozialen Freiheits- oder Menschenrechten, wenn Individual- und Sozialnatur in einem Spannungsverhältnis gesehen werden, beide aber in der Menschenwürde der einen menschlichen Person beruhen. Die Klammer dafür, daß die individuelle Befreiung des Menschen nicht wieder in einseitige Abhängigkeit der Menschen von Menschen ausartet, liegt in der Verhinderung des Freiheitsmißbrauchs durch das sittliche Freiheitsbewußtsein und nicht in der Annahme der unfehlbaren befreienden Wirksamkeit des gesellschaftlichen Fortschritts mittels eines Kollektivs als Agens, nach dem Marxismus mittels des Proletariats bzw. der klassenlosen Gesellschaft. Johannes Schwartländer faßt dies folgend zusammen: „Der

[325] Gesammelte Werke, Bd. VIII, Berlin 1923, (340-386), 357.

[326] Vgl. Arno Anzenbacher, Zur philosophischen Problematik der Menschenrechte (1), in: Wiener Jahrbuch der Philosophie, hrsg. von E. Heintel, XII, Wien 1979, (124-152), 125.

Kampf um die Menschenrechte redet von der vielfachen Bedrohung der Freiheit durch fremde Gewalt, und er redet zugleich von der Gefährdung der Freiheit durch die eigene Freiheit."[327]

John Locke hat — trotz seines Empirismus noch in der christlichen Naturrechtstradition stehend — in seiner Trias der Menschenrechte: Leben, Eigentum und Freiheit, das Recht auf Leben an die Spitze gesetzt. Der Respekt vor der Freiheit beginnt beim Leben des Menschen. Dieses Recht auf Leben ist immer auch ein Recht auf *menschenwürdiges* Leben und wendet sich zugleich an alle Rechtsgenossen der Gattung Mensch. Vom Freiheitsbewußtsein in seiner materialen Füllung als Lebensrecht aller Menschen folgt die Erkenntnis der sozio-ökonomischen Rechte wie der politischen und kulturellen Rechte im einzelnen als Freiheitsrechte zu ihrer Sinnbestimmung hin im Dienste des Menschen[328] und daher ebenso als Menschenpflichten.[329]

Auch nach René Marcic ist die allgemeine Erkenntnis der Menschenwürde, unverlierbar für alle Menschen so lange sie leben, die Voraussetzung für die Menschenrechte: „wenn ausnahme- und unterschiedslos alle Menschen Rechtsgenossen sind, ... wenn sie begreifen, daß das Recht alle Menschen allezeit und bruchlos erfaßt, ... erst dann werden Einheit des Menschengeschlechtes und Menschenrechte ins Werk gesetzt."[330] Am Anfang der Menschenrechte steht die Menschenwürde. Hier liegt auch ideengeschichtlich das unverlierbare Verdienst des Christentums, in Verbindung mit der humanistischen Tradition der antiken griechischen Philosophie die neuzeitliche Menschenrechtsentwicklung ermöglicht zu haben. Deren Rezeption wieder in das katholisch-kirchliche Denken ist den letzten Päpsten besonders zu danken, Johannes XXIII. mit der Enzyklika Pacem in terris (1963) und zuletzt Johannes Paul II. in seiner Antrittsenzyklika Redemptor hominis (1979).

Das Recht des Menschen auf Leben in Menschenwürde als universelles Prinzip läßt sich auf die sozialethische Grundnorm der Goldenen Regel

---

[327] Modernes Freiheitsethos und christlicher Glaube, München-Mainz 1981, 13.

[328] Dieses Verständnis findet sich eindrucksvoll wiedergegeben im Dokument der römischen Bischofssynode von 1974, abgedruckt in der Herderkorrespondenz 12/1974, 624-625.

[329] Die „Vorstellung von Rechten und Pflichten zeigt, daß die Idee der Menschenrechte aus einer älteren Auffassung von *Menschenwürde* hervorgeht, die noch immer die ‚regulative Idee' der Menschenrechtstheorie bildet". So Peter Koslowski, Die Universalität der Menschenrechte und die Einzigartigkeit der Kulturen, in: Stimmen der Zeit, 10/1984, (701-714), 707.

[330] Menschenpflichten, Eine Gedanken- und Systemskizze, in: Internationale Festschrift für Alfred Verdroß, München-Salzburg 1971, (221-257), 244. Vgl. auch Johannes Messner, Was ist Menschenwürde? in: Internationale katholische Zeitschrift 3/1977, 233-240.

zurückführen: was Du nicht willst, das Dir die Menschen tun, das füge auch Du ihnen nicht zu! Die Evidenz dieses Satzes als Ergebnis sittlicher Erfahrung hat J. Messner[331] in seiner Naturrechtsbegründung in Verbindung mit dem Heranwachsen des Menschen in der Familie hervorgehoben. Der erste Ort, wo dem Menschen das Grunderlebnis des Rechts widerfährt, ist die Familie. Schon als Kind erlebt er das Rechtsgut von Autorität, nämlich die Autorität der Eltern. Aber er nimmt diese Autorität in der Folge nicht einfach blind an. Er fragt, ob diese Autorität begründet ist, und sieht später ein, daß es Autorität und Rechtsregelung geben muß. Er erkennt zugleich aber auch seine Eigenrechte, beginnend mit der Unverletztlichkeit seiner Person. Die Werte von recht und unrecht, von sittlich gut und sittlich böse empfängt er kulturell tradiert und übt sich darin ein. Aber Erziehung ist immer Hinführung zur eigenen Überzeugung, deren erste Grundsätze als evident schließlich erfaßt werden.

So ist der Zugang zu evidenten Rechtssätzen für den Menschen in das Erlebnis seiner ersten sozialen Beziehungen im Kreise der Familie eingebettet. Das Rechtsgewissen, das jedem Menschen innewohnt, wird durch das soziale Zusammenleben in der kleinsten Zelle der Menschheit, in der Familie, zuerst lebendig und mit Inhalten als Rechtsgütern versehen, die, in ihrem Anwendungsbereich und mit neuen entsprechenden Inhalten erweitert, als gültig für die je größeren Gemeinschaften und schließlich für die gesamte Völkergemeinschaft erfaßt werden. So ist, vom kleinen Erfahrungsbereich kommend, das Rechtsgewissen und folglich das Rechtsbewußtsein die treibende Kraft. Das Wissen um Recht und Unrecht ist aber nicht in erster Linie sozial verursacht, in Klassenkämpfen gebildet oder ganz allgemein in einem historischen Prozeß entwickelt, sondern ist einfach der Menschheit als Gut gegeben, seit und solange es Menschen gibt. Mit dem immer stärker und wirksamer erlebten Zusammenleben der Völker heute in einer universalen Gemeinschaft wird dieses Rechtsbewußtsein aber immer wirksamer.

Dieser Zugang zu den Inhalten der Menschenrechte aus allgemeinmenschlicher Erfahrung ist der Schlüssel für die Durchsetzung der Menschenrechtsidee und ihrer theoretischen Fundierung in den nichteuropäischen Kulturen der Länder der Dritten Welt. Das den Menschenrechten zugrundeliegende universalistische Denken und seine kulturelle Ausformung begegnet hier traditionellen Stammeskulturen. Es wäre zuwenig, wenn als universales Gut der Einheit der mannigfaltigen Kulturen dem abendländischen Rechtsdenken mit diesen Traditionen nur ein abstraktes und formales Denken entspräche.[332] Die universale sittliche Idee vom Men-

[331] Das Naturrecht, 59 ff.

[332] Nach Peter Koslowski, 710, sei „die universalistische Kultur, die sich aus den Menschenrechten ... konstituiert, nicht überdeterminiert ... Sie läßt der Individualität nationaler und regionaler Kulturen genügend Freiraum." Daß dazu aber die

schen als Wesen mit unveräußerlichen Zuständigkeiten auf Grund seiner natürlichen Rechte gemäß der existentiellen Zwecke jedes menschlichen Wesens ist die Basis des Zusammenwachsens der verschiedensten Kulturen zu einer universalen Kultur der Menschheit, zu einer Synthese in der Mannigfaltigkeit.[333]

Ein Menschenrecht auf Frieden ist in den Katalogen der Menschen- und Freiheitsrechte nicht direkt enthalten, es erscheint aber als logische Folgerung aus den Grundfreiheiten mit dem Sozialauftrag an die Völkergemeinschaft, es zu definieren und zu begründen und Wege zu zeigen, wie es unter Beachtung realistischer sicherheitspolitischer Erfordernisse verwirklicht werden könne. Andererseits ist Beachtung der Menschenrechte durch die Staaten ein Kriterium ihrer Einstellung zum inneren wie ebenso zum internationalen Frieden. Dieser Friede ist ja durch einen umfassenden Wertbestand definiert, zu dem wesentlich die Verwirklichung von Gerechtigkeit und folglich die Herrschaft des Rechts vor Macht gehört.

Hierbei ist dem Einwand zu begegnen, eine bloße Rechtsdeklaration unter Berufung auf das entwickelte Rechtsbewußtsein heute wäre entweder eine Tautologie — etwa der Mensch habe ein Recht auf Recht — oder auch, daß es für dieses Recht als sozialen Auftrag keinen Adressaten gäbe, es also nicht der Sache selbst weiterhelfe, sondern eben die Friedenserhaltung politische Sorge der Staaten als internationale Akteure sowieso sei.

Für ein solches Menschenrecht auf Frieden könnte aber ins Treffen geführt werden:

1. Die naturrechtliche präpositive Tradition des Völkerrechts mit dem Ziel des gleichen Rechts und gleichen Friedens für alle Menschen und der Tendenz, die Souveränität der Staaten einzuschränken, ist unleugbar vorhanden. Anscheinend ist es auch rechtlich bedeutsam, von der zugrundeliegenden allgemeinen Menschenwürde immer wieder zu sprechen!

2. Tatsächlich hat auch das moderne Völkerrecht durch die Satzung der Vereinten Nationen mit dem Gewaltverzichtsgebot die Souveränität der Staaten zugunsten des Friedens und der Menschenrechte eingeschränkt.

3. Die Entwicklung eines humanitären Völkerrechts aus dem humanitären Kriegsbeschränkungsrecht heraus läßt auch den einzelnen Menschen mehr und mehr zum Subjekt des Völkerrechts werden.[334]

„universalistischen Prinzipien", wie der Autor meint, „notwendigerweise abstrakt und formal" sein müßten, ist für den Standpunkt eines dynamischen Naturrechts in bezug auf Raum und Zeit der Ausgestaltung des Inhalts der Menschenrechte im jeweiligen Kultur- und Rechtsraum nicht einzusehen.

[333] Vgl. Johannes Messners Begründung des Naturrechts.

[334] Vgl. Otto Kimminich, Schutz der Menschen in bewaffneten Konflikten, Zur Fortentwicklung des humanitären Völkerrechts, München 1979.

4. Aus den ersten beiden Punkten folgt, daß es sowohl naturrechtlich als auch bereits durch die Satzung der OVN ein Weltgemeinwohl der Völkergemeinschaft gibt und der Krieg immer mehr als Unrechtsakt im Rahmen der internationalen Rechtsordnung erkennbar wird. Tatsächlich findet sich ein „right to peace" unter Berufung auf die Satzung bereits öfter in Resolutionstexten der Vereinten Nationen, bzw. ihren Spezialorganisationen. So heißt es im Schlußbericht des Expertentreffens der UNESCO über Menschenrechte, Menschenbedürfnisse und der Einrichtung einer neuen internationalen Wirtschaftsordnung, die 1978 stattgefunden hat: „By virtue of the proclamation contained in the United Nations Charter to the effect that human rights and freedom shall be respected and the use of force prohibited, one of the basic rights of each individual is embodied in international law, namely, the right to peace."[335]

5. Für diese Entwicklung entscheidend ist heute die Erkenntnis, daß Friede mehr ist als der völkerrechtliche Zustand des Nichtkrieges, der Abwesenheit von Krieg, daß der Friedensbegriff material positiv als Wert, als Grundwert der ganzen Menschheit erkennbar wird, ohne den eben die individuelle wie die gesellschaftliche volle Lebensentfaltung der menschlichen Person nicht möglich ist.

6. Die Entwicklung von gesatzten Prinzipien im internationalen Leben, wie im 1. Teil (erster Korb) der KSZE-Schlußakte, zeigt diesen Vorgang der Versittlichung der eben auch Rechtswirkungen früher oder später auf die Staatengemeinschaft haben muß. Es dürfte heute angesichts der drohenden Massenzerstörung immer mehr einsichtig werden, daß nicht nur für den drohenden totalen Krieg, sondern auch für konventionelle und örtliche Konflikte das Verbot kriegerisch-gewaltsamer Konfliktlösung sittlich bindend besteht, damit aber auch die Pflicht, solche Situationen von den Ursachen her zu überwinden in der Folge des positiven Friedensbegriffs! Ein sittlich-rechtliches Primärprinzip tritt in das Bewußtsein der Menschheit, das (einmal erkannt) keines weiteren Beweises bedarf, also Evidenz für sich beanspruchen kann: Löse internationale Konflikte nicht kriegerisch! — oder anders formuliert: Halte Frieden! Tue alles für den Frieden! Dieses Prinzip ist nicht weniger allgemeingültig wie das Tötungsverbot, wenn es auch hier den Notwehrfall der kollektiven Selbstverteidigung gibt.

7. Sehr bedeutsam ist die Entwicklung des Friedensbegriffs auch dahin, daß es keinen für ein Gesellschaftssystem oder auch nur für einen Staat „geschlossenen Frieden" mehr gibt. Wir befinden uns in einem Prozeß der Entzauberung der Friedensideologien. Der Friede ist ein Gut der ganzen Menschheit geworden. Diesen Gedanken vom „offenen Frieden" hat in der

---

[335] UNESCO doc. SS-78/conf. 630/12 1978. Weitere Beispiele bringt Ph. Alston, Peace as a Human Right, in: Bulletin of Peace Proposals 4/1980, 319-330. Vgl. ferner Christian Tomuschat, 271 f.

Entwicklung der christlichen Tradition von Augustinus über Thomas v. A. bis zum II. Vaticanum Franz M. Schmölz gründlich herausgearbeitet.[336].

8. Weiter spricht für unsere These die Tatsache, daß heute für Waffenbesitz durch die Staaten immer mehr eine friedliche Legitimation gesucht wird und durch das Völkerrecht geboten erscheint. Damit tritt eine der „vier Freiheiten" in Roosevelts berühmter State of the Union-Botschaft von 1941 in den Blickpunkt, worauf Bert Röling wieder aufmerksam gemacht hat, nämlich die „Freiheit von Angst".[337]

Roosevelt folgerte damals daraus die Forderung nach weltweiter Reduktion der militärischen Rüstung in dem Maße, daß keine Nation irgendwo in der Welt mehr in der Lage sei, einen Akt physischer Aggression gegen irgendeinen Nachbarn zu begehen. Summer Welles, der damalige amerikanische Staatssekretär, drückte — weiter nach Röling — es noch klarer aus, indem er sagte, dies setze „die Abschaffung der Offensivwaffen und die Begrenzung sowie Reduktion der Defensivwaffen und der für ihre Herstellung notwendigen Rüstungsbetriebe voraus". Durch verschiedene Verträge (Antarktisvertrag, Verbot der Lagerung von Waffen auf dem Meeresgrund u. a.) gibt es heute bereits viele Unterzeichnerstaaten von Abkommen, die eine Begrenzung des „Rechts auf Waffenbesitz" anerkennen. Immer weniger logisch wird die Fortdauer der atomaren Rüstung zur Aufrechterhaltung des militärischen Gleichgewichts zwischen den Supermächten und den Paktsystemen. Dieses Gleichgewicht hat heute anerkanntermaßen nur einen *politischen* Zweck. Der Protest der kleinen Staaten aber, der „Kernwaffen-Proletarier", wie Bert Röling sich ausdrückt, gegen das atomare Wettrüsten wird immer bedeutsamer.

9. Das Prinzip der friedlichen Koexistenz wurde zuerst auf dem Boden einer politischen Ideologie geprägt, der zugleich Welteroberungspläne vorgehalten wurden. Inzwischen ist etwas Ideologie-Überschreitendes ins Bewußtsein getreten: daß es übersystemare universelle Interessen gibt, und daß man miteinander reden kann, also die Dialogfähigkeit des Partners und die Dialogmöglichkeit unter Menschen gegeben ist. Wer friedliche Koexistenz heute ernst meint, kann den ehrlichen Kompromiß zur Zusammenarbeit — vor sich selbst und mit einem Minimum von Vertrauen in den anderen — nicht mehr ablehnen. Er kann das Recht auf Frieden nicht an die Durchsetzung eines bestimmten ideologischen Friedensbegriffs weltweit gebunden sehen. Auch der innenpolitische Alleinanspruch einer Ideologie und politischen Organisation namens des Volkes und unter Diskriminierung

---

[336] Zweimal christlicher Friede, in: Franz M. Schmölz (Hrsg.), Christlicher Friedensbegriff und europäische Friedensordnung, München-Mainz 1977, 15-32.

[337] Das internationale Recht und das Recht auf Waffenbesitz, in: UNESCO Kurier, Nr. 9/1980 (20-24), 23.

ideologisch anders Gesinnter kann heute nicht mehr glaubwürdig durchgehalten werden, und schon gar nicht als Friedensliebe deklariert werden. Das Recht auf Frieden geht dem Sieg einer politischen Ideologie oder eines sozialen Systems bevor.

10. Dem Recht auf Frieden entspricht das Recht, im wohlgeordneten Gemeinwesen zu leben. Damit sind alle Dimensionen des Rechts und der Gerechtigkeit angesprochen, nicht zuletzt die internationale und nationale *soziale* Gerechtigkeit. Ähnlich wie beim Notwehrrecht der Selbstverteidigung eines Staates gegen ungerechte Angriffe im Falle des Versagens der internationalen Friedensordnung liegt hier das Problem der Gegengewalt gegen schwer unrechtmäßige soziale Verhältnisse vor. Mit der Kompliziertheit der sozialen Probleme heute bis zum globalen Nord-Süd-Konflikt und der Verflechtung der Menschheit zu einer weltweiten gegenseitigen Abhängigkeit wird aber immer mehr die *gewaltfreie* und langfristige *reformerische* Lösung allein in Frage kommen.

11. Im Dienste des Rechts auf Frieden ist schließlich weiter entscheidend die Bewußtseinsbildung bei allen Völkern, der Wille zum Dialog und zum Kompromiß, die dann in entsprechenden organisatorischen Vorkehrungen der Konfliktaustragung und -lösung bzw. globalen Friedenssicherung zunehmend ihren Ausdruck finden werden. Die Ansätze dazu sind bereits vorhanden.

Dem Recht auf Frieden entspricht der *Friede als Menschenpflicht:* Als erste Menschenpflicht im System der Pflichten des Menschen gegen den Menschen nennt René Marcic: „Jeder Mensch muß jeden Menschen als seinesgleichen... anerkennen, ihn solchermaßen behandeln, mit ihm solchermaßen verkehren." Sein Tun und Lassen müsse er üben „sub specie coexistentiae!" Marcic führt dann u. a. besonders an, „die Pflicht, sich gewaltsamer Akte zu enthalten (Gewaltverzicht)", die er unter Verweis auf die Satzung der Vereinten Nationen zum „Generalverbot des Krieges" ausdehnt.[338] So ist jeder einzelne Mensch auch Subjekt der Menschenpflichten, beginnt die Friedenspflicht, wollen wir es positiv formulieren, in der Keimzelle der Gesellschaft, der Familie, und endet bei der Staatengemeinschaft. Erster Adressat ist der Einzelne.

Durch Absichtserklärungen und schließlich durch die internationalen Pakte der OVN sind die Menschenrechte über das Völkerrecht auch für die Staaten heute verpflichtend geworden. So liegt die Annahme nahe, daß auch der Gewaltverzicht und die Sorge für den Frieden *Pflicht für jeden Staat* ist im Sinne der Menschenpflichten, also sittlich-rechtlich bindend, und nicht etwa nur Vertragspflicht. Dasselbe gilt für die Internationalen Regierungsorganisationen.

---

[338] Menschenpflichten, 247 und 250.

Die fundamentale ethisch-anthropologische Dimension des Problems hat der Inder Surindar Suri treffend umrissen: „Nur das Entstehen neuer internationaler Wertsysteme und Zielsetzungen kann das Gefühl der Sicherheit geben, in dem die Frage der Rüstungskontrolle und -steuerung sinnvoll untersucht und gelöst werden kann. Abrüstung und Sicherheit sind Bestandteil des Entwicklungsproblems."[339] Dabei versteht Suri unter Entwicklung „mehr als eine Frage der Wirtschaft oder der Befriedigung von Bedürfnissen", sie ist für ihn „die Frage nach der Richtung und dem Wesen der menschlichen Zivilisation". Sie ist mit anderen Worten ein Wirken *zu* etwas, nämlich ein Gebrauchen der Freiheit als Grundwert zum Ziel des Friedens als Wert. Der Friede ist nicht einfach *machbar* mittels eines Sozialsystems oder einer bestimmten Politik oder Organisation, nicht Mechanismen können den Frieden in Gerechtigkeit, Freiheit und Liebe schaffen oder ersetzen. Ebenso wie als Frucht der Gerechtigkeit ist der Friede Ergebnis auch des Lebens in der Brüderlichkeit aller Menschen, die Liebe ein Grundgut des sozialen Lebens.

Der Friede ist daher als sittliche Pflicht zuerst Sache des guten Willens und ist damit in die Freiheit jedes Menschen gelegt, nämlich seine Freiheit verantwortlich zu gebrauchen und seiner Verpflichtung zu folgen. Als Rechtsgut ist der Friede immer auch das Ergebnis von Kooperation im Sinne des Gemeinwohls, einer weltweiten und auf lange Sicht geduldigen Kooperation. Das Ziel muß eine „von der Liebe geprägte Zivilisation" sein.[340]

2.6.3. Die Menschenrechte als universale Grundwerte der Völkergemeinschaft

Trotz obiger Gesichtspunkte, die eine universale Rechtsdynamik in der Menschheitsgeschichte bezeugen, wird einer naturrechtlichen Anthropologie und Ethik (vor allem im Hinweis auf dem widersprechende Fakten) entgegengehalten, es gäbe keine für alle Völker verbindliche Inhalte der Menschenrechte, sondern konkret nur jeweils eigene Menschenrechte.[341] Felix Ermacora wieder konstatiert das „schreckenerregende Hantieren" mit den Proklamationen der Menschenrechte im internationalen Bereich, die

---

[339] Internationale Sicherheit und gesellschaftliche Entwicklung, in: Europa-Archiv 24/1980, (757-764), 764.

[340] Diesen Ausdruck prägte Papst Paul VI. Auch sein Nachfolger Johannes Paul II. gebraucht ihn öfter.

[341] Vgl. Erich Heintel, Die naturrechtliche Fundierung des Ordogedankens in der Tradition, in: Johannes Schwartländer (Hrsg.), Menschenrechte, Aspekte ihrer Begründung und Verwirklichung, Tübingen 1978, 19-36.

Begriffe seien mehrdeutig und würden unterschiedlich oder auch gar nicht von den Staaten angewandt.[342]

Dennoch muß dieses geschichtlich und örtlich mitbestimmte Gefüge der Menschenrechte nicht deren offene Willkür besagen. Auch ohne einen letzten absoluten Wertmaßstab kann das Rechtsbewußtsein innerhalb der Völker auf einer mittleren Ebene der Abstraktion Gemeinsamkeiten finden, die den Menschen ebenso aufgegeben wie vorgegeben erscheinen, soll die menschliche Zusammenarbeit nicht völlig scheitern. Der Zug der Zeit, zu den individuellen Freiheitsrechten die sozialen Menschenrechte hinzuzufügen und auszugestalten, ist ebenso ein Zeichen der Rechtsdynamik in der westlichen Gesellschaft als sich in den östlichen sozialistischen Staaten, vor allem im Gefolge der KSZE und ihres „Menschenrechts-Korbes" dieselbe Dynamik in Richtung der Freiheitsrechte, trotz aller Schwierigkeiten, sichtbar auswirkt. Es ist eben auch im Osten nicht so, daß der Mensch seine Rechte nur als staatliche Gewährung ansieht,[343] sondern mehr und mehr diese Rechte von der Bevölkerung, unter dem Einfluß freilich von dafür besonders sensibilisierten Kreisen, wie z. B. „Helsinki-Komités", als unmittelbare Ansprüche der Bürger an den Staat erkannt werden. Hierbei zeigt gerade wieder die Aufnahme der Menschenrechte in eine internationale Erklärung wie die Schlußakte der KSZE von 1975 und die stete Implementierungsdebatte bei den Folgekonferenzen (Belgrad und Madrid bisher) eine Wirkung, die auch zur inhaltlichen Deutung auf Grundwerte jenseits geschichtlich-situativer Bestimmungen hinweist. Darüber kann auch neben der entgegenstehenden Sprache der Fakten absoluter Rechtsberaubung in Ländern des „realen Sozialismus", z. B. den Arbeits- und Konzentrationslagern,[344] auch die dogmatische These nicht hinwegtäuschen, es gäbe keine Selbstverwirklichung der Menschenrechte, nur die Verwirklichung durch den Klassenkampf.[345] Der Mensch als Wesen, das um Recht weiß, kann sein Bewußtsein letztlich nicht nur gesellschaftlich verursacht sehen. Allein schon die Fakten widerlegen das marxistische Dogma klar. Die Positivierung eines Menschenrechts in der jeweiligen innerstaatlichen Rechtsordnung

[342] Menschenrechte — weltweiter Anspruch und Wirklichkeit, in: Johannes Schwartländer (Hrsg.), Menschenrechte, 169-176.

[343] Die östliche Menschenrechtskonzeption, vor allem die sowjetische Lehre, die keine angeborenen und unveräußerlichen Menschenrechte, sondern nur Grundrechte der Bürger, die der staatlichen Disposition unterliegen, kennt, wird sehr informativ untersucht vom Göttinger Arbeitskreis (Hrsg.), Die KSZE und die Menschenrechte, Berlin 1977.

[344] Man denke an den Archipel GULAG in der UdSSR. Dabei geht die Einrichtung von Konzentrationslagern für „fremde Klassenelemente" auf Lenin zurück (laut Dekret vom 17. 2. 1919)! Vgl. Andrzej J. Kaminski, Konzentrationslager 1896 bis heute, Stuttgart 1982.

[345] Vgl. Hermann Klenner, Menschenrechte im Klassenkampf, in: Einheit, Zeitschrift für Theorie und Praxis des wissenschaftlichen Sozialismus, 32 (1977) H. 2, 156-165.

führt erst zur vollen Geltung dieses Rechts für die Bürger eines Staates. Dennoch ist die Berufung auf die Menschenrechte, auch wenn sie nur naturrechtlich begründet erscheinen und dem präpositiven Recht nur angehören, von großer Bedeutung. So ist das Menschenrecht z. B. auf Kriegsdienstverweigerung nach einer wechselvollen Wirkungsgeschichte bereits in einer Reihe von Staaten positiviert worden und entwickelt seine Dynamik auf Anerkennung in weiteren Rechtsordnungen.

Für die völkerrechtliche Geltung der Menschenrechte ist die Funktion von internationalen Organisationen zu ihrem Schutz und ihrer Durchsetzung entscheidend. Beispielhaft ist hier die Europäische Konvention der Menschenrechte mit ihrem supranationalen Instrument der Durchsetzung in Straßburg, der Europäischen Kommission und dem Europäischen Gerichtshof für Menschenrechte. Es gibt aber gegenwärtig erste Versuche bereits, nach dem Vorbild des Europarats in anderen Erdteilen[346] ähnliche Konventionen zustandezubringen. Humanitäre Bemühungen hat es international auch schon lange vor den modernen Menschenrechtsbewegungen gegeben. In letzter Zeit liegt ein besonderer und zunehmend wirksamer Schwerpunkt solcher Bemühungen, die alle der Idee der Menschenrechte und ihrer Durchsetzung dienen, auf dem Gebiet der Betreuung und Befreiung politischer oder religiöser Häftlinge. Verwiesen sei auf Amnesty International oder Christian Solidarity International.

Otto Kimminich hat darauf hingewiesen, daß man durch das „Gerede von der normativen Kraft des Faktischen ... die normative Kraft der *Normen*" fast vergessen habe.[347] In Wirklichkeit handle es sich um eine Wechselbeziehung. So zeigt sich auch die Durchsetzungskraft der Menschenrechte heute sowohl auf der Ebene des Völkerrechts wie auf innerstaatlicher Ebene, wobei Träger und Motor des Rechtsfortschritts das Rechtsbewußtsein der Menschen als Rechtssubjekte ist.

Für die universale und unabänderliche Geltung der Menschenrechte, staatlicher Willkür bis zur Staatengemeinschaft hinauf als höchster Rechtsordnung entzogen, ist letztlich eine Entmythologisierung des Staates Voraussetzung. Darauf hat wieder Alfred Verdroß aufmerksam gemacht. Über dem Staat müsse „die Ableitung der Menschenrechte aus der Würde des Menschen" stehen, wobei Verdroß sich auf die christliche ebenso wie die neuzeitliche Tradition der Naturrechtslehre bezieht.[348] Daß diese geistesgeschichtliche Entwicklung sich aus dem Denken der Antike so vollziehen konnte, dafür hat Verdroß eine bedeutsame Erklärung: War der antike Staat

[346] Vgl. A. H. Robertson, Human Rights in the World, Manchester 1972.

[347] Pacem in terris, Friede — Sehnsucht und Wirklichkeit, „Schriftenreihe der Ackermann-Gemeinde", Heft 26, 11.

[348] Alfred Verdroß, Die Würde des Menschen und ihr völkerrechtlicher Schutz, St. Pölten 1975, 7.

zugleich eine sakrale Gemeinschaft, so entfaltete sich durch das Christentum als eine „den Staat überschreitende, reale Gemeinschaft... die durch Christus gestiftete, allen Menschen offenstehende Kirche". Der Mensch wird Glied „zweier Reiche", des vergänglichen Staates nämlich und der Kirche, die „aber auf ein ewiges Reich hinweist".[349] Von daher kommt die letzte Begründung der Menschenrechte als vom Staat letztlich zu respektierende, seiner Herrschaft entzogene Rechte.

Gerade der atheistische Staatsbegriff sieht heute die Herausforderung durch die christliche Kirche in der Beschränkung seiner totalen Hoheit über den Menschen. Darum steht in Theorie und Praxis der Menschenrechte zurecht die Religionsfreiheit im Brennpunkt.[350] Auch in den Menschenrechtsbewegungen von heute wirkt oft christliche Inspiration weiter. Bezeichnend ist es, daß die kritisch-progressive Tätigkeit solcher Bewegungen nur in Staaten mit pluralistischer Demokratie offen erfolgen kann, wo eben zwischen Gesellschaft und Staat ebenso wie Kirche und Staat freie und eigenständige Beziehungen bestehen. Neben der politischen Unabhängigkeit ist für Menschenrechtsbewegungen auch ein wichtiges Kriterium ihrer Legitimation ihre Internationalität. Hinwider ist jede, besonders ideologisch geschlossene Position des Denkens eine Fehlanzeige für Kompetenz zur Wahrung der Menschenrechte.

2.6.4. Die Entwicklung der Idee von der internationalen sozialen Gerechtigkeit

Als die beiden fundamentalen Rechte des Menschen nennt David Owen, ehemals britischer Außenminister, das Recht im Frieden zu leben und Freiheit von Hunger und Seuchen.[351] Unter letzterer Freiheit sei nicht bloß ökonomische Sicherung verstanden, sondern auch ihr Besitz der politischen Rechte. Nach dem naturrechtlichen Gemeinwohlbegriff gehören nun Frieden und Wohlfahrt zusammen, ist allseitige Gerechtigkeit Kriterium verwirklichten Gemeinwohls.

Der Begriff „sozial" und folglich soziale Gerechtigkeit ist heute weit mehr als eine rein sozialphilosophische Aussage, ja er ist mit Emotionen erfüllt. Er stellt im Kern aber einen Bezug zwischen Einzel-, Gruppen- und Gemeinwohl her hinsichtlich der gerechten Anteilnahme und des geleisteten Beitrags zum Ganzen.

[349] a.a.O., 6.

[350] Aus der zahlreichen Literatur zur Frage der Kirche und die Menschenrechte verweisen wir auf das Arbeitspapier der Päpstlichen Kommission Justitia et Pax, Die Kirche und die Menschenrechte, München ²1976.

[351] Human Rights, London 1978.

Trotz der klassischen liberalen Behauptung, von Gerechtigkeit könne nur im Sinne von Tauschgerechtigkeit gesprochen werden, also von Einzelgerechtigkeit, ist heute das Bewußtsein für die gerechte Entwicklung auch innerhalb des Geflechts von sozialen Beziehungen zwischen Gruppen bis zu den einzelnen Gliedern derselben unleugbar. Dabei wäre eine kollektivistisch-sozialistische Auffassung ebenso wenig zutreffend, würde doch die Gerechtigkeitsfrage entpersonalisiert und in die Zuständigkeit einer Klasse und dem Verteilungsdiktat derselben übertragen. Statt Gerechtigkeit stünde erneut Willkür in den sozialen Beziehungen.

Die Last der Emotionen steigert heute noch die schwere internationale Sozialnot infolge ungerechter Verteilung von wirtschaftlichen Gütern und politischer Macht, infolge also von struktureller Ungleichheit in den internationalen Handelsbeziehungen. Der Ost-West-Konflikt ist ebenso mit ideologischen Aspekten emotionalisiert von der Verteidigung einer „gerechten Sache" bis zum Sieg „einer sozialen Idee", wobei Nord-Süd- und Ost-West-Konflikt einander überlagern. Je nach sozialem Konzept wirken dann die Lösungsvorschläge rezepthaft: hier weltweiter Verteilungssozialismus, dort das freie Spiel der Marktkräfte.

An der ideologischen Engführung und damit emtionellen Belastung des internationalen Gerechtigkeitsproblems ändert aber auch nichts die immer breitere Untersuchung der empirischen Daten durch die Sozialwissenschaften, da diese Daten dann doch wieder unter dem Aspekt einer vorangehenden Wertentscheidung interpretiert werden. Ein Beispiel dafür sind moderne Dependenztheorien und ihre Vorschläge zur „Befreiung" aus „ungerechten Strukturen" zwischen dem reichen Norden und dem armen Süden der Erde. Der Fehler liegt in einer verengten soziologischen Analyse und in rein strukturellen Vorschlägen, ohne die Komplexheit der Ursachen des sozialen Unrechts zu analysieren und ohne das Maß der Gerechtigkeit vom Menschen und seiner Stellung, von Verantwortung und Leistung im sozialen Netzwerk zu nehmen. Folglich kann nur eine umfassende und komplexe Analyse der internationalen sozialen Frage auf der Basis eines sozialen Humanismus deren Ursachen und die Wege der Lösung ermitteln.

2.6.5. *Die internationale soziale Frage der Gegenwart*

Die neuzeitliche Geschichte der Erfassung und Entwicklung der Menschenrechte hat zuerst mit den individuellen Freiheitsrechten den Status negativus des Bürgers im Staat gesichert und erweiterte diesen Schutz dann auf den Status activus oder positivus, also hin auf die sozialen Menschenrechte, zuletzt auf den internationalen Rechtsstand jedes Menschen im Anspruch der Person, im Frieden zu leben, der eben auch einen inhaltlichsozialen Anspruch dem Weltgemeinwohl gegenüber beinhaltet. Dazu war historisch der Durchbruch der Erkenntnis notwendig, daß die Gesellschaft und ihr Gemeinwohl eine sozialwirtschaftliche Dimension haben, die unter Bedingungen historischer Entwicklung steht.

Für diese Erkenntnis hat die Soziologie von Auguste Comte ebenso ihre Bedeutung wie der wissenschaftliche Sozialismus des Karl Marx. Die Frage ist nur, ob das Entwicklungsschema in Stadien der Menschheit bzw. das Zwei-Klassen-Modell nicht eine unzulässige Vereinfachung und ebenso eine bloß spezielle Theorie für die soziale Entwicklung darstellt, wie es sowohl sozialphilosophisch wie einzelwissenschaftlich überzeugend bereits gegen den soziologischen Positivismus und gegen den Marxismus längst eingewandt worden ist.[352] War in der Sozialkritik, auch der traditionellen Naturrechtsethik, die Arbeiterfrage Europas im Zeichen des Durchbruchs zur industriellen Gesellschaft hier im Mittelpunkt, so weitete sich gerade in diesen Kreisen verhältnismäßig früh und parallel zur marxistisch-leninistischen Imperialismus- und Kolonialismuskritik der Blickpunkt auf die internationale soziale Frage als einer Gerechtigkeitsfrage. Die Tatsache, daß vor allem die katholische Kirche durch ihre weltweite Ausbreitung und die Zahl ihrer Mitglieder in den Ländern der Dritten Welt präsent war, hat geholfen, die Aufmerksamkeit der Soziallehre der Kirche schon früh, früher als viele politische Instanzen, der bedrängten sozialen und wirtschaftlichen Lage der Entwicklungsländer zuzuwenden.[353]

Ähnlich wie bei der Entwicklung der katholischen Soziallehre um die Jahrhundertwende in Europa gibt es auch auf der Weltebene verschiedene Strömungen derselben und Versuche, selbst die Marx'sche Sozialanalyse zu übernehmen und mit theologisch-utopischen Reform- und Revolutionsideen zu verbinden. Ein Hinweis auf manche Richtungen der Befreiungstheologie mag genügen. Auch in dieser Situation erwies sich eine zu deduktiv-scholastische Methode in der Naturrechtslehre und zu geringe Beachtung der empirischen Forschung, ebenso aber biblizistische Deutungen und prophetische Entwürfe jenseits sozialer Realitäten durch manche Theologen als Belastung für die traditionelle sozialethische Analyse, Diagnose und Therapie der sozialen Frage der internationalen sozialen Gerechtigkeit.

Karl Marx und in der Folge vor allem die Theoretiker des Marxismus-Leninismus haben die Bedeutung des Klassenbegriffs und die Analyse sozialer Verhältnisse als Klassenverhältnisse mit der Tendenz zur Zwei-Klassen-Ge-

[352] Vgl. z. B. bereits Werner Sombart, Der moderne Kapitalismus, 3. Bde, München 1928.

[353] So bereits 1961 Johannes XXIII. in seiner Enzyklika Mater et magistra, das Vaticanum II (1962-1965) und Paul VI. in Populorum progressio (1967), um einige markante Daten zu nennen.

sellschaft im Falle schwerer Sozialnot zurecht erkannt.[354] Freilich waren Marx und die Marxisten nicht die ersten und einzigen Entdecker von Klassensituationen. Sie haben nur eine anthropologische, allerdings falsche Begründung dafür gegeben und ebenso eine allgemeine Theorie der historischen Menschheitsentwicklung daraus gemacht.[355] Die beste Falsifizierung ihrer Theorie ist das Ergebnis im realen Kommunismus mit der Herrschaft einer „neuen Klasse", während die Formel der katholischen Soziallehre, nämlich vom „verwerflichen Klassenkampf" über die „vom Gerechtigkeitswillen getragene Auseinandersetzung zwischen den Klassen" zur „einträchtigen Zusammenarbeit" zu kommen (so Pius XI. 1931 in Quadragesimo anno, Nr. 114), mit Oswald von Nell-Breuning gesprochen, die Formel von der „klassenfreien Gesellschaft",[356] das Versprechen menschenmöglicher Solidarität in Annäherung an sozialpartnerschaftliche Verhältnisse am ehesten einlösen konnte.[357] Dies gilt heute zumindest für Länder mit pluralistischer, aber auf Grundwerte bezogener, rechtsstaatlicher Demokratie und sozialer Marktwirtschaft.

Unter sozialer Frage soll hier mehr als „in Frageform gebrachte Sozialkritik", wie sie Oswald von Nell-Breuning definiert, verstanden werden.[358] Sie entspringt dem schweren Versagen der Gesellschaftsordnung in der Verwirklichung des Gemeinwohls der Gesellschaft mit der Folge, „daß gesellschaftliche Gruppen zu einem beträchtlichen Teil nicht ihren verhältnismä-

---

[354] Daß Karl Marx ideengeschichtlich kein originärer Denker war, wurde schon oft bewiesen. Man denke nur an das Werk von Werner Sombart über die Entwicklungsgeschichte des proletarischen Sozialismus. Umso größer freilich war seine Wirkungsgeschichte! Hier meint Oswald von Nell-Breuning sogar ein bleibendes Verdienst von Marx, was die Analyse der modernen Wirtschaftsgesellschaft betrifft, sehen zu können: „In wichtigen Stücken" seien „doch wir alle seine Schuldner". (Gesellschaftliche Ordnungssysteme, Marxismus, in: Wörterbuch der Politik, Heft 5, Freiburg 1951, (223-242), 242. Ähnlich äußerte sich Nell-Breuning später noch oftmals. Ihm wurde ebenso oft entgegengehalten, daß schon vor Karl Marx katholische Sozialkritiker, wie Franz von Baader, den Klassenbegriff kannten. Durch die Verbindung der marxistischen Sozialanalyse heute im Anschluß an Karl Marx mit einer materialistischen und prinzipiell klassenkämpferischen Diagnose und Therapie der Gesellschaft — wie auch von Nell-Breuning zugibt (a.a.O., 240) — fragt es sich, ob dieser analytische Ansatz in seiner ideologischen Besetztheit nicht mehr Verwirrung als Nutzen zu stiften vermag. Dies bestätigen wieder manche Richtungen der sogenannten Befreiungstheologie.

[355] Vgl. Rudolf Weiler, Katholische Soziallehre und Klassenkampf, in: Concilium 5/1977, 300-303.

[356] Zuletzt in seinem Artikel: Marxismus — zu leicht genommen, in: Stimmen der Zeit, 2/1985, (87-91), 90.

[357] Vgl. Rudolf Weiler, Wirtschaftliche Kooperation in der pluralistischen Gesellschaft, Wien 1964.

[358] Oswald von Nell-Breuning, Soziale Frage, in: Lexikon für Theologie und Kirche, Bd. 9, Freiburg 1964, (905-907), 905.

ßigen Anteil an den Früchten der gesellschaftlichen Kooperation zu erhalten vermögen".[359] Angewandt auf die internationale Dimension der sozialen Gerechtigkeit zeigt sich die soziale Frage hier schon darin, daß es eine weltweite Gemeinwohlordnung bis vor kurzem nicht einmal als Desiderat gab. Das Sprechen von einer neuen internationalen ökonomischen Ordnung ist insoferne falsch, als es weltweit eine solche ebenso wenig schon gegeben hat wie es noch immer keine entsprechende Ordnungsautorität für das Weltgemeinwohl gibt und damit zur Durchsetzung einer noch so schön konzipierten Weltordnung noch ein weiter Weg ist.

Nach der naturrechtlichen Dynamik der Gerechtigkeitsidee gibt es aber einen doppelten Ordnungsansatz, den der Zweckmäßigkeit, der ein weites Feld der Suche und Erprobung aus den Erfordernissen des Zusammenlebens hier der Völker darstellt, und den Ansatz aus der Naturordnung, der — wenn als Ordnungsaufgabe einmal erfaßt! — der Willkür nicht nur Schranken setzt, sondern auch Richtung weist. Das sind die internationalen sittlichen Prinzipien, die eben auch z. B. den Gesetzen des beginnenden Welthandels etwa mit dem Anfang der Neuzeit ihre moralische Zuordnung gaben. Das Gesetz der komparativen Kosten, das im Freihandelsmodell von Adam Smith als erstes weltwirtschaftliches Gesetz klar erfaßt erscheint, ist nicht ohne sittliche Verantwortung zu verstehen, nämlich auf der Basis der Kooperation zwischen ökonomisch rational handelnden gleichberechtigten Partnern. Bei völlig ungleichen Tauschverhältnissen kann es rational erscheinen, wenn z. B. die Kolonisatoren die neu entdeckten Völker in ihrem Sinn und zu ihrem Vorteil brutal ausgebeutet haben, es ist aber auch ökonomisch schon mittelfristig kontraproduktiv, den Handel nicht zu beidseitigem Vorteil zu entwickeln, weil sonst eben keine Kooperation entstehen kann und die fundamentale Schwäche des Kolonisierten zu schweren Strukturfehlern — wie auch die Geschichte gelehrt hat (man denke an Spanien nach der Entdeckung der Neuen Welt!) — auch bei den reichen Kolonialmächten geführt hat. So erweist sich das Sittengesetz selbst als Naturordnung gesellschaftlichen, also auch ökonomisch richtigen Handelns, einer Ordnung, die freilich der konkreten Entwicklung bedarf. Im Falle schwerer Verletzung der Sittlichkeit aber kommt es zur Gemeinwohlnot, die als soziale Krise nicht nur für die benachteiligten Gruppen zur sozialen Frage wird, sondern die Gesamtgesellschaft bedroht, im Extremfall mit revolutionärem Klassenkampf.

Die traditionelle naturrechtliche Lehre von der sozialen Frage hat daher immer auch von zwei Ursachen derselben gesprochen, von einer geistig-kulturellen im Werte- und Gesinnungsbereich und von einer in den zeitbedingten Entwicklungen bei den gesellschaftlich-ökonomischen Voraussetzungen und Einrichtungen. Auf unsere internationale Gerechtigkeitsproble-

[359] Johannes Messner, Das Naturrecht, 475.

matik angewandt war es — neben langen geistesgeschichtlichen Entwicklungen im Kulturkreis des (christlichen) Abendlandes — der „Geist des Kapitalismus", der mit dem Beginn der Neuzeit Bedingungen geschaffen hat, der nicht nur neue dichte Verflechtungen des Zusammenlebens der Völker technisch ermöglicht hat, sondern diese auch einseitig vorteilhaft nutzen ließ. Dazu gehörte aber auch die entsprechende Herrschaftsideologie von der „christlichen Seefahrt" bis zum Wirtschaftsliberalismus.[360]

Bei der Anfälligkeit des Menschen, Unrecht zu tun aus seiner egoistischen Schwäche von Natur aus, wäre es verwunderlich, würde im internationalen sozialen Bereich diese Schwäche nicht besonders spürbar. Dennoch haben sich in der internationalen sozialen Frage, schon lange bevor sie in ihrer heutigen Dimension ins Bewußtsein getreten ist, auch die Erneuerungskräfte gezeigt, z. B. im Kampf gegen das Sklavenelend. In allen Epochen des Kolonialismus, wenn auch oft mit geringem Erfolg oder in zeitbedingten, etwa paternalistischen Formen, gab es Gegenkräfte und -bewegungen gegen einseitige Abhängigkeiten und deren Legitimationstheorien. Die Idee der Freiheits- und Menschenrechte stand sogar an der Wiege der Unabhängigkeit der einstigen Kolonien der Neuen Welt, wenn auch zur Entkolonialisierung der nichteuropäischen Kulturvölker anderswo noch ein langer Weg war.

Es ist jedenfalls nicht so wie im marxistischen Modell, daß ein Zustand erst durch seine Extremführung der materiellen Verhältnisse und Abhängigkeiten in eine neue Qualität übergehen könne, also nur auf revolutionärem Wege. Der gesellschaftliche Wandel hin auf mehr Gerechtigkeit im internationalen Leben ist vielschichtig, von vielen Ursachen her bestimmt und damit auch in seinen Ordnungsformen viel komplizierter als es ein Klassenmodell empirisch oder ideologisch darstellen könnte. Mit dem Gesinnungswandel muß aber eine weitreichende Veränderung im internationalen Leben, vor allem der Wirtschaft einhergehen. Die Voraussetzung ist aber eine möglichst umfassende Analyse vom Wertbereich bis in die Institutionen und eine Diagnose und folgliche Therapie, die vom Menschen als sozialem Wesen ausgeht und nicht von einer Sozialideologie.

Damit wird etwas erreicht, was für die Ordnung der Gerechtigkeit in der internationalen Kooperation entscheidend ist: diese kommt nicht als Sieg eines Sozialsystems auf Weltebene zustande, sondern als Frucht der Gerechtigkeit, indem die Kooperation der Gruppen international ebenso entwickelt wird — ausgehend von der Würde jedes Menschen als Glied der Weltgesellschaft — wie eben gemäß dieser Kooperation auch deren Früchte verteilt werden, ohne dabei die sozial Schwachen zu deklassieren oder auch sie nur dauernd von einem zentralen Verteilungssystem abhängig zu machen.

---

[360] Vgl. zu letzterem Elmar Waibel, Ökonomie und Ethik, Die Kapitalismusdebatte in der Philosophie der Neuzeit, Stuttgart 1984, 132 ff.

Die Antwort auf die internationale soziale Frage ist also Reform der Gesinnung und der Zustände in der Weltgesellschaft von heute nach den Prinzipien der sozialen Gerechtigkeit von den Wurzeln der Ursachen her, die es breit zu analysieren gilt unter dem Aspekt der Wahrheit und nicht eines vorgefaßten Modells.[361] Berufen dazu ist jeder verantwortliche Mensch in seinen Möglichkeiten heute, dann aber besonders die gesellschaftlichen Kräfte, die die internationalen Beziehungen wirtschaftlich bestimmen. Das sind nicht nur die Staaten. Das sind vielmehr die potenten internationalen Unternehmungen und Interessenvertretungen von Arbeitgeber- und Arbeitnehmerseite. Gerade die Wirtschaftsgesellschaft selbst ist hier aufgerufen, da die Kooperation auf der Staatenebene international eher noch zurück ist.[362] Man denke an den geringen Anteil der Staatshandelsländer im Welthandel oder an die Probleme der staatlich reglementierten Entwicklungshilfe, die oft eher eine Rüstungshilfe ist!

Wenn man an die positiven Folgen z. B. des GATT für den Aufschwung des Welthandels nach 1945 denkt oder an die negativen Folgen der Nutzung des Erdöls als politische Waffe durch die arabischen Staaten, zeigt sich die eher indirekte Rolle der Staaten für die Lösung der internationalen sozialen Frage. Darum hat auch die Verkündigung einer neuen internationalen ökonomischen Ordnung durch die OVN eher den Wert einer Absichtserklärung als unmittelbare Auswirkung. Umso bedeutender wird es sein, den Wertstandpunkt in die internationale Gerechtigkeit einzubringen, um die Gesinnung aller dafür zu mobilisieren. Hier liegt vor allem die Aufgabe aller kulturellen Kräfte, besonders der Religion und der Kirche, das Gewissen zu schärfen, ohne ein geschlossenes ideologisches System propagieren zu wollen. Dann sollte die Zeit heranreifen, die entstandenen und entstehenden weltwirtschaftlichen politischen Einrichtungen in eine weltweite Wirtschaftsordnung — etwa bis zu einer effizienten finanziellen Weltbehörde — instrumentell zu verdichten. Dies aber nicht als Hebel der Veränderung, sondern als Ergebnis der Entwicklung einer weltweiten Sozialreform.

---

361 Der Wert gesellschaftstheoretischer Modelle sei unbestritten, solange man im empirischen Untersuchungsbereich bleibt. Werden solche mit Klassentheorien, Emanzipationsinteressen und Legitimationsansprüchen verbunden — wie im Denken z. B. bei Systemtheoretikern oder Jürgen Habermas — entsteht die Gefahr, daß die gesellschaftlichen Kräfte von der Wahrheits- und Gerechtigkeitsfrage überhaupt abgekoppelt werden, oder daß es um eine Politisierung der Gesellschaftskritik in bestimmter Veränderungsrichtung wieder geht und damit um den Zusammenfall von Staat und Gesellschaft.

362 Die Entwicklung einer internationalen Organisation der Arbeiterschaft als Gegengewicht zur Organisation des Kapitals in den multinationalen Unternehmen ist eine wichtige Aufgabe auf Ebene der Weltgesellschaft selbst. Vgl. Otto Kreye (Hrsg.), Multinationale Konzerne, Regensburg 1974, sowie insbesondere Wolfgang Däubler, Multinationale Konzerne und kollektives Arbeitsrecht — Kontrolle durch gewerkschaftliche Gegenmacht?, in: Wolfgang Däubler, Karl Wohlmuth (Hrsg.), Transnationale Konzerne und Weltwirtschaftsordnung, Baden-Baden 1978, 201-236.

Die Bedeutung einer realistischen Sicht von Sozialreformen im Sinne der Gerechtigkeit liegt auch in der Vermeidung utopischer Träume, die nicht selten mit revolutionären Erwartungen verbunden sind. Die wertbegründete Idee sozialer Gerechtigkeit trägt die Verpflichtung in sich, allseits Rechte zu respektieren und neue Rechte auch vor dem Gemeinwohl zu vertreten. Das soziale Verhalten des Menschen ist an Konstanten des Gerechten durch die menschliche Natur so bestimmt, daß manche soziale Utopie, vor allem revolutionärer Veränderungen, in der weltwirtschaftlichen Kooperation erst recht das Chaos bedeuten müßte, da eben das Soziale nicht einfach konstruierbar ist nach Modellvorstellungen einer besser gedachten Welt. Die gerechte Ordnung beruht in dem Menschen aufgegebenen Werten und der subjektiven Wertantwort darauf. Charismatische und prophetische Stimmen der Sozialkritik sind ebenso wie traditionalistisches Festhalten am Alten immer die leichtere Antwort auf soziale Not. Eine neue soziale Ordnung in Gerechtigkeit anzustreben, erfordert aber neben der praktischen richtigen Ausführung der Legitimation durch das Gemeinwohl gemäß der sittlichen Ordnung im Leben der Völker und nicht bloß mittels strukturpolitischer Operationen nach möglichst utopischen Sozialtheorien. Sozialkritik hat sich durch ihre Beziehung auf die Wirklichkeit auszuweisen, und diese ist immer auch Wertverwirklichung und geschieht in Wertverantwortung. So groß die Gegensätze der Parteien im Weltgeschehen der Entwicklungsproblematik von heute sein mögen, so drohend der Konflikt zwischen arm und reich, die Sozialreform betrifft alle beteiligten Seiten und hat nicht die Liquidation einer Seite nach dem Klassenschema als Voraussetzung.

3. Die Menschheit vor der Friedensfrage: Friedensethik

Bis heute ist der Krieg das Schicksal der Menschheit geblieben, und mit der Drohung dieser Geißel lebt sie weiter. Seit 1945 der Abwurf zweier Atombomben das Ende des 2. Weltkrieges in Ostasien einleitete, — ob es zur raschen Beendigung des Krieges damals notwendig war, über zwei Städten Japans die ersten einsetzbaren Atombomben mit voller Wirkung zu zünden, ist zweifelhaft![1] — meinen viele, die Frage nach Krieg und Frieden völlig neu bewerten zu müssen. Jedenfalls blieb es bis heute bei diesen zwei kriegsmäßigen Einsätzen von Atombomben, ohne daß die Intention, mit der sich damals 1945 ein Spitzenberater der Administration in Washington für den Einsatz aussprach, volle Wirkung zeigte: die Bombe müsse genützt werden, da sie der einzige Weg wäre, die Welt für die Notwendigkeit wachzurütteln, den Krieg überhaupt abzuschaffen.[2]

Daß die Fähigkeit des Menschen zur Kriegführung heute solche Ausmaße angenommen hat, daß die Kriegsübel für viele Menschen und weite Gebiete bei auch nur konventionellem Mitteleinsatz unermeßlich geworden sind, beim vollen atomaren Schlag aber zum Ende der Menschheit führen können,[3] stellt jedenfalls für viele einen neuen, qualitativen Zugang zum Übel des Krieges dar und einen neuen Schlüssel zum Problem.

---

[1] Anläßlich des 40. Jahrestages des Kriegsendes im Fernen Osten erschienen 1985 viele historische und politische Retrospektiven, die auf die schon vor dem Angriff auf Hiroschima bestehende Kapitulationsbereitschaft Japans hinweisen, bzw. auf andere Intentionen der amerikanischen Führung in der Weltpolitik mit ihren atomaren Demonstrationen verweisen.

[2] Das Zitat ist belegt bei J. E. Hare, Carey B. Joynt, Ethics and International Affairs, London 1982, 94 f. Seit damals rissen die Appelle großer Persönlichkeiten, vor allem aus Kreisen der Wissenschaft, nicht ab, die Gefahr eines Atomkrieges zu bannen. Stellvertretend seien hier zwei bewegende Zeugnisse aus den fünfziger Jahren genannt: Karl Jaspers, Die Atombombe und die Zukunft des Menschen, München [4]1960, Albert Schweitzer, Friede oder Atomkrieg, München 1958.

[3] Die Literatur über die Erfahrungen aus den Ereignissen und den Folgen im Zusammenhang mit dem Abwurf der Atombomben am Ende des Zweiten Weltkrieges und die Studien über eine Bilanz aus den apokalyptischen Möglichkeiten in der Folge eines Atomkrieges mit dem heutigen atomaren Waffenarsenal sind kaum noch zu überblicken, dennoch übereinstimmend schrecklich, wenn auch kaum real vorstellbar. Als Verweis mit wichtigen Literaturangaben von amerikanischer und sowjetischer Seite insbesondere sei zitiert Georg Fuchs, Von der Atombombe zum nuklearen Holocaust, Wien [2]1985.

Das moderne Dilemma einer moralischen Beurteilung des Krieges heute im nuklearen Zeitalter besteht darin, daß der Krieg im Menschheitsinteresse absolut verboten erscheint, aber die Mittel, ihn wirksam zu ächten — anders als durch die bisherige Politik der Rüstung zum Krieg und der gegenseitigen Abschreckung oder Abhaltung (je nach Verständnis) innerhalb der Völkergemeinschaft —, also ohne Kriegsdrohung, nicht gegeben sind, vielleicht auch nicht zeitgerecht und genügend, wenn überhaupt, entwickelt werden können. Unrecht und ungerechte Gewalt sind noch in keiner menschlichen Gesellschaft beseitigt worden und beruhen auf der conditio humana, der Möglichkeit des Menschen, das Böse zu tun. Das moralische Übel ist eine Menschheitstatsache.

Jedenfalls ist es denkbar, die moralische Frage nach dem Krieg als politisch nicht zielführend zu vernachlässigen, wie es die realistische Position der Politikwissenschaft in der Sicherheitspolitik speziell und in der Politik im allgemeinen vorzieht. Dies würde aber voraussetzen, daß die politischen Entscheidungen über den Krieg niemals faktisch durch moralische Überlegungen beeinflußt würden. Daß diese Annahme falsch ist, läßt sich auch rein historisch beweisen. Außerdem liegt doch dieser realistischen Position eine moralische (!) Anschauung zugrunde, daß solche Entscheidungen nämlich nicht aus moralischen Gründen gemacht werden „sollen", und die Welt besser dran wäre, würde jeder Staat nur seinen (so interpretierten) „rationalen" Interessen folgen.[4]

Das moralische Argument gegen den Krieg ist zum Beispiel für Werner Becker in seinem Buch „Der Streit um den Frieden" nur von suggestiver Bedeutung, ja mache „blind für die Einschätzung der *politischen* Realitäten".[5] Für seine neopositivistische Position gibt es nur „die Entscheidung zwischen dem pazifistischen und dem realpolitischen Friedensbegriff". So wird das moralische Herangehen an das Problem von Krieg und Frieden gleichgesetzt mit Mangel an Logik und mit einer pazifistischen Position, die den Krieg geradezu begünstige. Nur rein deskriptiv könnten politische Analysen gewonnen werden, um logische Entscheidungen im Miteinander der Staaten in ihren Interessen zu ermöglichen, die formal den Frieden erhalten helfen. Jede materiale Friedensdefinition wäre gefühlsbedingt, illusionär und gefährlich im Zusammenleben der Staaten.

Wie bereits erwähnt, ist diese Ablehnung des ethischen Arguments zur Friedensförderung und Kriegsverhütung keineswegs im Grundansatz voraussetzungslos und wertfrei, ja gegen die allgemeine menschliche Erfahrung aus der Geschichte und die Einsicht in wohlverstandene Interessen individueller und gemeinsamer sozialer internationaler Dimensionen. Die Leug-

[4] Diese Argumentation bringen J. E. Hare, Carey B. Joynt, 191, Anm. 1.

[5] München 1984, 74.

nung der moralischen Frage in der Politik ist selbst ein Politicum, im prinzipiellen aber eine erkenntnistheoretische Option ohne stichhaltiges wissenschaftliches Argument.

Wichtiger ist die Frage, ob die Ethik aus dem moralischen Dilemma des Kriegsverbots und dessen mangelnder politischer Realisierbarkeit heute herausführen kann. Das moralische Argument müßte wenigstens die politische Möglichkeit von Kriegsverhütung und Friedensförderung im Rahmen einer politischen Analyse erweisen, die von den Fakten ausgeht, aber ebenso inhaltliche Wertaussagen trifft. Vom Inhalt des Friedens her kann dann auch das scheinbare Wertdilemma, daß der Wert des Friedens in Freiheit und Gerechtigkeit unter Umständen den Willen zum Krieg auch einschlösse, ansonsten die Formel zugunsten des Friedens „lieber rot als tot" lauten würde, gelöst werden. Es gilt darzulegen, daß das Übel des Krieges nicht die sittliche Alternative zum Gut des Friedens sein kann, sondern Krieg die Negation des Friedens ist, der als gerechtes Mittel ausscheidet. Der Friede ist der Höchstwert des gesellschaftlichen Lebens und damit der Politik, der die Grundwerte wie Freiheit und Gerechtigkeit einschließt, die in Unvollkommenheit und Spannung zueinander, aber nicht im Gegensatz zueinander stehen, soll die Menschheit nicht nur physisch überleben, sondern jeder Mensch sich voll entfalten können.

3.1. Das Übel des Krieges

3.1.1. Von der Erfahrung des Krieges

Die Geschichte der Kriegsführung in analytischer Sicht lehrt die Menschheit, den Krieg, aus den Wirkungen der sich entwickelnden Kriegsführung immer unterschiedsloser alle betreffend, immer mehr als Geißel zu erkennen und zu fürchten. Mit jedem Sprung in der technischen Entwicklung nahmen auch die Wirkungen des Krieges zu, eine entscheidende Wende war z. B. schon der Übergang zu den Feuerwaffen, aber auch die strategischen militärischen und politischen Entwicklungen vom Krieger über die stehenden Heere zu den Volksarmeen als Massenheere zur Zeit der französischen Revolution bestimmten den Gang der Eskalation der Kriege bis zur heutigen Möglichkeit des totalen Krieges mit dem drohenden Untergang der Menschheit im nuklearen Holocaust.

Dieses letzte Glied in der Eskalation kriegerischer Gewalt ist nach den Erfahrungen mit den zwei Atombombenangriffen auf Hiroschima und Nagasaki am Ende des 2. Weltkrieges 1945 bis heute ausgeblieben und wird als sinnvolles Mittel im vollen Einsatz zur eigenen politischen Interessenwahrung der Staaten als offenbar ungeeignet erkannt und ausgeschieden. Militärdoktrinen, die den begrenzten Einsatz von Nuklearwaffen vorsehen, bestehen aber ebenso wie weitergehende Überlegungen bezüglich eines begrenzten Kernwaffenkrieges bis zum Erstschlag zum Zwecke der Zerstörung des atomaren Arsenals des Gegners. Auch die Möglichkeit eines wirksamen Abwehrsystems gegen atomare Angriffsschläge unter dem Schlagwort „Krieg der Sterne" wird lanciert. Doch auch hier dominiert das Argument im Sinne der Doktrin der nuklearen Abschreckung, daß die bei den Supermächten und ihren Paktsystemen konzentrierten Fähigkeiten zum atomaren Weltuntergang den offenen Krieg zwischen ihnen bisher verhindert und insbesondere Europa die bisher am längsten anhaltende Friedensperiode gebracht haben.

All dies geschieht vor dem Hintergrund einer Weltordnung, die freilich erst im Werden ist und spätestens seit 1945 in der Satzung der OVN[6] im Art. 2 Ziff. 4 jede Gewaltanwendung und sogar Gewaltandrohung — ausgenommen das Recht auf individuelle und kollektive Selbstverteidigung — verbietet und eine allgemeine Friedenspflicht statuiert.

So mußte und muß die Menschheit bis heute mit dem Übel des Krieges leben und die moralische Frage nach seinem Ursprung und seiner Natur wie nach seiner Überwindung erheben. Die ethische Frage nach dem Krieg geht von der anthropologischen Voraussetzung aus, daß der Mensch in seinem Sozialverhalten insgesamt, also auch bei der Konfliktaustragung als auslösend für kriegerische Gewalt, ein sich selbst bestimmendes rationales sittliches Wesen ist.

Der Satz Heraklits vom „Krieg (pólemos) als Vater aller Dinge" bezieht sich nicht auf die Kriegsgewalt, sondern auf die Dialektik als Entwicklungsprinzip des Seins, ist also keineswegs eine Philosophie des Krieges. Dennoch gibt es Denksysteme, in denen der Krieg eine wichtige Stellung einnimmt, zum Beispiel in militärischer Verherrlichung in Verbindung mit Ideologien wie dem Nationalsozialismus, wobei die Nähe zu Mythologien auffällt, oder in Verbindung mit religiös-fundamentalistischen Strömungen, zum Beispiel heute im Zuge einer politischen Renaissance des Islam (heiliger Krieg!).

Bezeichnend ist aber auch, daß an sich ethische Denksysteme wie der Marxismus-Leninismus aus ihrer geschichtsphilosophischen Sicht den Krieg als einer Phase der menschlichen Geschichte zwingend innewohnend betrachten und von daher zu einer zwar moralisch klingenden Bewertung des Krieges im Zeitalter der Klassenspaltung der Menschheit kommen, ebenso aber in der klassenlosen Urgesellschaft wie im Sozialismus keine Ursache zum Krieg und damit den vollkommenen Frieden gegeben sehen.

[6] Wenn man vom generellen Kriegsverbot des Briand-Kellog-Pakts vom 27. August 1929 absieht.

Dem folgt die marxistisch-leninistische Lehre vom gerechten Krieg namens der Arbeiterklasse und des Sozialismus. Doch schon die spätere Adaption dieser Lehre nach den Prinzpien der friedlichen Koexistenz, daß es zwischen den antagonistischen Weltsystemen und deren Ideologien nicht zum bewaffneten Konflikt kommen müsse, relativiert dieser deterministische Sicht und rechnet mit dem freien Entscheid des Menschen im internationalen Geschehen.

Dennoch ergibt sich ein fundamentaler Unterschied in der Lehre vom „gerechten Krieg" nach der christlich-abendländischen Tradition und nach der marxistisch-leninistischen Interpretation.[7] Letztere Lehre behauptet „die Einheit von wissenschaftlicher Analyse und moralischer Wertung des Krieges", gewinnt also den „Maßstab der moralischen Wertung... aus der Politik"[8] in ihrem Verständnis als Ergebnis des Klassenkampfes und damit für die Phase menschlicher Geschichte, in der es den Klassenantagonismus mit der Folge von Kriegen gibt. Die Bewertung eines Krieges ergibt sich daher — praktisch geübt durch die kommunistische Partei! — in politischer Logik durch Parteinahme zugunsten der kommunistischen Interessen und nicht aus einem wahrhaft moralischen Urteil. Auch vertritt der Marxismus-Leninismus für die sozialistische Zukunft — bei aller Ablehnung des (von ihm als „bürgerlich" bezeichneten!) Pazifismus für die gegenwärtige gesellschaftliche Klassenformation — einen radikalen Pazifismus, sobald die Arbeiterklasse ihre historische Mission erfüllt hätte,[9] nämlich den Krieg auszurotten.[10] Letztlich ist dieser Pazifismus Ergebnis eines szientistischen Pragmatismus, einer „Erfolgs-Ethik", die sich nur ethischer Formeln bedient und den Anschein moralischer Appelle und Verheißungen für sich hat.

Ganz anders moralisch geartet ist der traditionelle Pazifismus, der von der radikal praktizierten Friedensgesinnung, etwa in direkter Anwendung der Bergpredigt auf die Politik, den Krieg als moralisches Übel strikte ablehnt, und dessen Vertreter bereit sind, jeder ungerechten Gewalt zu weichen und

---

[7] Vgl. Franz Scharl, Argumentationsformen bezüglich „gerechter" bzw. „ungerechter Kriege" und die damit verbundene Kriegs- und Friedensethik bei den Marxisten-Leninisten, in: Wiener Blätter zur Friedensforschung Nr. 42/43, Mai 1985, 69-103. Diesem Vergleich von der traditionellen Lehre des „gerechten Krieges" her sei der Hinweis auf eine marxistisch-leninistische Studie gegenübergestellt: Wolfgang Scheler, Gottfried Kießling, Gerechte und ungerechte Kriege in unserer Zeit, Berlin 1981.

[8] Wolfgang Scheler, Gottfried Kießling, 18.

[9] Im Zusammenhang mit der erstrebten „Einheit" der Friedensbewegung, also der Zusammenarbeit auch mit Kommunisten in derselben, ist unter Hinweis auf Äußerungen Lenins auf das Problem hinzuweisen, wieweit hier eine „Benutzung" der Pazifisten für die politischen Ziele des Kommunismus angenommen werden muß.

[10] Vgl. Karl Marx, Erste Adresse des Generalrats über den Deutsch-Französischen Krieg, in: Marx/Engels, Werke, Bd. 17, 7.

jedes Unrecht zu erdulden, in der Hoffnung, damit ein „Reich des Friedens" auf Erden zu schaffen durch den Durchbruch der Gewaltlosigkeit im politischen Weltsystem. Dem bestehenden „Militarismus" müßte der Pazifismus auf „prinzipiell-ethischer Basis" entgegenwirken, d. h. es gibt keine sittliche Rechtfertigung kriegerischer Gewalt, das ethische Argument spricht gegen jeden Krieg in jedweder Weltsituation. Diese „sittliche Empörung gegen den Krieg" durchzusetzen, sei Aufgabe der pazifistischen Bewegung.[11]

Die menschliche Erfahrung im Krieg und mit dem Krieg in historischer Analyse wie in Hinsicht auf sein Wesen ist — wie alle menschliche Erfahrung — auf Fakten basiert und ebenso reflexiv auf innere Einsicht hin angelegt, im ethischen Verständnis normativ ausgerichtet. Damit stellt sich die Frage nach dem Handeln unter der Differenz von Gut und Böse eindeutig auch in der Friedensproblematik, aber unter dem Aspekt der jeweiligen politischen Lage und Entwicklung.

3.1.2. Die sittliche Bewertung des Krieges

Im Kern des ethischen Problems der Bewertung des Krieges liegt die Frage nach der Ursache von Gewalt im sozialen Zusammenleben des Menschen. Geht der kriegerischen Gewalt eine anthropologische Determiniertheit voraus, die der Mensch nachträglich etwa auch moralisch bewerten kann, oder ist sie primär im sittlichen Wollen begründet, ist sie eine Frage der Moral und damit näherhin des Rechts? Der Krieg, wenn er als mit dem menschlichen gesellschaftlichen Leben unter bestimmten Bedingungen notwendig verbunden betrachtet wird, ergibt sich aus einer materialistischen Anthropologie, ebenso aus einem ethischen Skeptizismus wie aus einem dualistischen spiritualistischen Standpunkt von Gut und Böse oder einem theologischen Pessimismus hinsichtlich der durch die Sünde verderbten menschlichen Natur unter dem „irdischen Regiment".

A. E. Nohn[12] hat darauf hingewiesen, daß dem Kriegsbegriff bei Carl von Clausewitz eine Philosophie zugrunde liege, die dem Grund des Krieges erstmals aus einer zeitlosen Natur des Krieges „im Sinne seines intelligiblen Charakters" nachgeht. Von Clausewitz gehe zur Erklärung des Krieges vom Urbegriff des „Kampfes zweier Ringender" aus, wonach der Krieg ein Akt der

---

[11] Der Gedankengang und die Zitate sind dem Buch entnommen von G. J. Heering, Der Sündenfall des Christentums, Eine Untersuchung über Christentum, Staat und Krieg, Gotha 1930, 216.

[12] Vgl. seinen Beitrag zum Stichwort „Krieg" in: Historisches Wörterbuch der Philosophie, hrsg. von Joachim Ritter und Karlfried Gründer, Basel 1976, Bd. 4, 1233 f., mit Quellenangaben.

Gewalt sei, um den Gegner zur Erfüllung des eigenen Willens zu zwingen. Der Krieg wird somit zu einem Instrument, zum Mittel der Politik im Sinne von reiner Interessenverfolgung absolut souveräner Staaten und von daher legitim. Die Moral aber wird zu einer faktischen Größe, die aber zum Unterschied berechenbarer physischer Größen in der militärischen Strategie den Krieg unwägbar mitbestimmt. Es liegt ein Modell der Politik vor, bei dem Gewalt an Gegengewalt abgewogen wird, der Krieg wird zu einer Frage der Kalkulation, bei der Strategie die entscheidende Rolle, Moral nur eine sekundäre spielt.

Dies wird auch am Kriegsrecht, das sich im 19. Jh. ausbildete, deutlich. Obwohl den Bemühungen der beiden Haager Konferenzen um die Jahrhundertwende der Impuls der Friedensbewegung zugrunde lag, den Krieg zu bannen, kam doch nur eine Bindung der Staaten zur Beschränkung der Kriegsführung als Mittel der Politik zustande und kein Verbot kriegerischer Gewaltanwendung. Die Konstellation der Mächte im damaligen „Konzert der Staaten" verbunden mit den technischen Entwicklungen der Kriegsführung und der Mobilisierung großer Volksheere führte zum Ersten Weltkrieg, bei dem alle Seiten die moralische Legitimation zwar für sich reklamierten, das Recht zum Kriege aber grundsätzlich zur Wahrung ihrer Interessen beanspruchten.

Erst die Folgen schließlich beider Weltkriege, die historisch ursächlich zusammenhängen, konnten das herrschende politische Ethos mit seinem Kriegsethos so in Frage stellen, daß das Rechtsbewußtsein heute vertieft und grundsätzlich die moralische Frage nach dem Krieg und seiner Erlaubtheit stellt. Zwei Dinge mußten dazu geschehen, zuerst die faktische Einsicht sich durchsetzen, daß zumindest eine Kriegführung mit vollem Mitteleinsatz — ein „totaler Krieg" — den Interessen aller Betroffenen, potentiell der ganzen Menschheit, dysfunktional ist und als Mittel der Politik ausscheidet. Dementsprechend reagierte dann das Völkerrecht aus seiner naturrechtlichen Wurzel, indem es sich von der Etappe der Entwicklung eines ius ad bellum und ius in bello seit Hugo Grotius zu einem Kriegsverhütungsrecht entwickelte. Das Menschheitsethos reagiert auf die faktische Entwicklung, aber in einer im letzten selbständigen Rechtseinsicht in das Unrecht des Krieges.

Die Kasuistik der Lehre vom „gerechten Krieg" hat einen moralischen Grundansatz, der den Krieg immer deutlicher als Übel ausweist für alle Zeiten, eine Einsicht, die in Entwicklung begriffen ist, da sie im konkreten Urteil der Güterabwägung bedarf, um gegebenenfalls das Übel kriegerischer Gewalt zu minimieren. Das zeigt auch ein Blick auf die Entwicklung dieser Lehre wie auch die heutige Umbruchsituation des Völkerrechts.

Ein Überblick über die Entwicklung der traditionellen Lehre vom gerechten Krieg[13] beweist uns, wenn auch unter zeitweiligen Schwankungen, eine Entwicklung des sittlichen Rechtsbewußtseins nicht nur zur Eindämmung des Krieges, sondern hin auf seine moralische Ächtung und deren folglichen Rechtswirkungen.[14] Als im antiken Hellas das überlieferte Ethos fragwürdig wurde, darauf macht Otto Kimminich aufmerksam,[15] setzte auch die philosophische Erörterung des Krieges mit Platon[16] ein in Richtung des Bemühens, den Krieg möglichst zu verhindern. Platons Denken ging daher in Richtung des idealen Staates. Dem setzt Aristoteles dann die Erfahrung entgegen, daß es eben Entstehungsgründe des Krieges gibt. Die Unvermeidbarkeit des Krieges nach der Erfahrung des sozialen Lebens sucht Aristoteles mit dem Hinweis auf die Sklavenseelen zu rechtfertigen: Sklaven zu erwerben, die von Natur aus zu dienen bestimmt seien, bringt die Kriegskunst in den Kontext der Erwerbskunst! Diesen Erfahrungsansatz macht Josef Rief[17] aber geltend zur Überwindung der scheinbaren Rechtfertigung des Krieges aus der Vernunft und dem sekundären Naturrecht bei Aristoteles: „Der Einsatz des Krieges als geeignetes Mittel zum Zweck des Friedens könnte sich also durch die Erfahrung erledigen."

Mit Cicero liegt bereits eine ausgebaute Theorie des gerechten Krieges vor, die die Gründe für eine gewaltsame Konfliktaustragung moralisch auf die Vergeltung und die Abwehr der Feinde allein beschränkt, ansonsten aber die argumentative Auseinandersetzung im Konfliktfall als die menschlich einzig richtige erklärt.[18] Mit Augustinus, der die christliche Tradition dann bestimmen sollte, kommen heilsgeschichtliche, also geschichtsphilosophische und -theologische Überlegungen dazu, um die auctoritas zur gerechten Kriegsführung, deren Problematik ihm durch den Hinweis auf die Sünde als letzte Kriegsursache bewußt war, zu prüfen, sei es, daß Gott, sei es, daß der rechtmäßige Fürst (princeps) den Krieg anzuordnen allein befugt sei.

[13] Die Literatur dazu ist sehr umfangreich, beispielhaft einige Hinweise: Karl Hörmann, Der Wert sittlicher Überlegungen über den Krieg, Wien 1966; Frieden in Sicherheit, hrsg. von Norbert Glatzel und Ernst Josef Nagel, Freiburg 1981, dort besonders die beiden Beiträge mit ausführlicher Literaturangabe von: Josef Rief, Die bellum-iustum-Theorie historisch, 15-40; Harald Oberhem, Zur Kontroverse um die bellum-iustum-Theorie in der Gegenwart, 41-68.

[14] Vgl. Rudolf Weiler, Ein aktueller Vergleich: Das Völkerrecht zur Zeit der spanischen Spätscholastik und seine Wiederkehr heute nach der Periode des nachgrotianischen Völkerrechts, in: Recht als Sinn und Institution, hrsg. von Dorothea Mayer-Maly, Ota Weinberger, Michaela Strasser, Berlin 1984, 71-78.

[15] Im Artikel „Krieg", in: Historisches Wörterbuch der Philosophie, 1230.

[16] Der Friede wird erstmals in der politischen Literatur zum Zweck des Krieges (Die Gesetze, I, 4, 628 D); ja, der sittlich gute Staat hat Frieden! (a.a.O., VIII, 1, 829 A).

[17] 18. Dort auch die näheren Quellenangaben!

[18] Josef Rief, 20, bezeichnet die Argumentation bei Cicero als „ganz und gar ethischer Natur".

Die Bedeutung Augustins sieht daher Josef Rief[19] „in seinem ebenso leidenschaftlichen wie umsichtigen und ethisch bestimmten Eintreten für den Frieden ... Daß der Friede sittliche Pflicht, höchster irdischer Wert und das begehrenswerteste Glück der Menschheit sei".

In der Folge hat Thomas v. Aquin die bellum-iustum-Theorie in der christlichen Tradition weitergeführt, und die Rechtfertigung des Krieges wurde kasuistisch immer mehr eingeschränkt, so daß zuletzt eigentlich selbst im Verteidigungsfall die Wahl zwischen den erlaubten Mitteln kaum mehr die kriegerische Gewalt sinnvoll erscheinen ließ, die technischen Möglichkeiten vielmehr jedes erlaubt scheinende Maß in Frage stellten. Auf die Erklärung der Diskrepanz in der Anwendbarkeit der Lehre zur politischen Praxis im Laufe der Jahrhunderte gibt Franz M. Schmölz einen überaus wichtigen Hinweis. Der Aquinate gehe in der Tradition des hl. Augustinus von einem „geschlossenen" Friedensbegriff aus: „Gott, seine Ordnung, seine Gesetze, die in Übereinstimmung mit diesen Gesetzen sich befindenden menschlichen Gesetze und der Friede bewegen sich auf einer Linie. Wenn diese Linie an irgendeinem Punkt verlassen wird, kann man, nach der Ansicht Thomas von Aquins, keinen realen Frieden aufbauen."[20] Aus der Situation der Welt kommt es nun zur Zwietracht, die aus dem Bösen kommen, aber auch Kampf für den Frieden zur Erlangung des Gemeinwohls sein kann. So kann es, wie Schmölz aufmerksam macht, zur Ansicht kommen, „daß zur Bewahrung des zeitlichen (christlichen) Friedens die Staaten Kriege führen können", aus der Absicht des Friedens nämlich heraus und in einer christlich konzipierten politischen Ordnung.

Das Ordnungsdenken des Mittelalters hat nun in der Neuzeit seine Geschlossenheit verloren, der Prozeß der Säkularisation hat seine politische Wirkung gehabt, pluralistische Gesellschaft und pluralistischer Staat erlauben keine weltanschaulich einheitliche Friedensidee als Formprinzip einer weltweiten Friedensordnung mehr. Dennoch braucht die Menschheit auf dem Hintergrund der Eskalation der Möglichkeiten zur Kriegsführung eine gemeinsame Basis, die die Rechtfertigung zum Krieg durch den unbedingten Willen zum Dialog auch angesichts eines unvollkommenen Friedens ersetzt. Schmölz folgert: „Für den Christen von heute ist es selbstverständlich geworden, daß man im Namen des Christentums keine Kriege führt, sondern für den Frieden einzutreten hat. Und zwar für einen Frieden, der nicht nur für gläubige Christen gedacht ist, also für einen geschlossenen Frieden, sondern für einen Frieden unter allen Menschen."[21]

---

[19] 20 f.

[20] Frieden und Gerechtigkeit. Der Friedensbegriff der Kirche, in: Christlicher Friedensbegriff und europäische Friedensordnung, Franz M. Schmölz (Hrsg.), München 1977 (15-32), 24.

[21] 27 f.

Die marxistisch-leninistische Friedenstheorie scheint die letzte spätscholastische Formulierung eines weltanschaulich geschlossenen Friedensbegriffs mit seiner Rechtfertigung des Krieges für die Sache des Kommunismus in der Weltgesellschaft zu sein. Allerdings führten auch hier die realen Entwicklungen zur Lehre von der friedlichen Koexistenz und zu einer pragmatischen Modifizierung. Anders ist aber in der traditionellen Lehrentwicklung der bellum-iustum-Theorie eine grundsätzliche Gemeinwohlsicht in ihrer Rechtsdimension am Werk, die den „geschlossenen" Friedensbegriff aus sich zu sprengen fähig war. Das zeigt historisch deutlich die Entwicklung der Lehre zur Zeit der spanischen Spätscholastik. Auch heidnische Staaten können danach als Naturordnung Existenzrecht haben und in Concordia, in Eintracht, innerhalb der Staatengemeinschaft leben. Der orbis christianus wird zum orbis totius generis humani.[22]

3.1.3. Um die politische Ächtung des Krieges heute

Wie in der Naturrechtslehre allgemein angelegt, treffen sich in der naturrechtlichen Friedensethik zwei Tendenzen und Gedankenstränge verdichtet in der bellum-iustum-Theorie: eine realistische Sicht auf die Faktenlage, wann und inwieweit die Kriegführung noch ein Mittel beim Versagen der Friedensordnung sein kann, und eine Rechtsfrage nach der sittlichen Erlaubtheit kriegerischer Gewalt. Die sich aus der Faktenlage ergebende Tendenz ging immer dahin, die kriegerische Gewaltanwendung durch immer härtere Auflagen hinsichtlich der Anwendung der Mittel einzuschränken und schließlich nur mehr im Verteidigungsfalle zuzulassen, soferne die Folgen auch begrenzt werden können, also unter striktem Verbot totaler Kriegsführung konventioneller oder nuklearer Art. Gleichzeitig aber entwickelte sich die sittliche Ordnungsproblematik, den Krieg als Mittel der Politik im Sinne von Gemeinwohlsorge innerhalb der menschlichen Gemeinschaft und ihrer Staatenordnung überhaupt als Unrecht sittlich zu ächten.[23] Diese Frage ist gebunden an eine Rechtsordnung, die für alle staatlichen Gemeinschaften offen und ebenso wirksam in ihrer Durchsetzung ist. Die Antwort ist sowohl Sache der ideellen rechtsphilosophischen Entwicklung wie jener des geltenden Völkerrechts. Die Satzung der OVN kennt seit ihrer Annahme 1945 bekanntlich nur mehr das Notwehrrecht

[22] Vgl. oben 36 und 81 ff.

[23] Josef Rief hat das im zitierten Artikel im III. Teil (34-40) unter dem Titel „Die politische Abzweckung der bellum-iustum-Theorie" sehr klar herausgearbeitet: „die Diskussion über den Krieg wird zu einer Diskussion über die Mittel" (35). Insoferne wird theoretisch die Kriegsführung von der Moral her sehr einzuschränken versucht, die grundlegende Ordnungsfrage, das Rechts- und nicht nur das Gerechtigkeitsproblem über den Krieg als sittliches Übel (malum) oder Defekt wird aber verdrängt.

eines Staates zum Krieg gegen einem Aggressor im Artikel 51. Später hat sich in den Verhandlungen der Weltorganisation gezeigt, wie schwierig es ist, zu definieren, was Aggression heißt! Die Grundannahme war offensichtlich, daß es innerhalb der Staatenorganisation zu keiner Aggression kommen werde, bzw. sich der allfällige Aggressor außerhalb der Völkergemeinschaft stelle.[24]

Harald Oberhem konstatiert zustimmend, die naturrechtliche Lehrtradition zum Frieden in Kirche und Theologie habe „Abschied vom ‚gerechten Krieg'" genommen, dennoch scheint ihm „die christliche bellum-iustum-Doktrin materiale Postulate einer Friedensethik, die handlungsbezogene Sollensforderungen entfaltet, transportiert zu haben, die bei einem Rückzug auf allgemeine Friedensparänese verloren zu gehen drohen".[25] Das besondere Verdienst liegt neben den pragmatischen Überlegungen der Schadensbegrenzung durch Einschränkung der Mittel eben in der Problematisierung der Rechtsfrage von Seiten der staatlichen Gewalt und der Ordnung der internationalen Staatengemeinschaft. Im Stufenbau des Weltgemeinwohls gibt es einen natürlichen rechtlichen Pluralismus, aber keine absolute Souveränität und damit kein Recht auf Krieg. So besehen ist die bellum-iustum-Theorie keine Episode der Rechtsgeschichte, sondern ist sie integraler Teil der Entwicklung des ethischen Denkens und Rechtsbewußtseins zur Friedensfrage.

Zu dieser Erkenntnis kommt auch der Pastoralbrief der Katholischen Bischofskonferenz der USA über Krieg und Frieden von 1983,[26] der in der Reihe der damals publizierten katholischen Lehräußerungen[27] zum Problem durch die Tatsache besonders bedeutsam erscheint, daß den amerikanischen Katholizismus als Kirche in dem Land, dessen Staatsführung als bisher einzige Kernwaffen in einem Krieg eingesetzt hat, in dieser Frage eine besondere Verantwortung für die internationale Politik trifft.[28] Die Bischöfe

---

[24] Das Problem liegt bekanntlich in der Wirksamkeit des Verbots von Gewaltanwendung in Art. 2 Z. 4 der Satzung.

[25] 67.

[26] Die Herausforderung des Friedens — Gottes Verheißung und unsere Antwort, vom 3. Mai 1983, zit. nach der Ausgabe des Sekretariats der Deutschen Bischofskonferenz, Stimmen der Weltkirche, Bd. 19, Bischöfe zum Frieden, Bonn 1983. Vgl. die sehr kompetente Besprechung des Hirtenwortes der US-Bischöfe im Rahmen der internationalen Entwicklung und der Diskussion in den USA bezüglich der moralischen Bewertung des Nuklearkrieges von James E. Dougherty, The Bishops and Nuclear Weapons, Cambridge, Massachusetts 1984.

[27] Zu Beginn der achtziger Jahre mehrten sich die Stimmen zum Thema Frieden aus allen christlichen Kirchen in aller Welt. Eine Dokumentation dazu unter dem Titel „Frieden stiften, Die Christen zur Abrüstung" wurde herausgegeben und erläutert von Günter Baadte, Armin Boyens und Ortwin Buchbender, München 1984.

[28] Die Diskussion um die moralische Erlaubtheit der modernen hochtechnologischen Kriegsführung mit dem Charakter von Massenvernichtung hat in den USA

sehen zwar die „Unterstützung der pazifistischen Option" als sehr wichtig an,[29] entscheiden sich dann aber für eine ausführliche argumentative wie ebenso prinzpielle moralischer Bewertung von „Krieg und Frieden in der Welt von heute" im Anschluß an die traditionelle „ethische Lehre vom ‚gerechten Krieg' oder ‚begrenzten Krieg'".[30]

Angesichts der „neuen Lage", im „Bewußtsein der Gefahren des atomaren Rüstungswettlaufs",[31] räumen die Bischöfe aber ein, „unsere Moralbegriffe bekommen das politische Paradox der Abschreckung nicht mehr recht in den Griff". Dürfe denn ein Staat mit dem drohen, was er nie tun darf?" Sie „detaillieren" und „nuancieren" ihre Argumente angesichts der Komplexität der Nuklearfrage. Ihr Nein zum Atomkrieg ist jedenfalls endgültig und entschieden.[32] Hier sehen sie auch den „Standpunkt der Gewaltlosigkeit" in der christlichen Tradition als eine wichtige „Methode zur Beurteilung des Krieges neben der ‚Lehre vom gerechten Krieg'".[33] Dennoch entscheiden sie sich vorübergehend — „nicht als langfristige Grundlage für den Frieden" — in einem „Klugheitsurteil", wie sie sich ausdrücken, für eine (durch „strenge Bedingungen" eingegrenzte) „moralische Billigung der nuklearen Abschreckungspolitik".[34]

Noch stärker tritt eine gewisse Unzufriedenheit mit der kasuistisch anmutenden moralischen Bewertung des Krieges in der bellum-iustum-Lehre der Tradition z. B. beim führenden katholischen Moraltheologen Bernhard Häring zutage, dessen dreibändige Moraltheologie mit dem Kapitel „Friede auf

---

schon während des Zweiten Weltkriegs eingesetzt, zuerst bei der Frage der Flächenbombardements ganzer Städte. Besonders katholische Moraltheologen waren daran beteiligt und eher auf Seiten der Schadensbegrenzung unter Anwendung moralischer Urteile auf die spezielle Kriegsführung aus der traditionellen Lehre entgegen den Vertretern des politischen Realismus, die sich auch auf theologische Vertreter berufen konnten wie Reinhold Niebuhr. Vgl. J. E. Hare, Carey B. Joynt mit weiteren Literaturhinweisen. Zitiert sei der Artikel von John C. Ford, The Morality of Obliteration Bombing, in: Theological Studies, Vol. V, 261-309; seine spätere Publikation zur Atombombe „The Hydrogen Bombing of Cities", in: Theology Digest, Winter 1957, 7 ff. Vgl. auch Jost Delbrück, Die Auseinandersetzung über das ethische Problem der atomaren Kriegführung in den Vereinigten Staaten und der Bundesrepublik Deutschland, in: Abschreckung und Entspannung, Berlin 1977 (95-147), 109 ff.

29 54.

30 43 ff. Rupert Feneberg, Gerechtigkeit schafft Frieden, München 1985, hat die These aufgestellt, die Bischöfe der USA hätten erheblich mutiger, weil konkreter formuliert gegenüber den deutschen Bischöfen. In seiner pazifistischen Grundtendenz hat Feneberg aber zu wenig die verschiedenen Argumentationsebenen der Hirtenworte beachtet, und ist daher seine Wertung unbegründet.

31 56.

32 Vgl. 59.

33 54.

34 75.

Erden" schließt.[35] Diese Unzufriedenheit ist besonders auch in der christlichen Friedensbewegung und hier wieder am stärksten in jungen Kreisen lebendig.[36] Häring spricht zuerst vom „Frieden als Verheißung, Geschenk und Aufgabe".[37] Die „Theorie vom ‚gerechten Krieg'"[38] behandelt er dann unter der Kapitelüberschrift „Der Fluch des Krieges". Er anerkennt das Ziel dieser Theorie, nämlich die „Einschränkung des Krieges", bei ihren großen Vertretern. Ebenso verweist er aber darauf, daß „es Kirchenmännern und Moralisten oft an Unterscheidungsgabe" gefehlt habe, und zitiert LeRoy Walter, der zum Schluß komme, daß „alle Theoretiker die Kategorien vom gerechten Krieg", in den von ihm untersuchten Fällen benützt hätten, „um zu beweisen, daß ihr eigenes Land einen gerechten Krieg führe".[39]

Gewiß muß bei einem politischen Urteil die Geneigtheit des Menschen immer in Rechnung gestellt werden, seine eigenen Interessen zu überwerten, umso mehr im weiteren internationalen Kontext, zugunsten seiner eigenen nationalen Position befangen zu sein. Es wäre aber falsch, eine differenzierte politisch-ethische Sicht der Friedens- und Kriegsproblematik aus dem Blickwinkel einer bestimmten bellum-iustum-Theorie zu betrachten und gegen sie die Tradition der Gewaltlosigkeit auszuspielen, geht es doch um ein moralisches Urteil und nicht um Bekenntnisse oder Prophetien, die ihre eigene moralische Bedeutung haben können.[40]

Das Transitorische der Friedenspolitik auf dem Weg zur Ächtung des Krieges liegt im Wesen sittlicher Erkenntnis überhaupt, die situativ immer eingebunden in soziale Verhältnisse und historische Entwicklungen ist. Dennoch hat die Friedensidee einen Rechtsinhalt, der ‚gebunden an die Erkenntnis des Geltungsumfanges des Gemeinwohls, potentiell auf die Ächtung des Krieges hinausläuft. Ja, es ist zu erwarten, daß es dem sittlichen Wesen des Menschen moralisch — also nicht unbedingt notwendig! — möglich ist, aus einem international verbindlich wirkenden Ethos heraus, zur Friedenssicherung eine völkerrechtliche Friedensordnung mit wirksamer Ächtung des Krieges — wie sie das Überleben der Menschheit heute erfordert — zu entwickeln. Diese Dynamik ist im politisch-ethischen Denken der

---

[35] Frei in Christus, Bd. III, Freiburg 1981, 428 ff.

[36] Heinrich Spaemann, Ehe es zu spät ist. München ²1984, 7 und 76, konstatiert sogar: „Etwas wie ein Riß geht heute durch die europäische Christenheit" in der Friedensfrage. Es gäbe viele Christen, die sich mit der Sicherheitspolitik des Staates mittels der Atomwaffe abfinden, während es heute des einigen christlichen Glaubenszeugnisses bedürfe, das sich radikal von diesen Waffen distanzierte.

[37] 428.

[38] 439.

[39] 441.

[40] Vgl. z. B. Franz Böckle, Gert Krell (Hrsg.), Politik und Ethik der Abschreckung, Mainz 1984.

Menschheit latent vorhanden und läßt sich deutlich aus der Grundtendenz der historischen bellum-iustum-Lehre seit Plato bis zu den „Klugheitsurteilen" z. B. der US-Bischöfe im Transitorium des nuklearen Zeitalters herauslesen. Gerade die moralische Auseinandersetzung mit der Abschreckungspolitik und ihrer vorläufigen Duldung trägt ihre Überwindung in sich,[41] ohne nur Alibi-Funktion zu haben oder auch den Blick für die politischen Machtinteressen und deren positivistisch gedachten Ausgleich etwa im Sinne von Werner Becker[42] zu trüben und zur Gefahr für den realen Frieden zu werden. Tatsächlich wäre der Verlust an realistischer sozialer Orientierung des ethischen Problems gefährlich. Friedensethik muß mit der Kriegsverhinderung beginnen, die lange Zeit nur zur Beschränkung des Krieges beitragen konnte, aber immer auf Ächtung des Krieges in der Menschheit hin angelegt war, wie oft erst ein Blick zurück in historischen Dimensionen erkennen läßt.

Dies läßt auch den Widerspruch in einem anderen Licht erscheinen, daß sich für die Entwicklung der Friedensordnung in der Welt von heute eine nukleare Partnerschaft zwischen den weltpolitisch gegenwärtig entscheidenden Allianzen auf dem Boden des Besitzes und des bedingten Willens zum Einsatz von Atomwaffen herausgebildet hat. Diese Partnerschaft wird in ihrer Entwicklungsfähigkeit auf eine internationale Friedensordnung hin im Konsens durch das Bemühen verdichtet, den Rüstungswettlauf unter Kontrolle und zur Umkehr zu bringen. Vertraglich ist für diesen Willen ein wirksames Beispiel gesetzt durch das Abkommen zur Nicht-Weiterverbreitung der Kernwaffen wie ebenso in SALT I und SALT II und jüngst in den Absprachen zur Verhinderung atomarer Erpressung durch Terroristen zwischen den Supermächten.

3.2. Das Gut des Friedens

Bis in die heutige Zeit dominierte bei der ethischen Betrachtung der Friedensproblematik, entsprechend dem sich entwickelnden Bewußtsein der Menschheit, das Anliegen, den Krieg als Übel zu erkennen und seine sittliche Rechtfertigung auf den Fall kollektiver Notwehr zur Selbsterhaltung

---

[41] Man muß z. B. den moralischen Ernst beachten, mit dem ein christlich motivierter militärischer Augenzeuge des Atombombenangriffs auf Nagasaki und später in der Heilung der Wunden unter der Bevölkerung überaus aktiv Tätiger das Vorhandensein des nuklearen Abschreckungspotentials für die Kriegsverhinderung in Zukunft befürwortet. Vgl. Leonard Cheshire, The Light of Many Suns: The meaning of the bomb, London 1985. Freilich, muß man ihm auch entgegenhalten, ist die atomare Rüstung heute viel weiter und zur Möglichkeit eines gigantischen Schlagabtausches gediehen!

[42] Der Streit um den Frieden.

eines Gemeinwesens unter Beachtung angemessenen Mitteleinsatzes zu beschränken. Welche Mittel der kriegerischen Gewalt können aber heute angesichts der drohenden Gefahr zur Eskalation noch als angemessen erscheinen? Was kann überhaupt noch mittels des Krieges politisch erreicht werden? Hat der Krieg im Bewußtsein der Menschheit überhaupt noch eine Problemlösungskapazität, selbst wenn er sie in historischem Rückblick je objektiv gehabt hätte?

So erhebt sich die Frage, ob es noch sinnvoll ist, mit dem Krieg einen Akt der Selbstverteidigung zu setzen, der auch die eigene Zerstörung mitbedingt, während mit dem Frieden, um ein Wort Pius XII. am Vorabend des Zweiten Weltkrieges zu zitieren, nichts verloren ist! Die Idee des „heiligen Krieges" innerhalb eines sittlichen Ordnungsgedankens muß der Idee der Heiligkeit des Friedens in einem Menschheitsethos, das zur wirksamen Ordnung wird und bereits als Bedingung des Überlebens der Menschheit in Umrissen erkennbar ist, weichen. Der Krieg, als Übel erkannt, ist mit dem Gut des Friedens als gesamtmenschheitlichem Wert nicht abwägbar, soferne der Krieg in seiner vollen Wirklichkeit erkannt worden ist und als Mittel zur rationalen Konfliktlösung somit ausscheidet.

Abschied vom „gerechten Krieg" ist heute also nicht zuletzt in der Ethik zu vollziehen, da traditionelle ethische Gedankenstränge in der Lehre vom bellum iustum in ihrer Weiterverfolgung nun offenbar zur kriegerischen Weltkatastrophe führen würden. Im sittlichen Bewußtsein ist aber auch ein anderes Grundanliegen der moralischen Befassung mit der Kriegsproblematik aufgebrochen, der Wert des Friedens und seine Förderung, ein Anliegen, das schon lange auch sittlich-rechtliche Entwicklungen ausgelöst hat und das die Ethik noch aufzuarbeiten hat.

3.2.1. Friede als sittliches Prinzip — zur Ontologie des Friedens

Eugen Biser bemerkt am Beginn seines Artikels Frieden im Historischen Wörterbuch der Philosophie, dieser Begriff werde „in seiner philosophischen Bedeutung erst seit kurzem, in seinem Rang als Prinzip des Denkens und Handelns noch kaum wahrgenommen", gleichwohl gelte der Friede seit den Anfängen der Geistesgeschichte als fundamentales Menschheitsproblem.[43] Friede erscheine im menschlichen Denken als Ursehnsucht, als „Kategorie erfüllten Menschseins", wobei für das individuelle Lebensglück der erfolgreichen Gestaltung der den Menschen mitbestimmenden sozialen Bindungen und Beziehungen eine entscheidende Rolle zukomme. Biser nennt auch an anderer Stelle, zurecht aus der Tradition schöpfend, Frieden den „Inbe-

[43] Hrsg. von Joachim Ritter, Bd. 2, Basel/Stuttgart 1972, (1114-1117), 1114.

griff des in seinen personalen und sozialen Beziehungen integrierten Menschseins",[44] eine Deutung, für die es durchaus auch aus dem etymologischen Befund des Wortes in verschiedenen Sprachen Hinweise gibt.[45] Dennoch ist die philosophisch-ethische Aufgabe, das Sein des Friedens zu begründen, lange nicht gesehen worden,[46] anders als bei der Frage der Rechtfertigung des Krieges.

Als Ursehnsucht menschlichen Denkens, oft in Gestalt von Mythen oder in Verbindung mit Religion, ist der Friede auch in ältesten Kulturen Ausdruck für erfülltes Menschsein, für individuelles Lebensglück, das im Zusammenhang mit erfolgreicher Gestaltung der den Menschen mitbestimmenden sozialen Bindungen und Beziehungen steht.[47] Die antike griechisch-römische Philosophie hat jedoch keine tiefere Spekulation über den Frieden entwickelt, der Krieg wurde als Normalzustand empfunden, der Friede war eine Zwischenzeit. Eugen Biser charakterisiert dieses Friedensverständnis durch das „Moment der Relativität und Negativität".[48] Nur innerhalb der „Polis" entwickelte sich das Denken um das Gut der staatlichen Gemeinschaft im Sinne von Gemeinwohl in Verbindung mit dem Begriff der Eintracht auf der Basis von Gesetz (nomos) und Recht (dike).

Die Pax Romana war ähnlich verstanden, hinzu kam die Wirkung der weltumspannenden römischen Machtentfaltung, der Friede zur Sicherung des Reiches und seiner inneren Ordnung, also eine Verstärkung des juristischen und politischen Aspekts. Auch der germanische Kulturkreis entwickelte einen Friedensbegriff nur innerhalb der Sippe, der als Intoleranzprinzip außerhalb der Verwandtschaft den Keim zu den zahllosen Fehden in diesem Kulturbereich legte.

---

[44] In: Staatslexikon, Bd. 10, Freiburg ^{6}1970, 52.

[45] Die sprachliche Ableitung des Wortes Frieden ist nach dem kulturhistorischen Hintergrund der betreffenden Sprache sehr verschieden, vom blassen Inhalt des griechischen Eirene bis zum tiefen Gehalt des hebräischen Schalom. Das germanische Fridu bezeichnet den eingehegten Bereich, die Bindung an die Sippe; das russische Mir weist auf die Dorfgemeinschaft ebenso wie auf die Welt hin. Im mittelalterlichen, christlich beeinflußten Friedensbegriff hat der innere Friede seine Bedeutung.

[46] Die Verbindung politischer Theorie und Friedenssuche als ethische Aufgabe unserer Zeit beschreibt sehr treffend Robert K. Woetzel, Politics and World Order, in: Unterwegs zum Frieden, (471-480), 477: „It is necessary for men to realize the *value* of peace... so that they may devote their energies to peaceful purposes."

[47] Johannes Beutler, Friedenssehnsucht — Friedensengagement nach dem Neuen Testament, in: Stimmen der Zeit, 5/1982, (291-306), 293, schreibt unter Hinweis auf Texte aus dem Alten Orient: „‚Friede'... besagt nicht nur die Unterwerfung und ‚Befriedung' aller Feinde, sondern auch die Befreiung der Gefangenen, Nahrung und Kleidung für die Armen und sogar Fruchtbarkeit für das Land."

[48] Im zit. Historischen Wörterbuch der Philosophie, 1114.

Geistesgeschichtlich gesehen war die inhaltliche Füllung des Friedensbegriffs in Verbindung mit seiner transzendenten Dimension dem religiösen Denken in der jüdisch-christlichen Tradition vorbehalten. Der alttestamentliche Schalom-Begriff sprengte die Enge der innerstaatlichen Friedensordnung und machte den Frieden zu einem Prinzip menschlichen Daseins im Hinblick auf Gott, sein Schöpfungs- und Heilswirken und seine Gerechtigkeit. Mit dem Neuen Testament, der Verkündigung des „Evangeliums des Friedens", wurde die Schranke des Friedens vor jedem Volk und jedem Menschen, „ob Freier oder Sklave" (Kol 3, 11), niedergerissen. Aus der Idee der Befreiung Israels im Bündnis mit Gott wird im Neuen Bund die Befreiung aller Völker Wirklichkeit. Ein räumlich und personell universaler Weltfriede ist die Pax Christi zugleich der historische Beginn des ewigen Friedens.

Der Begriff des ewigen Friedens ist ein Gedanke, „der seit dem späten Mittelalter im europäischen Geistesleben beheimatet ist."[49] Ansonsten blieb die christliche Tradition des Friedensbegriffs zunächst in der Väterzeit weitgehend apolitisch. Augustinus vertritt einen vom kosmischen Ordnungsdenken getragenen Friedensbegriff einerseits (tranquillitas ordinis),[50] für diese Welt aber andererseits eine stark spiritualistische Auffassung: der vollkommene Friede sei erst in der Endzeit möglich, für den Einzelnen bleibe nur der Besitz des Trostes als Möglichkeit. Auch Thomas v. A.[51] übernimmt hier nur Augustins Standpunkt.

Erst mit dem Einsetzen neuzeitlicher Säkularisierungstendenzen, in Verbindung mit der Aufklärung und der Entwicklung der Menschenrechte unter dem Einfluß der politischen Entwicklung mit den neuzeitlichen Revolutionen erfährt der Friedensbegriff wieder eine politische Akzentuierung und ergeben sich neue Konsequenzen und Gehalte für die Friedensidee. Schon bei Thomas Morus begegnet uns in seinem Friedenskonzept der Utopia der soziale Gedanke. Besonders Karl Marx hat dann den Konnex zwischen Freiheit und Frieden erkannt. Der Weltfriede wird politisch-ökonomisch aus der Kraft des Menschen erreichbar bezeichnet durch Befreiung des Menschen aus der Klassenherrschaft. Der Friedensbringer ist die Arbeiterklasse auf dem Weg des Klassenkampfes und der Weltrevolution.

Der Fortgang der Bedeutungsgeschichte des Worts in der christlichen Tradition ist nach Eugen Biser „durch ein dialektisches Abschreiten der hauptsächlichen Sinnvarianten gekennzeichnet", des „kosmologischen Aspekts" und der „spiritualistischen Antithese", der dann immer der Ver-

---

[49] Otto Kimminich, Ewiger Friede, in: Historisches Wörterbuch der Philosophie, Bd. 2 (1117-1119), 1117.

[50] Die Deutungsversuche auf ein dynamisches und teleologisches Verständnis des Ordobegriffs bei Augustinus hin auch auf eine konkrete irdische Friedensordnung haben zumindest in der Retrospektive eine Plausibilität für sich. Vgl. Franz Reiter, Gottesstaat und Friedenswerk, Diss. Wien 1973.

[51] Vgl. S.theol. I II, qu. 29, a. 2; qu. 70, a. 3; II II, qu. 180, a. 2.

such gefolgt wäre zu einer „Vereinbarung beider in einer selbst wieder über sich hinausdrängenden Synthese."[52] So hat insbesondere die Friedensethik innerhalb der katholischen Soziallehre im 20. Jht. eine inhaltlich systematische Ausgestaltung erfahren, wie sich am Beispiel der Enzyklika Johannes XXIII. aus 1963, Pacem in terris, ganz deutlich zeigen läßt. Der internationale Friede beruht danach auf vier wesentlichen Grundlagen: Wahrheit, Gerechtigkeit, Solidarität und Freiheit.[53]

Auch dieser Überblick, der Begriffsgeschichte folgend, zeigt, daß politische Erfahrungen und philosophisches Denken in Verbindung mit einer gewissen intuitiven Grundeinsicht des Menschen zum Frieden insgesamt eine stets wachsende Inhaltserkenntnis gebracht haben. Im Zusammenhang mit der ethischen Rechtfertigungsproblematik des Krieges haben Grundeinsichten in das Wesen des Friedens besonders durch die christliche Ethik und Moraltheologie eine Schlüsselrolle zur Entwicklung der Friedensethik eingenommen.

Die Friedensethik hat ihre aktuelle Herausforderung heute durch das Dilemma der Kriegsethik gefunden, daß für den Krieg unter den jetzigen technologischen Möglichkeiten bei vollem Mitteleinsatz keine Güterabwägung mehr sinnvoll erscheint, es zumindest im Falle des totalen Krieges keine Alternative zum Frieden im Sinne der Wahl des kleineren Übels mehr gibt. Wie sehr die neue Situation sich gerade in der innerkatholischen Diskussion der Gegenwart um den gerechten Krieg ausgewirkt hat,[54] zeigt Ernst Josef Nagel in gut belegter Darstellung und faßt den aktuellen Diskussionsstand folgend zusammen: „nach der Zerstörung des Paradigmas vom ‚gerechten Krieg' konnte folglich — sachlich wie methodisch — nur eine bestimmte Art von Pazifismus Auftrieb erhalten, ein Pazifismus nämlich, der sich mit der teleologischen Verantwortlichkeit für die Handlungsfolgen nicht mehr bis zur letzten Konsequenz glaubte auseinandersetzen zu müssen."[55]

Daß die deontologische Position aber für die sittliche Urteilsfindung in der Friedensethik nicht ausreicht, zeigt der zit. Nagel[56] am Beispiel einer Reihe von Vertretern des deontologischen Pazifismus, die ihre Argumente generell

[52] a.a.O., 1115 f.

[53] Vgl. die Nr. 86-125.

[54] Die These, die zuerst Gustav Gundlach, ehemals Berater bei Pius XII. in sozialethischen Fragen, 1958 verfochten hatte, daß ein atomarer Verteidigungskrieg auch mit den Folgen des Weltuntergangs noch sinnvoll wäre durch seine „Manifestation der Majestät Gottes und seiner Ordnung, die wir Menschen ihm schulden", (Die Lehre Pius' XII. vom modernen Krieg, Stimmen der Zeit, 1/1958, 1-14) setzte sich nicht durch.

[55] Methodisches zur Friedensethik, in: Frieden in Sicherheit, 229-258.

[56] Vgl. a.a.O., 237-248.

aus der Heiligen Schrift schöpfen. Die Gewaltlosigkeit werde hier der Nächstenliebe übergeordnet, das Folgerungskalkül, was nun wirklich politisch geschehen müsse, bleibe eine paränetische Anweisung zum Kreuztragen oder es trete an die Stelle rationaler Lösung des Problems gerechtfertigter Verteidigung eine „theologisch postulierte Hoffnung mit empirisch ungewissem Ausgang". Da es aber bei der Friedensethik um die moralische Bewertung auch in Detailfragen geht, nicht gleich um das Urteil über die Erlaubtheit des totalen (atomaren) Krieges, sondern auch um Fragen der Wehrpflicht etwa oder der Erlaubtheit von Rüstungsproduktion oder Formen der Abschreckung und ihrer Glaubwürdigkeit, nütze eine deontologische Position in der Problematik wenig. Selbst die Fortführung der Theorie des gerechten Krieges, wie sie manche Vertreter[57] durch das Instrumentarium der „Bedingungen", die von den ungerecht Angegriffenen in der Kriegsführung beachtet werden müssen, so daß von den Bedingungen her heute praktisch jegliche Kriegsführung unerlaubt erscheint, helfe hier nicht weiter, da die Durchführung dieser Theorie in der heutigen Situation anhand der Prüfkriterien ebenso in einen deontologischen Standpunkt münde.

In der Diskussion der beiden friedensethischen Ansätze neigt Nagel zur teleologischen Position, ohne das Anliegen der Deontologen nicht auch anzuerkennen. Gerade friedenspolitische Probleme und Zusammenhänge zwingen — trotz aller „reinen Gesinnung" zugunsten des Weltfriedens — konkret politische Verantwortung zu übernehmen, damit die Bereitschaft für den Frieden „nicht zu einer Bedrohung der Freiheit und zur Einladung für Böses wird".[58]

Im folgenden soll daher versucht werden, den teleologischen Ansatz der Friedensethik in seiner Schlüssigkeit für die Urteilsfindung auf Grund eines allgemeinen materialen sittlichen Kriteriums erneut zu entfalten.

3.2.2. Zur Definition des Friedens aus seinem sittlichen Wesen

Das Verdienst der kritischen Richtung der neueren Friedensforschung, bahnbrechend war Johan Galtung, mittels sozialwissenschaftlicher Methoden den Friedensbegriff inhaltlich zu entwickeln war es, den Begriff des positiven Friedens einzuführen. Damit wurde Friede in wesentlichen Zusammenhang mit Begriffen wie soziale Gerechtigkeit, Wohlfahrt, Glück, Freiheit, Gleichheit oder Menschenrechte gebracht.[59] In der Sicht der traditionellen Naturrechtsethik läuft dies aber auf den Gemeinwohlbegriff hinaus.

57 Insbesondere Franziskus Maria Stratemann schon in seinem Buch Weltkirche und Weltfriede, Augsburg 1924.

58 a.a.O., 258.

59 Vgl. Valentin Zsifkovits, 45 ff.

Nur wird der Gemeinwohlbegriff gebunden an sittliche Kriterien, die sich aus der Wesensnatur des Menschen gleichermaßen gemäß seiner Individualität/Personalität wie seiner Sozialität ergeben, und nicht nur mit sozialwissenschaftlichen Methoden operational im Rahmen einer kritischen Option zu erarbeiten versucht. Hierbei erscheint es auch bedeutsam, nicht zwischen dem Gemeingut als inhaltlichem Wertbestand und dem Gemeinwohl als entsprechendem organisatorischem Zustand der Gesellschaft zu unterscheiden, wie es eine Richtung der Sozialethik zusätzlich tut.[60] Erst eine ontologische Basierung des Gemeinwohlbegriffs insgesamt bindet diesen unmittelbar an die Wertordnung und an das Menschsein, die bei jeder qualitativen Aussage mittels Sozialindikatoren erst die Absicherung vor einem Relativismus bringen und den Vorwurf des zumindst indirekten Wertgehalts sozialwissenschaftlicher Axiome beantworten können. Es geht um die Grundbestimmung dessen, was Humanität im Gesellschaftssystem bedeutet.[61] Somit kann das Gemeinwohl in bezug auf den Menschen gesetzt werden, insoferne es die notwendige Hilfe für jeden Menschen darstellt, alle in seinen existentiellen Zwecken begründeten Lebensaufgaben zu erfüllen.

Dieser von Johannes Messner eingeschlagene Weg, das Gemeinwohl an die existentiellen Zwecke zu binden als Kriterium des sittlich Guten, verbindet die individuellen wie sozialen Dimensionen erfüllten menschlichen Daseins und stellt in dieser Verbindung die gesellschaftliche Seite der existentiellen Zwecke ebenso heraus, nämlich die Selbsterhaltung einschließlich der körperlichen Unversehrtheit und die gesellschaftliche Verbindung (Sozialzweck) zum Zwecke der Sicherung von Frieden und Ordnung. Zur politischen Dimension des Gemeinwohls folgert daher Messner aus den Grundbedürfnissen der dem Menschen in seiner Natur vorgezeichneten gesellschaftlichen Existenzordnung „als das erste und unumgängliche dieser Grundbedürfnisse" den „gesellschaftlichen Frieden".[62] Vom Gemeinwohl her kann man also den Grundwert Frieden als gesellschaftlichen Höchstwert definieren.[63] Als soziale politische Kategorie und Voraussetzung des — mit Aristoteles gesprochen — „guten Lebens" aller in der politischen Gemeinschaft ist Friede die allseitige Erfüllung von Gerechtigkeit, Wohlfahrt und Liebe im Zusammenleben der politischen Gemeinschaft als Bedingung der Vollentfaltung der menschlichen Person und der gesellschaftlichen Gruppen. Die Austragung von Konflikten mittels Krieg ist diesem Gut gegenüber immer ein Unrecht und Übel nicht nur gegen eine Gemeinschaft, sondern auch gegen die individuellen Personen derselben.

---

[60] Zur innerkatholischen Diskussion vgl. dazu Walter Kerber, Katholische Soziallehre, in: Demokratische Gesellschaft, Konsens und Konflikt, 2. Teil, München 1982 (547-635), 600 ff.

[61] Vgl. Arno Anzenbacher, Rudolf Weiler, Humanität im Gesellschaftssystem.

[62] Das Gemeinwohl, 94 ff.

[63] a.a.O., 160.

Im Blick auf den Gemeinwohlpluralismus ist heute die ganze Menschheit zum Weltgemeinwohl in Umrissen auch bereits in der politischen Realität verbunden, vor allem in Hinsicht auch von der Bedrohung her, daß Kriege heute leicht zu einer Gefahr für große Teile der Menschheit, wenn nicht für die Menschheit insgesamt werden können. Das Ziel, die Wohlfahrt aller Menschen zu fördern und zu sichern, kommt positiv also formuliert, im Zusammenhang mit dem Ziel der Erreichung einer friedlichen Weltordnung, immer wieder in Dokumenten der OVN vor, worauf mit Belegen Alfred Verdroß hingewiesen hat. Er leitet daraus die Entwicklung einer Einsicht ab, die, wenn sie sich einmal durchgesetzt hätte, stark genug sein würde, die Regierungen zu bewegen, „dem allgemeinen Wohl der Menschheit den Vorrang vor ihren Sonderinteressen zu geben".[64]

So gewinnt das Streben des Menschen zur Erfüllung seiner existentiellen Zwecke das Ausmaß der einen Menschheit, die nach dem Frieden hin strebt und für die *der Krieg ein soziales und individuelles Übel in sich* ist. Die Erkenntnis dieses Übels und seiner Vermeidung als oberstes sittliches Prinzip ist demnach dynamisch und entwicklungsbedingt zu verstehen.

3.2.3. Der Friede als oberstes sittliches Prinzip

Wie alle sittlichen apriorischen Einsichten ist Friede als gesellschaftlicher Höchstwert der Inbegriff sozialer Grundwerte. In seiner intuitiven Erfassung und hinsichtlich der Folgerungen daraus ist er zugleich erfahrungsbedingt. Zunächst einmal kann durchaus erst im Laufe einer langen dynamischen Entwicklung der Friede als primäres Prinzip erfahren werden. Ist er einmal als solches Prinzip erkannt, erlangt das Friedensgebot allgemeine Gültigkeit und Einsichtigkeit: Halte Frieden, könnte dieser Satz formuliert werden, oder mit der Bergpredigt noch positiver: tue den Frieden! Negativ lautet die Formulierung wohl: Führe nicht Krieg! Zum Frieden gibt es dann tatsächlich keine Alternative mehr. Zum anderen können trotzdem durch das Eingebettetsein dieses Satzes in Erfahrung aus den Zeitumständen und sozialen Verhältnissen im Bereich der Anwendung dieses sittlichen Prinzips Einschränkungen plausibel gemacht werden. Dies läßt sich bei einer teleologischen Sicht des Friedens als ein Gut der Menschheit in sich durch seine

[64] Der Kampf um eine neue Weltordnung, 221. Dieser am Gemeinwohl orientierte inhaltliche Friedensbegriff kommt dem Friedensbegriff der kritischen Friedensforschung sehr entgegen, die — von ihrem sozialwissenschaftlichen Ansatz her — den Frieden sich entfalten sieht aus der Absenz von struktureller Gewalt zur „konkreten Utopie" der Anwesenheit von „sozialer Gerechtigkeit". Werner Ernst hat das unter Hinweis auf die wissenschafts-methodischen Einwände dieses strukturanalytischen Verfahrens treffend herausgearbeitet. (Zur „Aporie des Friedens", in: Wissenschaft und Weltbild, 4/1975 (313-316), 314.

Begründung von den existentiellen Zwecken her zeigen, daß der Krieg nämlich tatsächlich als erlaubtes Mittel und nicht in sich böse angesehen werden kann in Analogie zur Notwehrhandlung gegen einen ungerechten Angreifer. In der traditionellen Sprache des Naturrechts erscheint dann der Krieg vom sekundären Naturrecht (oder von der Erbsünde) her oder vom ius gentium gerechtfertigt, was sich in der Lehrentwicklung später durchaus als Irrtum herausstellen kann. Jede Kriegführung erscheint heute immer mehr als gegen die Menschheit und ihr Wohl gerichtet. Dennoch besteht das Problem der Abwehr eines Aggressors innerhalb der Völkergemeinschaft. Friedensethisch kann argumentiert werden, daß die Erhaltung des Friedens das Ziel der noch nötig erachteten Rüstung zum Krieg ist und das Ziel des Dienstes des Soldaten. Es besteht nicht die Absicht zu töten. Der Aggresssor soll vielmehr von seiner bösen Absicht abgehalten werden. Aus den Umständen heraus sind diese Mittel, deren Einsatz sittlich verboten ist, aber notwendig, um das Gemeinwohl in seinem Grundbestand zu erhalten als Voraussetzung zur Erfüllung der existentiellen Zwecke aller betroffenen Menschen.

Die Nächstenliebe als Gesinnung allein vermag noch keine Friedensordnung zu ergeben, erst die an den existentiellen Zwecken als Kriterium orientierte Vernunftordnung. Diese Teleologie ist am Guten des Friedens gemessen und kommt nicht bloß an sittliche Richtigkeit mittels Güterabwägung heran. Die Güterabwägung spielt sich im Bereich der Anwendung des sittlichen Prinzips, im konkreten Erfahrungsbereich ab, die freilich auch irrtumsfähig und zeitgebunden ist. Der Vernunft ist auch im internationalen Zusammenhang die Notwendigkeit einer Zwangsgewalt zur Gewährleistung der Friedensordnung in der Menschheit einsichtig. Die noch bei den einzelnen Staaten konzentrierten Zwangsmittel zur Friedenssicherung weisen aber durch diese Einsicht auf die Notwendigkeit des Entstehens einer internationalen Ordnungsgewalt hin, und lassen sich im vorhandenen Selbsthilfevermögen der Staaten durchaus auch Ansätze zu einem kollektiven Sicherungssystem erkennen. Die Abschreckungs- und Abhaltefähigkeit einzelner Staaten wird somit zunehmend aus der Betrachtung als einseitiges Kriegspotential herausgehoben und gewinnt durch die Gemeinwohlorientierung im umfassenden Sinn auch einen neuen Bezug zu den existentiellen Zwecken aller Menschen.

Zeitgebunden in den Umständen ist die Vorrangstellung der Existenz der staatlichen Gemeinschaft vor dem Einzelwohl auch in der Erhaltung seiner physischen Existenz und seines Opfers um des Gemeinwohls willen. Heute ist allerdings — nicht zuletzt im Blick auf das Weltgemeinwohl — das Gut des Friedens soweit erkannt worden, daß das Opfer Einzelner für ein gerechtfertigtes Kriegsziel in quantitativer Hinsicht bei Angegriffenen und Angreifern zur Frage der Qualitätsebene geworden ist. Das Gut des Lebens Einzelner kann nicht mehr rational abgewogen werden gegenüber dem Gut des Lebens einer überindividuellen Gemeinschaft als Staat und schon gar nicht der Menschheit im Falle unterschiedslosen kollektiven Tötens unter den Bedingungen jedes modernen Krieges.

Wir befinden uns aber erst auf dem Weg der intuitiven Auslotung des Prinzips der absoluten Friedenspflicht und des Kriegsverbots wie ebenso dessen praktischer Anwendung zur Sicherung der Menschheit vor kriegerischen Aggressionen. Hierbei können durch die Umstände andere Grundwerte wie (soziale) Gerechtigkeit und Freiheit die Priorität vor dem Gut des Friedens in einer international veränderten Zweckordnung für die politische Praxis erhalten. Dabei sollte aber nicht übersehen werden, daß allein schon aus quantitativer Sicht der Rechtfertigung des Krieges heute mit diesen Grundwerten die rationale Basis entzogen wird. Vom Begriff her auch für den einzelnen Staat ist das Leben seiner Bürger in Freiheit und Gerechtigkeit — immer politisch nur begrenzt verwirklichbar! — im Gemeinwohl enthalten. Also ist Freiheit und Gerechtigkeit nur in Verbindung mit der physischen Existenz der Glieder der im staatlichen Gemeinwohl Verbundenen denkbar. Somit gewinnt die Ordnung der existentiellen Zwecke das Ausmaß einer Rangordnung unter dem Oberbegriff des gesellschaftlichen Friedens. Das hindert nicht, mit allen politisch erlaubten Mitteln die Dimensionen des Gemeinwohls auf Gerechtigkeit und Frieden, auf die Menschenrechte hin, zu entfalten. Gewaltandrohung gegen internationale Aggression und das Vorhandensein entsprechender Mittel sind derzeit sicher noch in der Politik erlaubt, soferne sie mit der Absicht der Friedenserhaltung verbunden sind und soferne sich die Absicht auch mit der gleichzeitigen dynamischen Entwicklung der Friedensförderung im Einklang befindet. Mit dieser Entwicklung konform ist der Ansatz in der Satzung der OVN, die zum Schutz gegen einen Aggressor die Gemeinschaft aller Staaten anstrebt, um damit diesen außerhalb der Existenzordnung der menschlichen Gemeinschaft zu stellen. Dafür sollte dann, unter Vermeidung der Kriegsgewalt selbst, das Mittel der gewaltfreien Sanktionen ausreichen, um die innenpolitischen Verhältnisse eines solchen Friedensstörers, anders als es heute praktiziert wird, bei kollektiven Maßnahmen der Vereinten Nationen, so zu verändern, daß er keine Bedrohung des Weltgemeinwohls mehr darstellt.

Ersichtlich aus diesen Überlegungen ist jedenfalls, daß es im Anwendungsbereich des Friedensgebots als primärem ethischem Satz unter bezug auf die existentiellen Zwecke des Menschen auf teleologischer Argumentationsebene möglich ist, konkrete sittliche Urteile zu begründen.

Politik, besonders im internationalen Kontext, mag sich als harte Arbeit auch im Sinne von hartem Vorgehen darstellen, sie sollte aber nie durch eine appellative Gesinnungsethik vom verantwortlichen ethischen Argumentieren gleichsam durch den Eindruck der Überforderung entlastet werden. Politik muß Kunst auch zur Verhinderung des Übels des Krieges im Minimum sein durch ihre Ausrichtung auf das Gemeinwohl und demnach auf den Frieden als das oberste Gut. Im Zentrum der grundlegenden sittlichen Ziele der menschlichen gesellschaftlichen Existenz steht der Zweck gesellschaftlicher Verbundenheit zum Zwecke der Sicherung von Frieden und Ordnung.

3.3. Friedenssicherung und Friedensförderung

Die Friedensethik, soferne sie von den Realitäten des internationalen Lebens ausgeht, muß sich zwar zu einem guten Teil mit dem Krieg, seinen Ursachen und seiner Verhinderung und Überwindung auseinandersetzen, mündet aber jedenfalls in ethischen Imperativen auf dem Weg zum Frieden und überlegt die Impulse, die von der ethischen Problemsicht ausgehen. So ergeben sich ethische Aussagen nicht nur zum Wesen des Friedens, sondern auch normativ fundierte Leitlinien zur Friedenspolitik, um das Gut des Friedens zu sichern, ergeben sich positive Beiträge von der Moral her, den Frieden zu fördern. Die Friedenspolitik kann heute, nach der Auffassung der überwiegenden Zahl führender Politiker in aller Welt, noch keineswegs auf militärische Maßnahmen verzichten. Es besteht aber ein deutlicher Zusammenhang zwischen der Bereitschaft zur Kriegführung und dem Ziel der Friedenssicherung, ein Zusammenhang, der vielfach als Antinomie empfunden wird. Wenn es sich bloß um die Zwischenzeit bis zur Schaffung eines weltweit funktionierenden Systems der friedlichen Konfliktregelung durch eine Friedensordnung auf der Basis gemeinsamer menschlicher Grundwerte handelte, wäre dieser Widerspruch nicht voll gegeben, sondern trüge seine Überwindung bereits in sich, wäre stabilisierende Wirkung mit dynamischer Entwicklung gekoppelt.

Das derzeit friedenspolitische Hauptproblem ist aber darin zu sehen, daß das Streben nach militärischem Gleichgewicht der Machtblöcke in Ost und West mit dem aufeinandergerichteten Vernichtungspotential den Weg zum Frieden angesichts der militärischen Gewalt und der Angst voreinander überhaupt zu sperren droht. Darum kommt es auch immer wieder zu Vorschlägen, durch einseitige Maßnahmen der Rüstungsminderung oder des -verzichts dieses psychologische Patt zu durchbrechen. Erhard Rosenkranz konstatiert (Europa im Blickpunkt) die Lage treffend: „Die vorhandene Chance der allgemein durch Absichten und Risiken gegebenen sicherheitspolitischen Stabilität zwischen Ost- und Westeuropa... bleibt möglicherweise wegen übermäßigen Mißtrauens und perfektionistischer Vorstellungen vom militärischen Gleichgewicht ungenutzt für eine weitere Sicherung."

Folglich sieht er die Friedenspolitik in Ost und West solange entscheidend behindert, als „beide Feindbilder vom latent *militärisch* aggressiven Gesprächspartner beibehalten werden."[65] Heinrich Schneider hingegen kommt beim Vergleich der Rüstungspolitik der beiden Bündnissysteme auf dem Hintergrund der strategischen Konzeptionen, die er „alles andere als unbedenklich" bezeichnet, zum Schluß, diese trügen zur „Eskalation des Mißtrauens, zum weiteren Wettrüsten, zur Destabilisierung" bei.[66] Beide Positionen haben ihren Wahrheitsgehalt, und die Frage nach der logischen Priorität der Ursachen der tatsächlich bestehenden Instabilität zu beantworten, ist unwichtig. Tatsächlich werden nur Maßnahmen der Friedensförderung, die auch sicherheitspolitisch verantwortbar erscheinen und aus der antinomischen Situation herausführen, zum Endziel des Friedens hinführen. Im folgenden werden daher zwar vom friedensethischen Standpunkt Maßnahmen der Friedensförderung betrachtet werden, ohne den realistischen Aspekt der Friedenssicherung vernachlässigen zu wollen. Erst das ganze Bündel der Maßnahmen hängt in seiner Wirksamkeit letztlich vom Friedensethos aller Beteiligten wesentlich ab. Die Friedensethik kann insoferne keine Rezepte für die Politik liefern, sie kann aber sozialrealistisch ethische Leitlinien aufstellen, nicht nur appellativ oder paränetisch vorgehen.

3.3.1. Der offene Friede

Bislang ist die Friedenssicherung zwischen den Völkern faktisch auf militärische Mittel und deren Konkurrenzverhältnis bzw. Gleichgewicht verwiesen, auf Mittel, die aber ebenso den Frieden zu brechen geeignet sind. Die Möglichkeit, daß sich aus der Konkurrenz der beiden großen Machtblöcke in der Welt, sieht man sie nun mehr ideologisch oder mehr machtpolitisch im Wettstreit, bei einem nicht-militärischen Sieg einer Seite ein internationales Ordnungssystem weltweit politisch durchsetzt, erscheint für die jeweils andere Seite unannehmbar. Allein die Sorge, daß die eine weltanschauliche Position die politische Zukunft der Menschheit bestimmen könnte, ist Ursache für Angstreaktionen auf der anderen Seite und bringt neue Konfliktstoffe mit sich. Ein Friede durch den Sieg einer Seite ist für den anderen Teil der Menschheit dann kein Friede, zumindest aus heutiger Sicht.

So steht und fällt der Friede, wie Otto Kimminich ausführt, damit, daß er von allen „als Wert anerkannt und zur Grundlage völkerrechtlicher Normie-

[65] Der politische Stellenwert des militärischen Gleichgewichts, in: Sicherheitspolitik vor neuen Aufgaben, hrsg. von Karl Kaiser und Karl Markus Kreis, Frankfurt 1977 (273-294), 287 f.

[66] Probleme der Friedenssicherung heute, in: Gerechtigkeit, Freiheit, Friede, hrsg. von Paulus Gordan, Graz 1983 (93-130), 123.

rung gemacht wird."[67] Der Weg zum Frieden führt nicht über Siege oder Diktate, sondern über den Dialog aller Beteiligten. Der Friede muß offen sein für alle und insoferne das Recht aller umschließen, allen Völkern und Menschen in ihren Grundinteressen gerecht werden. Diesem Recht der Völker liegt eine geistige Realität zugrunde, die dadurch der Willkür und ebenso dem vermeintlichen Diktat der Verhältnisse entzogen ist. Der so offen verstandene Friede ist zum Primat des Geistes hin offen, zum guten Willen und zur Einsicht in die Rechts- und Friedensordnung in ihrer Geltung und Wertverbindlichkeit. Die Anerkennung übereinstimmender Wertüberzeugungen in der Menschheit muß dazu gar nicht ausdrücklich vorliegen, es genügt die Achtung vor den Faktoren im Zusammenleben der Völker, die dieses Zusammensein faktisch ermöglichen und bestimmen, zu denen eben heute immer Rechtsgrundsätze völkerrechtlicher Natur gehören, die unabhängig von ideologischen Festlegungen und systemimmanenten Behauptungen und Abhängigkeiten als Recht anerkannt werden. Der internationale Friede gewinnt den Rang des „Höchstwertes der Rechtsordnung" und zugleich eines „Kriteriums des Völkerrechts in seinem gesamten Ausmaß", wie es Johannes Messner unter Berufung auf Alfred Verdroß ausdrückt.[68]

Schon nach dem 1. Weltkrieg spricht Hans Kelsen vom „Primat des Völkerrechts" im Sinne einer Rechtsordnung, die über den Staaten steht, „die die Geltung der Einzelstaaten gegenseitig abgrenzt, indem sie Eingriffe des einen in die Sphäre des anderen verhindert oder doch an gewisse, für alle gleiche Bedingungen knüpft."[69] Gemäß seinem strikt rechtspositivistischen Standpunkt, daß der Rechtsbegriff wissenschaftlich material nicht begründbar sei, hat aber nach Kelsen die über den Einzelstaaten stehende universale Rechtsordnung nur hypothetischen Charakter.

Dennoch tritt er für den Primat des Völkerrechts ein, sieht in ihm den Rechtsbegriff vollendet, der somit eins wird „mit der höchsten sittlichen Idee." Dieser Hinweis, von Kelsen formal verstanden, zeigt dennoch die Grenze der „reinen Rechtslehre", daß die Grundnorm des Rechts nicht ohne willentliche Annahme in der Völkergemeinschaft wirksam werden kann und insoferne Wertcharakter hat. Daher kannn sich die Staatenpraxis immer noch anders entwickeln, dennoch sollte die Kraft rechtsphilosophischer Sätze als Grundlage ordnungspolitischer Entwicklungen nicht unterschätzt werden. Allein der Hinweis auf die rasche Entwicklung eines „Rechts der

---

[67] Von der Bändigung des Krieges zum Postulat des Friedens, in: Bereiten wir den falschen Frieden vor? Hrsg. von Gerd-Klaus Kaltenbrunner, München 1976 (61-77), 70.

[68] Völkerrechtslehre und Geschichtsphilosophie, in: Internationale Festschrift für Alfred Verdroß, München 1971 (293-308), 300.

[69] Das Problem der Souveränität und die Theorie des Völkerrechts, Tübingen 1920, 204 f.

internationalen Organisationen" nach 1945 ist ein Hinweis auf eine Rechtsentwicklung, deren Dynamik aus dem Selbstbindungswillen der Staaten allein nicht mehr ausreichend erklärbar erscheint. Dasselbe kann für regionale Staatengemeinschaften (supranationale Gemeinschaften), aber auch für die großen Allianzen von Staaten, die real doch mehr sind als nur „Machtblöcke", geltend gemacht werden.

Dieser unseres Erachtens also wertgestützten Position steht für manche Vertreter einer auf die „Realitäten der Staatenpraxis" gestützten Sicht das gegenwärtige Verhalten der Mächte und „seine Auswirkungen für die Völkerrechtsordnung" entgegen. Nach ihrer Meinung ist trotz des gesteigerten Geltungsanspruchs des Völkerrechts unter der Ägide der OVN, trotz dieser „deklarations- und kodifikationsfreudigen Periode" seit 1945 Inhalt, Auslegung, Durchsetzung und Beachtung des Völkerrechts kontrovers geblieben: „ein getreues Spiegelbild einer zerklüfteten, von tiefen ideologischen, materiellen und machtpolitischen Gegensätzen zerrissenen Staatenwelt, die im Schatten der Atomkriegsdrohung mühsam um ein prekäres, den Frieden bewahrendes Gleichgewicht ringt."[70]

So wertfrei sich eine solche Sicht gibt, so sehr ist der zitierte erfahrene Diplomat und Völkerrechtler Grewe mit seinem obigen Standpunkt in einer positivistischen Sicht der Friedensordnung im Sinne eines auch empirisch gar nicht verifizierbaren Gleichgewichtsdenkens befangen, deutet er gewisse Übereinkommen eines auf die Menschheit hin ausgerichteten Völkerrechts — als Beispiel diene der Weltraumvertrag! — rein machtpolitisch, so sehr geschlossen auf die jeweilige Interessenlage hinorientiert erscheint sein Friedensbegriff und sein Rechtsverständnis. Der von uns reklamierte offene Friede für die ganze Völkergemeinschaft hat aber nicht nur die Zeichen eines sich entwickelnden Rechtsbewußtseins für sich, wenn auch erst in bescheidenen verbindlichen Wirkungen auf eine Friedensordnung hin, sondern hat im Interesse der Menschen einen Verbündeten. Hinter diesem Interesse stehen die existentiellen Ordnungswünsche aller Menschen, zu deren Erfüllung der Friede Voraussetzung ist. So ist der Friede an die menschliche Existenzordnung als Rechtsordnung gebunden. In einer solchen Sicht gewinnen bescheidene Ansätze der Erfüllung unter den Erfordernissen der Zeit eben tiefere Dimensionen. Der Friede als Rechtsidee entwickelt eine inhaltliche Dynamik auch in seinen Wirkungen über alle Versuche hinaus, ihn für ein System oder eine Machtgruppe international geschlossen zu beanspruchen.

Ein Beispiel, daß auch andere Interessen als reine Machtinteressen im Dienste der Rechtsidee und des offenen Friedensbegriffs ihre Dynamik

---

[70] Wilhelm G. Grewe, Über den Gesamtcharakter der jüngsten Epoche der Völkerrechtsgeschichte, in: Festschrift für Hans-Jürgen Schlochauer, Berlin 1981, (301-327), 304.

ausüben, ist die KSZE. Obwohl sie von einer Supermacht und ihrem Hegemonialstreben in der Entstehungsgeschichte zur Festigung ihres Besitzstandes gedacht war, hat sie einen faktischen Verlauf genommen und einen Nachfolgeprozeß (Implementierung!) eingeleitet, bei dem die Menschenrechtsfrage einen entscheidenden Anteil an der Bestimmung des Friedens, als offen und unteilbar für alle, hat. Über rein militärische Regelungen hinaus gewinnen vertrauensbildende Maßnahmen — ein Begriff, der in der Helsinki-Konferenz ein Schlüsselwort wurde — eigentlich erst ihren Sinn, wenn sie der Verständigung über den jeweils vertretenen Friedensbegriff als systemüberschreitend, damit offen für den Anderen, dienen.

Bei allem analytischen Vorgehen, um Politik strukturell und machtpolitisch zu erforschen, geht es nicht ohne Bezug auf Werte, die dem Verhalten der Staaten zugrunde liegen, die im internationalen System ihre Eigendynamik entwickeln und dieses nicht nur als Netz von Großmachtstrategien, Hegemoniestrukturen oder Anpassung der kleinen und mittleren Staaten an die Verhältnisse sehen.[71] Gerade die Rolle der kleinen Staaten, der neutralen und blockfreien insbesondere, und ihre Möglichkeiten, wenn sich Machtkonstellationen auf Perioden des Verhandelns — man mag auch Entspannungsprozesse so deuten — einlassen, weisen auf die Bedeutung von Wertvorstellungen hin, deren realen Gehalt herauszuarbeiten und gemeinsam zu prüfen, den Weg zum Frieden für alle öffnet. Eine Wertsicht des Friedens läßt zunächst im analytischen Herangehen an sicherheitspolitische Ziele durchaus offen, ob konkret zu einer Zeit die Aufrüstungskonkurrenz zwischen Mächten — im Blick stehen die beiden Supermächte und ihre Paktsysteme — oder Entspannungsbemühungen, soferne dadurch kein erhöhtes Sicherheitsrisiko eingegangen wird, den Vorrang erhalten sollen. Beide Methoden können auf Friedenserhaltung gerichtet sein. Im langfristigen Kontext gewinnt aber die Entspannungspolitik den Vorrang, weil sie unmittelbar den Wert des Friedens anstrebt. Dies wird auch in politischer Analyse deutlich, weil unter Bedingungen der Entspannung das Sicherheitsinteresse zwar gewahrt sein kann, aber zurücktritt vor Verhandlungen, die zu gemeinsamen kooperativen Maßnahmen der Friedensförderung bis zu organisatorisch-institutionellen Einrichtungen führen können.[72] Selbst ein bestehendes Konkurrenzsystem kann durch koordinierte Steuerung beiderseits bereits zur Entspannung hinüberführen.

---

[71] Die Verbindung von Völkerrecht und Sozialwissenschaften grundsätzlich methodisch zum Studium der internationalen Konflikte (vgl. Hanspeter Neuhold, a.a.O.) oder für besondere Situationen zum Studium von Kriegsursachen (vgl. Hans Gärtner, Harmoniestrukturen und Kriegsursachen, Informationen zur Weltpolitik, Mai 1983) weist über die Faktenlage stets hinaus auf Wertpräferenzen und deren Wirkungen.

[72] Entsprechende Gedanken bringt Bernard Willms, Entspannung und friedliche Koexistenz, München 1974.

Aus dieser Sicht ergeben sich sicherheitspolitisch durchaus vertretbare Folgerungen für die Friedenspolitik, die wertbezogen sein können im Bezug auf Ziele, die ethisch positiv bewertet werden, bzw. moralisch induziert sein können.

3.3.2. Die Politik der Friedensförderung

Man mag es zurecht bedauern, daß ethische Aufrufe zum Frieden, trotz aller argumentativen Bemühung, kein größeres Echo finden.[73] Es ist aber die Aufgabe der Friedensethik, einerseits die Sachkompetenz der vor allem analytisch von den Realfaktoren des internationalen Lebens ausgehenden Wissenschaften zu beachten, dennoch aber aus ihrer ethischen Sicht die „Herausforderungen des Friedens" verstehbar und für den Tag möglich zu zeigen. Dies beginnt schon beim Aufruf zur Abrüstung. Für diese Forderung haben historisch gesehen politische Absichtserklärungen, ja selbst völkerrechtliche Verträge (wie der Briand-Kellogg-Pakt von 1928) keine Wirkung gezeigt. Das Ziel der Abrüstung ist bis heute, zumindest im qualitativen Bereich, in immer weitere Ferne gerückt. Dennoch bleibt es Aufgabe der Friedensethik, die Ausrichtung auf dieses Ziel zu erhalten und auch kleine mögliche Schritte zu empfehlen, denn ohne Willen dazu gibt es keine Politik in diese Richtung, der Wille aber bedarf neben der Motivation der Erkenntnis des real Möglichen.

Die Verminderung der Kriegsgefahr erscheint allgemein als erster Schritt der Friedenspolitik. Dazu gehört der Abbau von Spannungen und die Entschärfung von Konflikten. Als konkret abschätzbare Maßnahmen wird hier häufig auf Maßnahmen zur Verminderung des militärischen Potentials, vor allem der materiellen Rüstungsvorkehrungen hingewiesen, eine ganze Palette von Abrüstung beginnend mit einer Verminderung von Tempo und Ausmaß der qualitativen und quantitativen Aufrüstung. Politisch sehr relevant sind aber hier auch die strategischen militärischen Konzepte und Militärdoktrinen, aber auch die den Wehrverbänden vermittelte Wehrethik. Diese ist wiederum mit politisch-weltanschaulichen Wertüberzeugungen im politischen System verknüpft. Also ist jeder Abrüstungsschritt implicite verbunden mit Abbau aggressiver politischer Ideologien. Eine Stärkung der Friedensförderung ist daher gerade im ideologischen Bereich zu suchen, ein Bereich, in dem die Ethik durchaus Kompetenz hat.

---

[73] Unter Verweis auf das 2. Vatikanische Konzil (Gaudium et spes) stellt Werner Heierle dies fest. (Neuere Entwicklungen in der katholischen Friedensethik, in: Ethos des Alltags, hrsg. von Alberto Bondolfi, Werner Heierle, Dietmar Mieth, Zürich 1983, (143-158), 148.

Vordringliches Ziel wird es daher sein müssen, die politisch wirksamen Ideologien auf ihren aggressiven Gehalt hin zu prüfen. Die entsprechenden wechselseitigen Befürchtungen sind sehr ernst zu prüfen, auch vom Standpunkt der anderen Seite. Dabei scheint Übereinstimmung zu herrschen, daß totalitäre Systeme die Spannung und Kriegsgefahr erhöhen, bzw. ein Streben nach Überlegenheit und Hegemonie entfalten. Die entsprechenden Vorwürfe und Verdachtmomente in der internationalen Politik — im Ost-West-Konflikt werden sie von beiden Seiten erhoben! — müssen von allen Seiten sehr ernst genommen werden und auf die Fakten hin überprüft werden.

Besonders deutlich kann dies an Hand der wehrethischen Motivation der Soldaten jeweils gemacht werden. Ein Austausch von Grundsätzen betreffend die ethische Beurteilung eines militärischen Einsatzes im Ernstfall, auch einschließlich eines Krieges mit vollem Militärpotential zur Massenvernichtung, sollte ebenso erfolgen wie die Aufgabenstellung des Militärs zur Friedenserhaltung überdacht werden. Je technischer der Krieg wird, desto mehr muß die ethische Verantwortung des Militärs für den Frieden bedacht werden und kann nicht dem einzelnen Gewissen überlassen werden, aber auch nicht der Argumentation nur einer Seite. Tatsächlich stehen sich global heute zwei Bündnissysteme gegenüber, deren strategische Konzeptionen wehrethisch auch das Feindbild gegenseitig brauchen, um den vollen Kampfwillen der jeweiligen Soldaten zu motivieren, anstelle diesen zu relativieren und auf den Frieden als erstes Ziel hinzulenken. Deutlich wird dies, daß sich das in den Armeen gepflegte Wehrethos durch die vorrangige Betonung des Friedens und schon gar durch die Mahnungen der Bergpredigt zur Gewaltlosigkeit allenthalben herausgefordert sieht. Dabei ist die christliche Botschaft, die Bergpredigt, friedensethisch nicht als pazifistische Anweisung schlechthin auszulegen, und wird auch nicht so in der kirchlichen Verkündigung interpretiert, handelt es sich doch um eine Orientierungshilfe, die freilich den Frieden unter den Völkern als unabdingbares Ziel aufweist, aber auch um die menschliche Begrenztheit weiß und darum um die Grenze der politischen Umsetzbarkeit der Forderungen des Evangeliums in dieser Welt.[74] Man kann auch diese utopisch klingenden und oft so verstandenen Worte, wie Pinchas Lapide meint, auf die positive Fassung der Goldenen Regel als sittlichem Grundwert zurückführen: „Alles nun, was ihr wollt, das euch die Leute tun sollen, das tut ihnen auch!" (Mt 7, 12). So verstanden entfaltet die Botschaft der Bergpredigt vom Frieden keine politische Strategie, aber gibt eine Wegweisung zum Weltfrieden, wird sie „Grundlage für ein Programm des menschenwürdigen Überlebens".[75]

[74] Vgl. Anton Vögtle, Was ist Frieden? Freiburg 1983, 160. Eine christlich verantwortete und politisch tragfähige Soldatenethik entwirft der evangelische Theologe Christian Walther im Rekurs auf sein Modell eines freiheitlich demokratischen Staates in seinem Buch Verantwortung zur Freiheit, Bonn 1985.

[75] Die Bergpredigt — Utopie oder Programm? Mainz 1982, 144.

Auch die schrittweise Annäherung an diese Botschaft ist Friedensförderung. Sie setzt aber die Freigabe des Blicks soldatischer Wehrpflege auf das Ziel der Friedensförderung voraus durch den Primat der Friedenspolitik vor aller Pflege zur militärischen Einsatzbereitschaft und die Bereitschaft zur Konditionierung des tatsächlichen Einsatzes von Waffen über ihre potentielle Wirkung hinaus im Falle eines totalen Krieges, den tatsächlich zu führen, absolut verboten ist. Um dieses dem militärischen Denken widersprechende Dilemma der traditionellen Lehre vom gerechten Krieg kommt aber auch der Soldat heute nicht herum. Er muß es sehen lernen, daß seine militärische Fähigkeit dort politisch endet, wo sie das Ende der Friedenspolitik bedeuten und zum Weltuntergang führen würde.

Die Konsequenz daraus ist auch für die Wehrpolitik die Abwehr von Überrüstung, der Vorrang von Rüstungssteuerung, -kontrolle und schrittweiser Abrüstung bei zugegebenerweise gleicher Sicherheit. Der Primat der Politik wird aber daraus sichtbar, daß diese Gleichheit nur im politischen Kalkül letztlich gewogen werden kann und nicht allein durch Aufrechnung der beiderseits vorhandenen Waffen. Damit dies aber eingesehen wird, ist eine breite wehrethische Grundorientierung auf Friedensförderung nötig. Insoferne stehen *militärische Bereitschaft und Gewaltlosigkeit in einem komplementären Verhältnis* und schließen einander nicht aus.

Diese Komplementarität wird zu wenig von Heinrich Schneider gesehen, wenn er etwas ungeschützt für die derzeitige Militärpolitik der Nuklearmächte friedensethisch folgert (mit allen Konsequenzen für eine international zu praktizierende Wehrethik): „Die Argumente der herkömmlichen Naturrechtslehre zur prinzipiellen Erlaubtheit militärischer Verteidigung (und also auch der Bereitstellung der dazu notwendigen Mittel) rechtfertigen also nicht die derzeitige Militärpolitik der Nuklearmächte."[76] Die Abhaltewirkung selbst atomarer Kampfmittel, um diese Wirkung auf die gegnerische Seite geht es nur, hängt nämlich sehr stark von der wehrethischen Absicht ihres bedingten Gebrauchs ab, solange kein Weg zur unbedingten Gewaltlosigkeit mit gleicher Sicherheit auszumachen ist.

Die Entwicklung einer internationalen Verständigung über den friedensfördernden Charakter der Wehrethik setzt den Ansatz bei bestehenden Interessen (Militärdoktrinen) und deren Umsetzung in den Armeen voraus, muß aber auf internationales Verantwortungsniveau gebracht werden. Eine traditionelle Klammer, die noch vor dem Ersten Weltkrieg bei den meisten europäischen Mächten zur Pflege der Wehrethik zwar vorhanden gewesen wäre, die Militärseelsorge,[77] ist heute nur mehr bei einer Minderheit von Armeen in der Welt vorhanden. Sie hat allerdings damals, als sie noch in den

[76] Erfordernisse des Friedens, 38.

[77] Eine kritische innerkatholische Stimme zur Militärseelsorge findet sich im Buch des Moraltheologen François Reckinger, Krieg ohne uns! Paderborn 1983, 177 ff.

meisten Armeen präsent war, schlicht versagt. Heute ist die Friedensethik der christlichen Kirchen zwar eindeutig auf Friedensförderung festgelegt, ihre direkte wehrethische Umsetzung aber nur sehr partiell mehr möglich.

Der Begriff „kalter Krieg" hat sich für erhöhte politische Spannungsperioden nach 1945 sehr treffend eingebürgert und umreißt ein breites Spektrum von Möglichkeiten von antagonistischem Verhalten zwischen Staaten, Paktsystemen und deren Verbündeten im System der internationalen politischen Subkultur von Befreiungsorganisationen bis Pressure Groups und Einzelaktionen gewaltfreier Art. Im kalten Krieg spielen neben militärischen Waffen auch ein ganzes Instrumentarium an Kampfmitteln von der wirtschaftlichen bis zur psychologischen Kriegführung eine Rolle. Die Informationswaffe[78] wird ebenso gebraucht wie der Warenboykott, oder die Monopol- oder Kartellstellung von Staaten im Bereich sensibler Rohstoffprodukte (Erdöl-Waffe!) wird als Druckmittel eingesetzt. Der Anteil des ideologischen Gegensatzes als Ursache bei der kalten Kriegführung ist neben den verschiedensten materiellen Interessen und deren kultureller und historischer Einbettung schwer zu bewerten und variiert sicher von Fall zu Fall, auch im jeweiligen Zeitablauf und in Abhängigkeit von Einzelereignissen.

Ideologischer Krieg, Kreuzzüge gegen und für ideologische Ziele spielen ihre politische Rolle, verselbständigen sich tendenziell, sind aber immer auch von realen Verhältnissen im internationalen Leben bedingt und wirken darauf im Wechsel zwischen ideologischem und strukturellem Bereich zurück. Politisch mag die Priorität der Lösung solcher Spannungen zu Zeiten einen verschiedenen Ansatz haben, mehr im Strukturellen oder zuvor im Ideologischen. Der wertende ethische Standpunkt wird die logische Priorität — nicht notwendig die der politischen Taktik! — den geistigen Konfliktursachen beimessen.

Unter dem Eindruck der Gefahren für den Weltfrieden aus dem Nord-Süd-Konflikt, der in den Industriestaaten aktuell oft zu sehr vom Ost-West-Konflikt überdeckt erscheint, wird die Förderung der Entwicklungspolitik zugunsten weltweiter Solidarität und sozialer Gerechtigkeit ein Entscheidungsfeld der politischen Friedensförderung sein. Hier sind sich viele wissenschaftliche, politische und religiöse Kreise in der Dringlichkeit einig, allerdings in der politischen Umsetzung viel weniger. Von der Bereitschaft der Bevölkerung in den Industriestaaten zu geübter Solidarität ist leider noch viel zu wenig, schon allein vom Verständnis her, zu spüren. In Aufrufen zur Friedenstat wird daher zurecht oft besonders die Entwicklungshilfe empfohlen, wobei man sich nicht zuletzt an die Jugend wendet. So klingt schon im Wort der deutschen Bischöfe „Gerechtigkeit schafft Frieden" aus 1983 im Titel das Thema auch sozialer Gerechtigkeit an. Die US-Bischöfe

---

[78] Vgl. Gabriel, Radnitzky, Schopper (Hrsg.), Die I-Waffen, München 1982.

wollen ihrem vielbeachteten Hirtenwort (im gleichen Jahr) zum Frieden, nun ein Wort zur sozialen Gerechtigkeit, nicht zuletzt im Blick auf die Not der Entwicklungsländer, folgen lassen. Ähnliches gilt für Dokumente des Ökumenischen Rats der Kirchen oder der Evangelischen Kirche in Deutschland.[79]

In die gleiche Richtung gehen viele Initiativen aus der weltanschaulichen Gemeinschaft der Sozialistischen Internationale, deren derzeitiger Präsident Willy Brandt durch einen Bericht einer nach ihm benannten Kommission 1983 zum Nord-Süd-Problem hervorgetreten ist.[80] Keine internationale politische Gruppierung schaltet sich hier aus. Das Thema beschäftigt auch die Internationale Demokratische Union, konservative wie christ-demokratische Parteien. Auch die kommunistischen Parteien sehen das Problem, allerdings behindert durch ihren theoretischen Dogmatismus, sobald es um Reformen im Konsens und um Zusammenarbeit geht.

Die friedenspolitischen Aktivitäten der OVN und ihrer einschlägigen Organisationen sind gerade durch die politischen Interessengegensätze und die ideologischen Konfrontationen sehr behindert, obwohl die Friedenspolitik erst durch konkrete Erfolge auch im organisatorischen Bereich zu greifen beginnen kann. Hier ist zuerst wieder der Partnerschaftsgedanke von allen Seiten her zu entwickeln, der Wille zum Miteinander auf allen Ebenen des Verhandelns und Handelns.

Letztentscheidend wird für diese notwendige solidarische Basis der Friedenspolitik wieder die offene Begegnung der großen Weltkulturen ebenso sein wie der gelebte interkulturelle Kontakt in den verschiedenen kulturellen Lebensräumen, wo es zur täglichen Mischung von Kulturen und ethnischen Gruppen kommt mit ihrem spezifischen Konfliktpotential und ebenso ihren positiven Wirkungen aufeinander. Für diese großangelegte wechselseitige Enkulturation spielen gesamtmenschheitliche Werte und Interessen und deren Träger und Vermittler, als solche seien besonders die Religionen genannt, eine wichtige Rolle.

Im Zeitalter der rasch sich erweiternden wissenschaftlichen Erkenntnisse, vor allem im Bereich ihrer technischen Umsetzung, wird hier wieder den Wissenschaften eine wichtige integrative Rolle zukommen,[81] wieder besonders der wertorientierten Wissenschaft vom Menschen, soll sich der Impuls für das internationale Zusammenleben zur Friedensförderung auswirken.

[79] Vgl. Kirche und Frieden, hrsg. von der Kirchenkanzlei der Evangelischen Kirche in Deutschland, EKD Texte 3, o. J. (1982); Gottes Frieden den Völkern, hrsg. von Eduard Lohse und Ulrich Wilckens, Hannover 1984.

[80] Common Crisis, North-South: Cooperation for world recovery, London 1983.

[81] Hier sei noch verwiesen auf das posthum erschienene Buch von Engelbert Broda, Wissenschaft, Verantwortung, Frieden, Wien 1985.

So sind — beispielhaft nur illustriert — viele, wenn nicht alle Ebenen der Politik als Friedenspolitik in ihrer vielgestaltigen Zielrichtung auch auf Friedensförderung auszurichten, sind sie eigentlich vom Wesensverständnis der Politik her dazu bestimmt, dem Frieden zu dienen.

3.3.3. Die Hoffnung auf Frieden

Die Friedenspolitik mit ihrem gegenwärtigen Instrumentarium der offiziellen Verhandlungsebenen, des politischen Dialogs und der vielen Bemühungen im internationalen gesellschaftlichen Bereich, insbesondere die im engeren Sinn auf Rüstungskontrolle und Abrüstung gerichteten Verhandlungen, bleiben in ihren Erfolgschancen bis heute weit hinter den Erfordernissen der Stunde zurück. Man könnte die Politik im nuklearen Zeitalter in Umkehrung einer bekannten Begriffsbestimmung die „Kunst des Unmöglichen" nennen.[82] Die realen Chancen politischer Verständigung zur Kriegsverhütung und zum unbedingten Nichteinsatz des vorhandenen Kriegspotentials oder wenigstens zu einer Einigung, dieses nicht weiter auszubauen, sind immer noch gering. Umso weniger zeichnet sich ein Konzept ab, schrittweise die Rüstung, im atomaren Bereich beginnend, unter die Schwelle der Massenvernichtung auch nur konventioneller Art zu vermindern.

Die Politik bleibt damit offenkundig hinter den Erfordernissen der Zeit zurück, aber auch hinter den geistigen Entwicklungen. Die Menschheit ist in die Phase einer kulturellen Integration eingetreten, hat ein globales Bewußtsein entwickelt auf vielen Ebenen und befindet sich vielfach in globaler Kommunikation. Selbst aber der Weltraum, zwar als „gemeinsames Erbe der Menschheit" von der OVN im Weltraumvertrag aus 1967 bereits ausdrücklich bezeichnet, droht heute zu einem Schauplatz militärischer Nutzung unter allen Zeichen konfliktträchtiger Konkurrenz zu werden. Die Kunst der Gemeinwohlsorge in der Politik ist höchst selbstsüchtig auf die einzelne „Polis" beschränkt geblieben. Statt den Blick auf den gestirnten Himmel zu richten und die ethischen Erfordernisse der Stunde zu begreifen, hat ein unbedachtes Wort den „Krieg der Sterne" als Lösung aus dem Dilemma der Politik der Abschreckung vorgeschlagen.

Woher nehmen wir daher den politischen Mut, um das unmöglich Scheinende an der Wurzel radikal, aber doch rational-analytisch vorbereitet und geduldig auf das Ziel gerichtet möglich zu machen, den Frieden ohne Angst zu sichern? Es bedarf dazu einer Vision im Sinne einer Hoffnung, die auch um konkrete Wege weiß, die aus dem Dilemma führen.

---

[82] Vgl. Gerald Segal (Ed.), Nuclear War and Nuclear Peace, London 1983, 1.

Die bewegenden *sittlichen Ideen der Menschheit* von internationalem Gewicht, wir denken besonders an die christlich-abendländische Kultur einschließlich ihrer säkularistischen Geisteskinder wie liberalistischer und sozialistischer Humanismus, die heute im Untergrund des politischen Lebens ihre Wirkung entfalten, die nicht minder an der Entstehung unserer technischen Zivilisation mitwirkten, betreiben doch den Abschied vom gerechten Krieg auch im Sinne eines Verteidigungskrieges und damit auch den Abschied vom Besitz von Kriegsmitteln, die zu gebrauchen niemals erlaubt sein kann. Noch sind die politischen Konsequenzen daraus nicht in Sicht, die Vision aber ist bereits Gegenwart und nicht Utopie.

Die Vision vom möglichen Frieden soll hier Hoffnung genannt werden.[83] *Als Weg der Hoffnung bietet sich die Gewaltlosigkeit an,* freilich in politisch verantwortlicher Konkretisierung und schrittweiser Annäherung.[84] Die Aufnahme des Prinzips der Gewaltlosigkeit in die Politik soll nicht schon als eine Handreichung zur Praxis gewaltfreier Methoden verstanden werden, so sehr diese Anregungen und Zeugnisse ihr Gewicht haben.[85] Damit soll keineswegs einer schwachen Politik des Appeasement das Wort geredet werden.

Es muß aber deutliche Zeichen in der internationalen Politik zur Gewaltbegrenzung geben, für die unzweifelbare Absicht, erstens nicht als Erster zur Gewalt zu greifen, um zweitens damit nur einen bedingten Einsatzwillen für die aus Gründen des Gleichgewichts (noch) vorhandenen Kampfmittel zu signalisieren. Dies sollte ausreichen zur Abhaltung politischer Konkurrenten, Gewalt zu gebrauchen, ohne jemanden zu vernichten, da militärische Gewalt konsequent auch Selbstvernichtung im Einzelfall bedeuten würde.

---

[83] Aus der christlichen Friedensethik kommen in den letzten Jahren viele Impulse in dieser Richtung. Allein die Titel von einschlägigen Büchern sind solche Zeichen der Hoffnung: Johannes Gründel, Die Verantwortung der Christen für den Frieden, Düsseldorf 1984; Bernhard Häring, Umrüsten zum Frieden, Freiburg 1983; Wilhelm Korff (Hrsg.), Der Frieden sichern, Düsseldorf 1982; Matthias Kroeger, Theologische Klärung unseres Friedensverhaltens, Stuttgart 1984; Josef Ernst Nagel (Hrsg.), Dem Krieg zuvorkommen, Freiburg 1984.

[84] Edward Schillebeeckx zieht einen Trennungsstrich zwischen der „rein ethischen und juridischen Betrachtung" des Abrüstungsproblems heute und einer „evangelischen Friedenspolitik", aus der er den Auftrag an die Christen zu einseitiger Abrüstung folgert. Dies würde aber den Bruch zwischen ethischer Argumentation und christlichem Zeugnis bedeuten und — Schillebeeckx gibt es als Tatsache zu, die Christen ließen sich auf seine Meinung doch nicht gemeinsam ein! — nur neue Unsicherheit in die internationale Gesellschaft bringen und nicht den mühsamen Weg der kleinen Schritte öffnen. (Vgl. Bereit zum Dienst für das Evangelium des Friedens, in: Concilium 4/1983, 316-324.

[85] Besonders verdienen hier genannt zu werden: Hildegard Goss-Mayr, Der Mensch vor dem Unrecht, Wien 1976; Theodor Ebert, Gewaltfreier Aufstand, Waldkirch 1978. Aus Lateinamerika kommt die Stimme des Trägers des Friedensnobelpreises Adolfo Pérez Esquivel, der „Zeichen der Hoffnung" setzen möchte: vgl. seinen Artikel „Auf das Schweigen Gottes hören", in: Concilium 4/1983, 305-310.

Die nukleare *Abhaltestrategie*[86] muß wesentlich ergänzt werden durch den Willen und die Ausbildung von Formen einer *gewaltfreien Konkurrenz* im internationalen staatlichen und gesellschaftlichen politischen Raum. Die politische Kultur der Menschheit steht und fällt mit der Bindung und Legitimation politischer Gewalt in allen Bereichen und der dadurch erst möglichen Zusammenarbeit.

Damit ist der Punkt erreicht, wo die Friedensförderung von denen aufgegriffen wird, die anscheinend ohnmächtig dem Versagen der Friedenspolitik der Mächtigen heute gegenüberstehen.[87] Immer wieder wurde der Gedanke erwogen, z. B. durch ein „Friedenskonzil" der Kirchen[88] oder durch internationale Klassensolidarität Großgruppen von Menschen aus vielen Staaten aus der Kriegsmaschinerie herauszubrechen, um Kriege nicht mehr führbar zu machen; wenige Einzelne können ja nicht mehr als Zeugnis ablegen für ihren Weg der Gewaltlosigkeit. Entscheidend dürfte es sein, die realpolitisch noch nötige militärische Bereitschaft zur Abhaltung des vermeintlichen politischen Kontrahenten so weit zu erhalten, daß daraus eine Partnerschaft gemeinsamer Sicherheit entsteht, wenn vorläufig auch noch auf der Ebene von Konditionen, die aber den Gegner bereits zum Partner machen.

Das Problem und damit das Wagnis, das mit jeder sittlichen Entscheidung verbunden ist, bleibt, daß das Böse im letzten außerhalb menschlicher Berechnung steht. Absolute Sicherheit gibt es aber im Menschenleben nicht. Auf die Dauer ist das System der Sicherheitspolitik durch dauerndes Weiterdrehen der Rüstungsspirale ohne Änderung der wehrethischen Gesinnung mit dem derzeit zugrundegelegten Feindbild und dem notwendigen Willen zum Krieg ein noch viel prekäreres System. Die Spirale der Gewalt zu durchbrechen, braucht eine vertiefte Sicht des Bösen in der Menschheit und eine kollektive Anstrengung zuerst vom Geistigen her. Naheliegend vom religiösen Denken her ist es, die Wurzeln der Macht des Bösen in der

[86] Treffend faßt das Wesen der Abhaltung René Coste zusammen: *„Le problème de la dissuasion nucléaire doit être situé dans une dynamique englobante de paix."* Un discours historique: Le message de Jean-Paul II à la deuxième session spéciale de l'Assemblée Generale des Nations Uniés sur le Désarmement (11 juin 1982), in: Herbert Schambeck (Hrsg.), Pro Fide et Iustitia, Berlin 1984, (403-419), 418.

[87] Die politisch heute Verantwortlichen in den Staaten sollten sich nicht nur auf Friedenssicherung durch militärische Stärke allein orientieren und die Chancen der Friedensförderung aus jenen, vor allem jugendlichen Kreisen nicht übersehen, die in ihrem Friedensengagement den Militärdienst mit der Waffe ablehnen und für Zivildienste als Friedensdienst eintreten! Vgl. Ernst-Josef Nagel und Harald Oberhem, 134 ff.

[88] Überlegungen im Rahmen des katholischen Verständnisses des Begriffs stellt ausführlich François Reckinger, 169 ff. an, nachdem er sich auch eingehend mit der Tradition der alten Kirche zum Soldatendienst auseinandergesetzt hat; er geht bis zum Vorschlag einer Exkommunikation für Militärs gegebenenfalls.

Verkehrtheit des menschlichen Willens, in der Kraft des Geistes auch zur Destruktion zu sehen, in der Sünde. Christliche Hoffnung steht dann gegen die Sünde. Aber auch das natürliche Argument, daß es Wege der Gewaltlosigkeit gibt, ohne sich dem Bösen ausliefern zu müssen, „lieber tot als rot" sein zu müssen, dürfte bei realistischer Prüfung der Möglichkeiten der Friedensförderung heute ausreichen, wenn sich der Wille dazu einmal politisch durchgesetzt hat.

Zum guten Willen, zum Frieden zu gelangen, bedarf es aber auch der organisatorischen Vorkehrungen. Wieder hat hier die christliche Friedensethik Zuarbeit geleistet, wobei sich die Anknüpfung an die Tradition des naturrechtlich inspirierten, also von der Ethik herkommenden Völkerrechts in seinem ersten Höhepunkt der Schule von Salamanca am Beginn der Neuzeit nahelegt. Die bürgerliche Friedensbewegung hatte ebenfalls ihre Auswirkungen auf die Entwicklung des Völkerrechts. Sie war zum Teil sehr antiklerikal eingestellt, trug aber entscheidend zur Gründung der ersten internationalen Staatenorganisation, dem Völkerbund, nach dem 1. Weltkrieg bei. Aus der Anti-Hitler-Allianz ging dann nach 1945 die OVN hervor, die eine weitere internationalistische Idee von der Gründung her, nämlich die aus dem Sozialismus-Marxismus, in der Völkergemeinschaft mit zur Geltung kommen ließ. So scheinen drei Traditionen des Völkerrechts geistig an der Wiege der OVN zu stehen, die historisch sich oft im Gegensatz sahen. Ein Schlüssel zur Lösung der gemeinsamen Fruchtbarmachung dieser Ideenströme sollte ein Schlagwort unserer Zeit sein, das Papst Paul VI. zur Zeit des 2. Vatikanischen Konzils 1964 in seiner Enzyklika Ecclesiam suam geprägt hatte: Dialog.

Mit der Gründung der OVN vor 40 Jahren hat die Organisation der Staatengemeinschaft einen neuen Anlauf genommen, die bis heute fortbesteht und auf vielen Gebieten, die nicht unmittelbar Sicherheitsinteressen berühren und für Kooperation sich anbieten, auch ihre unbestrittenen Erfolge gehabt hat. In einigen Fällen konnten kriegerische Konflikte beendet werden, andere rechtzeitig entschärft, bzw. auf die Verhandlungsebene zurückgeführt werden. Trotz des Bildes eines oft sehr prekären Friedens und offener lokaler Konflikte in der Welt der Staaten sind die Organe der Vereinten Nationen, insbesondere die jährliche Generalversammlung und auch deren Sondertagungen ein nützliches Forum der Begegnungen.

So richtet sich die konkrete Hoffnung auf eine friedlichere Welt an die OVN besonders vom Standpunkt der internationalen Ethik. Eine vor allem internationale ethische Autorität wie der Heilige Stuhl als Repräsentant der katholischen Kirche in der Völkergemeinschaft setzt daher auch alles daran, Ansehen und Wirksamkeit der OVN zu fördern und die großen Menschheitsaufgaben an diese politische Instanz zu verweisen.[89]

---

[89] Vgl. Henri de Riedmatten, Die Völkergemeinschaft, Köln 1969, insbesondere

Die erste Rede eines Papstes, Paul VI., am 4. Oktober 1965 vor den Vereinten Nationen war der Friedensmission der OVN vordringlich gewidmet. Johannes Paul II. hat vor der Vollversammlung der Vereinten Nationen am 2. Oktober 1979 seine Wertschätzung der OVN ausgedrückt.[90] Vor der 2. Sondertagung der Generalversammlung zur Abrüstung 1982 hat er seine zweite Rede vor der OVN besonders dem Abrüstungsproblem und der entscheidenden Rolle der OVN dabei gewidmet. Im Dokument des 2. Vatikanischen Konzils aus 1965, Gaudium et spes, werde eine Dynamik von unten her von den Menschen und Völkern besonders angesprochen, die für die Entwicklung und das Funktionieren der internationalen Organisationen von fundamentaler Bedeutung sei. Vor allem die Jugend der Welt müsse ihren Beitrag zum Aufbau einer „friedlichen und brüderlichen Völkergemeinschaft" leisten.[91] Die OVN lebt also nicht bloß vom Wollen der Staatsmänner, sondern aus dem Drängen der Menschheit, die organisatorischen Voraussetzungen zu schaffen, die die Welt heute braucht. So sind es gerade weltanschaulich und also ethisch motivierte und fundierte politische Bewegungen, die gegenwärtig auf eine friedliche Weltordnung hinwirken. Das Spektrum reicht vom bürgerlich-liberalen, vom konservativen Denken bis zu den Gruppen, die sich dem Sozialismus[92] und Marxismus in der Vielfalt der Ideen zurechnen. Auffällig ist, daß liberal-konservative Kreise heute eher Sorge zeigen, dem Frieden Vorrang zu geben, vor allem, wenn kritische Stimmen namens des Friedens für Veränderungen in der gegenwärtigen Weltlage sind. Man sollte Friedensengagement von vornherein nicht nach politischen Richtungen abstempeln und es als reine Propaganda für politische Herrschaftsansprüche abtun.

Die internationale Ethik überläßt die Gestalt der Weltorganisation, die für eine dauernde Sicherung von Frieden und Wohlfahrt aller Völker in Entwicklung begriffen ist, die für die Zukunft der Menschheit aber eine Notwen-

---

den Abschnitt, Die Präsenz der Kirche und der Christen in der internationalen Gemeinschaft, 90-98.

[90] Darin heißt es: „Der Hl. Stuhl hält nicht nur die eigene Zusammenarbeit mit der OVN für sehr wichtig, sondern hat auch seit der Gründung dieser Organisation immer seine Wertschätzung und Zustimmung für die historische Bedeutung dieses obersten Forums des internationalen Lebens der heutigen Menschheit bekundet." (Acta Apostolicae Sedis (1979), 1144).

[91] Nr. 83-90.

[92] Vgl. aus dem Bereich der Sozialistischen Internationale Publikationen wie Heinz Fischer, Peter Jankowitsch (Hrsg.), Rote Markierungen international, Wien 1984. Die Friedenspolitik hat hier auch zwei Schwerpunkte: einmal den Abbau von Spannungen und die Beendigung von Überrüstung, zweitens den Auf- und Ausbau sozialer Sicherheit weltweit aus dem sozialistisch verstandenen Humanismus heraus, der die menschlichen Grundwerte Freiheit, Gleichheit, Brüderlichkeit auch für die Staaten in Anspruch nimmt. Von da erfolgt die Bejahung der OVN und die Rücksicht auf die Entwicklungsländer unter strukturellen Gesichtspunkten.

digkeit ist, nicht nur dem Feilschen der Politiker und auch nicht nur der planerisch-analytischen Vernunft politischer Theoretiker. Besonders die Ethik, den Weltfrieden als Ziel vor Augen, hat die Aufgabe, das vorerst Mögliche zu sondieren und auf entsprechende institutionelle Formen und Normierungen hinzuwirken. Das Ethos der Menschheit ist dabei aber nicht nur dynamische Kraft, sondern die sittlichen Grundlagen menschlichen Zusammenlebens wirken auch hier als Orientierungshilfen und als Grundwerte oder naturrechtlich normativ im Wesensbereich.

Hierher zählen die sittlichen Grundprinzipien des internationalen Lebens allgemein. Ein Erfordernis stellt sich bei der Weltorganisation aber besonders naheliegend und ist ebenso angefochten, das der Begrenzung der staatlichen Souveränität vor dem Gemeinwohl der Völker. Es muß zu Formen des Souveränitätsverzichts zugunsten der Zusammenarbeit kommen. Kontrolle und Auslegung internationaler Verträge und Deklarationen (Menschenrechte!) können nur gemeinsam geschehen, soll das Mißtrauen nicht weiter alles blockieren. Es muß zu Formen der Konfliktregelung kommen, sei es im Bereich geistig-ideologischer Gegenpositionen, im Dialog, also gewaltfrei, sei es im Bereich gesellschaftlicher Interessenkonflikte.

Die Friedensethik als Kernpunkt internationaler Ethik kann helfen, Entwicklungen zu erkennen, auf den Frieden hin zu fördern, die sittlichen Geisteskräfte zu stärken. Sie kann Entwicklungen rückbinden an sittliche Grundeinsichten und zugleich kritisch die Konzeptionen für eine solidarische Menschheit in Frieden, Freiheit und Gerechtigkeit begleiten. Diese Weltzeit stellt auch in internationalen Fragen eine besondere Herausforderung für die Ethik dar.

Literaturverzeichnis

Abschreckung und Entspannung, Berlin 1977

v. *Albertini*, Rudolf: Europäische Kolonialherrschaft 1880-1940, Freiburg 1976

v. *Albrecht*, Ulrich, Franz *Ansprenger*, Wolf v. *Baudissin* u. a. (Hrsg.): Erziehung für den Frieden, Köln 1977

Alston, Ph.: Peace as a Human Right, in: Bulletin of Peace Proposals 4/1980, 319-330

Andrew, Christopher and David *Dilks* (Ed.): The Missing Dimension, Governments and intelligence communities in the twentieth century, London 1984

Anzenbacher, Arno: Zur philosophischen Problematik der Menschenrechte (1), in: Wiener Jahrbuch der Philosophie, Bd. XII, Wien 1979, 124-152

Anzenbacher, Arno und Rudolf *Weiler*: Humanität im Gesellschaftssystem, Sondernummer 7 der Wiener Blätter zur Friedensforschung, Jän./Feb. 1982

Baadte, Günter, Armin *Boyens* und Ortwin *Buchbender*: Frieden stiften, Die Christen zur Abrüstung, München 1984

Bäumler, Christof, Godwin *Lämmermann*, Falk *Wagner* und Alfred *Walter*: Friedenserziehung, Als Problem von Theologie und Religionspädagogik, München 1981

Bahrdt, Hans Paul: Wege zur Soziologie, München 1966

Barnaby, C. F. and G. P. *Thomas* (ed.): The nuclear arms race, Control or Catastrophe, London 1982

Barron, John: KGB today, The Hidden Hand, London 1984

Bauer, Hermann: Kunst und Utopie, Studien über das Kunst- und Staatsdenken in der Renaissance, Berlin 1965

Bauer, Johannes B.: Friede in der biblischen und frühchristlichen Überlieferung, in: Rudolf Weiler und Valentin Zsifkovits (Hrsg.), Unterwegs zum Frieden, Wien 1973, 183-203

Bauer, Otto: Die Nationalitätenfrage und die Sozialdemokratie, Wien ^{2}1924

Becker, Werner: Der Streit um den Frieden, Gegnerschaft oder Feindschaft als politische Schicksalsfrage, München 1984

Bergson, Henri: Die beiden Quellen der Moral und der Religion, Jena 1933

Bibliographia Irenica 1500-1970, Internationale Bibliographie zur Friedenswissenschaft. Kirchliche und politische Einigungs- und Friedensbestrebungen, Oekumene und Völkerverständigung, hrsg. von Axel H. Swinne, Hildesheim 1977

Bibliographie Theologie und Frieden, hrsg. vom Institut für Theologie und Frieden, 2 Bde, Köln 1984

Bischöfe zum Frieden, Stimmen der Weltkirche, Bd 19, Bonn 1983

Biser, E.: Friede, in: Historisches Wörterbuch der Philosophie, Bd 2, Basel/Stuttgart 1972, 1114-1117

Blokesch, Konrad: Irrlichter in der Friedensdiskussion, in: Kirche und Gesellschaft, Hrsg. von der Katholischen Sozialwissenschaftlichen Zentralstelle Mönchengladbach, Nr. 89, 1982

Böckle, Franz und Gert *Krell* (Hrsg.): Politik und Ethik der Abschreckung, Mainz 1984

Brauch, Hans G.: Entwicklungen und Ergebnisse der Friedensforschung (1969-1978), Eine Zwischenbilanz und konkrete Vorschläge für das zweite Jahrzehnt, Frankfurt 1979

Brock, Peter: Pacifism in Europe to 1914, Princeton 1972

Brockmann, Heinz-Wilhelm: Friedensdiskussion, in: Stimmen der Zeit 5/1984, 353-355

Broschart, Monika: Erziehung zum Frieden, Auseinandersetzung mit friedenspädagogischen Konzepten in der Bundesrepublik Deutschland, Bern 1978

Bross-Lloyd, William Jr.: Neutrale als Friedensstifter, Wien 1958

Bull, Hedley (Ed.): Intervention in World Politics, Oxford 1984

Bumiller, J. M.: Internationalismus, in: Staatslexikon, Freiburg [5]1927, Bd 2, 1552-1554

Buyeva, L. P. u. a. (Autorenkollektiv): Civilisation and the Historical Process, Moskau 1983

Cheshire, Leonard: The Light of Many Suns, London 1985

Clesse, Armand und Waldemar Molinski (Hrsg.): Proteste für den Frieden —Sorgen um die Sicherheit, Die Friedensbewegungen und die Zukunft der westeuropäischen Verteidigung, München 1983

Code of International Ethics, Compiled by the International Union of Social Studies, Ed.: John Eppstein, Westminster, Maryland 1953

Comblin, José: Latin America's Version of ‚National Security', in: America, Feb. 1976, 137-139

Conze, Werner: Die deutsche Nation, Ergebnis der Geschichte, Göttingen [2]1965

Corpus Hispanorum de Pace, 25 Bde, Francisco de Vitoria y la escuela de Salamanca, La Ética en la Conquista de América, Madrid 1963 ff

Coste, René: Morale internationale, Paris 1965

— Une morale pour un monde en mutation, Gembloux 1969

— International Ethics, Present Survey and future Prospects, in: World Justice, V. XI, 1969/70, 5-27

— Un discours historique, in: Herbert Schambeck (Hrsg.), Pro Fide et Iustitia, Berlin 1984, 403-419

Czempiel, Ernst-Otto: Schwerpunkte und Ziele der Friedensforschung, München 1972

— Internationale Politik, Ein Konfliktmodell, Paderborn 1981

Däubler, Wolfgang und Karl *Wohlmuth* (Hrsg.): Transnationale Kozerne und Weltwirtschaftsordnung, Baden-Baden 1978

Dahrendorf, Ralf: Die Chancen der Krise, Über die Zukunft des Liberalismus, Stuttgart 1983

Dawson, Christopher: Die Revolution der Weltgeschichte, Wien 1960

Delbrück, Jost: Die Auseinandersetzung über das ethische Problem der atomaren

Kriegführung in den Vereinigten Staaten und der Bundesrepublik Deutschland, in: Abschreckung und Entspannung, Berlin 1977, 95-147

Dempf, Alois: Sacrum Imperium, Geschichts- und Staatsphilosphie des Mittelalters und der politischen Renaissance, München [4]1973

Dhavamony, Mariasusai: Mission in der nachkolonialen Ära, in: Internationale Katholische Zeitschrift 3/1974, 203-214

Doernberg, Stefan, Johan *Galtung,* Anatoli *Gromyko* und Dieter *Senghaas* (Hrsg.): Probleme des Friedens, der Sicherheit und Zusammenarbeit, Köln 1975

Dougherty, James E.: The Bishops and Nuclear Weapons, Cambridge, Massachusetts 1984

Dschunusow, M.: Obschtschestwo internazionalistow — obschtschestwo massowo ateisma, in: Nauka i Religia 9/1972, 21-23

Duignan, Peter and L. H. *Gann:* Colonialism in Africa, 1970-1960, Vol. IV: The Economics of Colonialism, Cambridge 1975

Ebert, Theodor: Friedensbewegung und Friedensforschung, Historische und aktuelle Wechselwirkungen, in: Jahrbuch für Friedens- und Konfliktforschung Bd II/1972, 156-172

— Gewaltfreier Aufstand, Waldkirch 1978

Eberwein, Wolf-Dieter und Peter *Reichel*: Friedens- und Konfliktforschung, München 1976

Eckhardt, Willeam: Peace Research, Brief History, in: International peace research newsletter Vol. XX, No. 3, 1982, 27-29

Einstein, Albert: Über den Frieden, Weltordnung oder Weltuntergang? Hrsg. Otto Nathan/Heinz Novden, Bern 1975

Ermacora, Felix: Menschenrechte — weltweiter Anspruch und Wirklichkeit, in: Johannes Schwartländer (Hrsg.), Menschenrechte, Aspekte ihrer Begründung und Verwirklichung, Tübingen 1978, 169-176

Ernst, Werner W.: Probleme der Friedensforschung, in: Wiener Jahrbuch für Philosophie, Bd IX/1976, 235-249

— Zur „Aporie des Friedens", in: Wissenschaft und Weltbild, 4/1975, 313-316

Esquivel, Adolfo Pérez: Auf das Schweigen Gottes hören, in: Concilium 4/1984, 305-310

Etzioni, Amitai: Der harte Weg zum Frieden, Göttingen 1965

Feneberg, Rupert: Gerechtigkeit schafft Frieden, München 1985

Fenske, Hans (Hrsg.): Geschichte der politischen Ideen, Von Homer bis zur Gegenwart, Königstein 1981

Festschrift für Hans-Jürgen Schlochauer, Berlin 1981

Fetscher, Iring: Modelle der Friedenssicherung, München 1972

Fischer, Heinz und Peter Jankowitsch (Hrsg.): Rote Markierungen international, Wien 1984

Foerster, Friedrich W.: Politische Ethik, Heidelberg [4]1956

Ford, John C.: The Morality of Obliteration Bombing, in: Theological Studies Vol. V (1944), 261-309

— The Hydrogen Bombing of Cities, in: Theology Digest, Winter 1957, 7 ff
Forndran, Erhard: Abrüstung und Friedensforschung, Düsseldorf 1971
Frankl, Viktor: Der Mensch auf der Suche nach Sinn, Freiburg 1972
Freemantle, Brian: KGB, London 1982
Frei, Daniel: Kriegsverhütung und Friedenssicherung, Frauenfeld 1970
— (Hrsg.): Theorien der internationalen Beziehungen, München ²1977
Friedjung, Heinrich: Das Zeitalter des Imperialismus 1884-1914, 3 Bde, Berlin, 1919-1922
Gabriel, Radnitzky und *Schopper* (Hrsg.): Die I-Waffen, München 1982
Gabriel, Leo: Integrale Logik, Zur Wahrheit des Ganzen, Wien 1965
Galtung, Johan: Peace, in: International Encyclopedia of the Social Sciences, Bd 11 (1968), 487-496
— Modelle zum Frieden, Methoden und Ziele der Friedensforschung, Wuppertal 1972
— On Peace Education, in: Handbook on Peace Education, Ed. Christoph Wulf, Frankfurt/M. 1974, 153-171
— The true Worlds, A transnational Perspective, New York 1980
Gaudemet, Jean: Le rôle de la papauté dans le règlement des conflits entre états aux XIIIᵉ et XIVᵉ Siècles, in: La Paix II, 79-106, Bruxelles 1961
Gehlen, Arnold: Moral und Hypermoral, Frankfurt 1969
Geyer, Dietrich: Der russische Imperialismus, Studien über den Zusammenhang von innerer und auswärtiger Politik 1860-1914, Göttingen 1977
Giers, Joachim: „Familie" als Ausdruck des Humanum in der Gesellschaft, in: Humanum, Moraltheologie im Dienste des Menschen, Hrsg. von J. Gründel, F. Rauh und V. Eid, Düsseldorf 1972, 299-319
Glatzel, Norbert und Ernst Josef *Nagel* (Hrsg.): Frieden in Sicherheit, Zur Weiterentwicklung der katholischen Friedensethik, Freiburg 1981
Gordan, Paulus (Hrsg.): Gerechtigkeit, Freiheit, Friede, Graz 1983
Goss-Mayr, Hildegard: Der Mensch vor dem Unrecht, Wien 1976
Göttinger Arbeitskreis (Hrsg.): Die KSZE und die Menschenrechte, Berlin 1977
Gracian, Baltasar: Handorakel, Die Kunst der Weltklugheit, Wien 1965
Grewe, Wilhelm G.: Über den Gesamtcharakter der jüngsten Epoche der Völkerrechtsgeschichte, in: Festschrift für Hans-Jürgen Schlochauer, Berlin 1981, 301-327
Griffith, Samuel B.: Sun Tse, The art of war, Oxford 1963
Gründel, Johannes: Die Verantwortung der Christen für den Frieden, Düsseldorf 1984
Gutierrez, Gustavo: Theologie der Befreiung, München ⁵1980
Haag, H.: Mensch, in: Bibel-Lexikon, Einsiedeln 1968, 1124-1128
Häring, Bernhard: Umrüsten zum Frieden, Freiburg 1983
Hampe, Peter: Die ‚ökonomische Imperialismustheorie', München 1976
Hare, J. E. and Carey B. *Joynt*: Ethics and International Affairs, London 1982

Heering, G. J.: Der Sündenfall des Christentums, Gotha 1930

Heierle, Werner: Neuere Entwicklungen in der katholischen Friedensethik, in: Alberto Bondolfi, Werner Heierle, Dietmar Mieth (Hrsg.), Ethos des Alltags, Zürich 1983, 143-158

Heintel, Erich: Die naturrechtliche Fundierung des Ordogedankens in der Tradition, in: Johannes Schwartländer (Hrsg.), Menschenrechte, Aspekte ihrer Begründung und Verwirklichung, Tübingen 1978, 19-36

Heinze, Rolf G.: Verbändepolitik und „Neokorporatismus", Zur politischen Soziologie organisierter Interessen, Opladen 1981

Heitger, Marian: Fragen der Friedenserziehung, in: Wiener Blätter zur Friedensforschung 2/1974, 1-11

— Die Idee des Friedens als regulatives Prinzip einer jeden zukünftigen Erziehung, in der Reihe: Vorträge, Berichte, Texte, Heft 37, Köln, Juli 1983

Hobson, John Atkinson: Imperialism, New York 1902

Höffner, Joseph: Christentum und Menschenwürde, Das Anliegen der spanischen Kolonialethik im goldenen Zeitalter, Trier 1947

Hollitscher, Walter und Rudolf *Weiler*: Christen und Marxisten im Friedensgespräch Bd I und II, Wien 1976 und 1979

Hörmann, Karl: Der Wert sittlicher Überlegungen über den Krieg, Wien 1966

Howe, Günter: Die Christenheit im Atomzeitalter, Stuttgart 1970

Huber, Max: Prolegomena und Probleme eines internationalen Ethos, in: Politik und Ethik, hrsg. von Heinz-Dietrich Wendland, Darmstadt 1969, 352-382

Huber, Wolfgang: Friedensforschung und Geschichte, in: Internationale Dialog Zeitschrift 4/1971, 291-301

Huyn, Hans Graf: Der Angriff: Der Vorstoß Moskaus zur Weltherrschaft, München 1978

Hveem, Helge: The Journal of Peace Research, in: International peace research newsletter, Vol. XX (1982), No. 3, 30-32

James, W.: The Moral Equivalent of War, London 1911

Internationale Festschrift für Alfred Verdroß, München 1971

Jaspers, Karl: Die Atombombe und die Zukunft des Menschen, München 1960

Jüngel, Eberhard: Zum Wesen des Friedens, München 1983

Kaiser, Karl: Friedensforschung in der Bundesrepublik Deutschland, Göttingen 1970

Kaiser, Karl und Beate *Lindemann* (Hrsg.): Kernenergie und internationale Politik, München 1975

Kaltenbrunner, Gerd-Klaus: Wehe den Machtlosen! Eine dringende Klärung, München 1984

— Bereiten wir den falschen Frieden vor?, München 1976

Kant, Immanuel: Zum ewigen Frieden, Ein philosophischer Entwurf, Gesammelte Werke Bd VIII, Berlin 1923, 340-386

Kasch, Wilhelm F.: Erklärungsversuche des Terrorismus, in: Stimmen der Zeit, 10/1978, 665-674; Was ist Terrorismus?, a.a.O. 11/1978, 763-770; Motive und Bedingungen des deutschen Terrorismus, a.a.O. 12/1978, 841-854

Katholisches Soziallexikon, Hrsg. von Alfred Klose, Wolfgang Mantl und Valentin Zsifkovits, Innsbruck ²1980

Kelsen, Hans: Das Problem der Souveränität und die Theorie des Völkerrechts, Tübingen 1920

Kempf, Beatrix: Berta von Suttner, Das Leben einer großen Frau, Wien 1964

— Beginn und Geschichte der bürgerlichen Friedensbewegung 1815-1918, in: Wiener Blätter zur Friedensforschung Nr. 24/25, Juli/August 1980, 67-73

Kempf, Wilhelm: Konfliktlösung und Aggression, Zu den Grundlagen einer psychologischen Friedensforschung, Bern 1978

Kerber, Walter: Katholische Soziallehre, in: Demokratische Gesellschaft, Konsens und Konflikt, 2. Teil, München 1982, 547-635

Die *Kirche* und die Menschenrechte, hrsg. von der Päpstlichen Kommission „Justitia et Pax", München ²1976

Khol, Andreas: Zwischen Staat und Weltstaat, Die internationalen Sicherungsverfahren zum Schutze der Menschenrechte, Wien-Stuttgart 1969

Kimminich, Otto: Völkerrecht im Atomzeitalter, Der Atomsperrvertrag und seine Folgen, Freiburg 1969

— Ewiger Friede, in: Historisches Wörterbuch der Philosophie, Bd 2, Basel/Stuttgart 1972, 1117-1119

— Pacem in terris, Friede — Sehnsucht und Wirklichkeit, „Schriftenreihe der Ackermann-Gemeinde", Heft 26

— Von der Bändigung des Krieges zum Postulat des Friedens, in: Bereiten wir den falschen Frieden vor?, Hrsg. von Gerd-Klaus Kaltenbrunner, München 1976, 61-77

— Schutz der Menschenrechte in bewaffneten Konflikten, Zur Fortentwicklung des humanitären Völkerrechts, München 1979

— (Hrsg.), Subsidiarität und Demokratie, Düsseldorf 1981

Kindermann, Gottfried (Hrsg.): Grundelemente der Weltpolitik, München ²1981

Kirchschläger, Rudolf: Der Friede beginnt im eigenen Haus, Reden über Österreich, Wien 1980

Kitson, Frank: Im Vorfeld des Krieges, Stuttgart 1974

Klenner, Hermann: Menschenrechte im Klassenkampf, in: Einheit 32 (1977) H. 2, 156-165

Klose, Alfred, Herbert *Schambeck* und Rudolf *Weiler* (Hrsg.): Das neue Naturrecht, Berlin 1985

Kluxen, Wolfgang: Ethik des Ethos, Freiburg 1974

Köchler, Hans: Die Prinzipien des Völkerrechts und die Menschenrechte, Zur Frage der Vereinbarkeit zweier Normensysteme, in: Österreichische Zeitschrift für öffentliches Recht und Völkerrecht, 32 (1981), 5-28

Köck, Heribert Franz: Die völkerrechtliche Stellung des Heiligen Stuhls, Berlin 1975

Kondziela, J.: Solidaritätsprinzip, in: Katholisches Soziallexikon, Innsbruck ²1980, 2577-2585

Konstantinow, F. T.: Raswitie internazionalisma na opyte sozialistitscheskogo sodruschestwa, Moskau 1970

Korff, Wilhelm (Hrsg.): Den Frieden sichern, Düsseldorf 1982

Koslowski, Peter: Die Universalität der Menschenrechte und die Einzigartigkeit der Kulturen, in: Stimmen der Zeit, 10/1984, 701-714

Kraus, Wolfgang: Die verratene Anbetung, Verlust und Wiederkehr der Ideale, München 1978

Krauss, Heinrich: Über den Fortschritt der Völker, Die Entwickungsenzyklika Papst Paul VI., Mit einem Kommentar, Freiburg 1967

Kremer, Jacob: Der Frieden — eine Gabe Gottes, in: Stimmen der Zeit, 3/1982, 161-173

Kreye, Otto (Hrsg.): Multinationale Konzerne, Regensburg 1974

Krippendorff, Ekkehart (Hrsg.): Friedensforschung, Köln 1968

— Internationale Beziehungen als Wissenschaft, Einführung, Frankfurt ²1977

Kroeger, Matthias: Theologische Klärung unseres Friedensverhaltens, Stuttgart 1984

Krysmanski, Hans Jürgen: Soziologie des Konflikts, Reinbek bei Hamburg 1971

Kühnlein, Gertrud: Die Entwicklung der Kritischen Friedensforschung in der Bundesrepublik Deutschland, Untersuchung und Kritik einer neuen Wissenschaft, Frankfurt 1978

Küpper, Christel (Hrsg.): Friedenserziehung, Eine Einführung, Leverkusen 1979

Lakebrink, Bernhard: Klassische Metaphysik, Eine Auseinandersetzung mit der existentialistischen Anthropozentrik, Freiburg 1967

Lapide, Pinchas: Die Bergpredigt — Utopie oder Programm?, Mainz 1982

Der *Leninismus* und die nationale Frage in der Gegenwart, (Autorenkollektiv: P. N. Fedossejew u. a.), Moskau 1974

Levy, Paul M. G.: La verité polémogène, in: Etudes polémologiques, 3. Jg. (1973), Nr. 10, 35-37

Libal, Michael: Interessen und Ideologie in der Dritte-Welt-Politik der Sowjetunion, in: Europa-Archiv, 7. F. 1985, 195-204

Litt, Theodor: Führen und Wachsenlassen, Stuttgart ⁸1960

Löw, Konrad: Freiheit, in: Handlexikon zur Politikwissenschaft, Hrsg. von Wolfgang W. Mickel, München 1983, 155-157

Løgstrup, Knud E.: Solidarität und Liebe, in: Christlicher Glaube in moderner Gesellschaft, Bd 16, Freiburg 1982, 97-128

Maislinger, Andreas: Politische und rechtliche Fragen an die „Spanocchi-Doktrin", in: Wiener Blätter zur Friedensforschung, Nr. 22/23, Dez./Jän. 1979/80, 55-62

Marcic, René: Mensch, Recht, Kosmos, Wien 1965

— Menschenpflichten, Eine Gedanken- und Systemskizze, in: Internationale Festschrift für Alfred Verdroß, München-Salzburg 1971, 221-257

Marek, Thee: On Priorities in Peace Research, in: Bulletin of Peace Proposals, Vol. VII (1976), No. 1, 69-74

Matz, Ulrich und Gerhard *Schmidtchen:* Gewalt und Legitimität, Analysen zum Terrorismus, Bd 4, Wiesbaden 1983

Matzenberger, Stefan: Pazifismus im Atomzeitalter, Kriegsverhinderung durch Friedensaktivität, Wien ²1983

Mac Luhan, Marshall: Die magischen Kanäle, Düsseldorf 1968

Messner, Johannes: Kulturethik, Innsbruck 1954

— Der Funktionär, Innsbruck 1961

— Zur Ontologie des Gemeinwohls, in: Salzburger Jahrbuch für Philosophie, Bd V/VI, 1961/62, 365-393

— International Social Justice, The Fundamentals, in: World Justice, III/3, Louvain 1962, 293-309

— Das Gemeinwohl, Osnabrück ²1968

— Völkerrechtslehre und Gechichtsphilosophie, in: Internationale Festschrift für Alfred Verdroß, München 1971, 293-308

— Was ist Menschenwürde?, in: Internationale Katholische Zeitschrift, 3/1977, 233-240

— Das Naturrecht, Berlin ⁷1985

Meyers, Reinhard: Die Lehre von den internationalen Beziehungen, Ein entwicklungsgeschichtlicher Überblick, Düsseldorf 1977

Mieth, Dietmar: Friedensbereitschaft — Zur Überwindung von Vorurteil und feindseligem Verhalten, in: Alberto Bondolfi, Werner Heierle, Dietmar Mieth (Hrsg.), Ethos des Alltags, Zürich 1983, 185-193

Mock, Erhard: Rechtsphilosophie und Rechtsphilosophen an der Wiener Juristenfakultät, in: Zeitschrift für öffentliches Recht, 20/1970, 373-399

— Die Erschließung der materialen Rechtsphilosophie durch Alfred Verdroß, in: Ius humanitatis, Festschrift für Alfred Verdroß, hrsg. von Herbert Miehsler u. a., Berlin 1980, 9-22

Mojzes, Paul (Ed.): Varieties of Christian-Marxist Dialogue, Philadelphia 1978

— Christian-Marxist Dialogue in Eastern Europe, Minneapolis 1981

Molinski, Waldemar: Kirche und Pazifismus, in: Armand Clesse und Waldemar Molinski (Hrsg.), Proteste für den Frieden — Sorgen um die Sicherheit, München 1983, 27-52

Molnár, Miklós: Internationalismus, in: Sowjetsystem und demokratische Gesellschaft, Bd. 3, Freiburg 1969, 265-291

Mommsen, Wolfgang J.: Imperialismus, in: Sowjetsystem und demokratische Gesellschaft, Bd. 3, Freiburg 1969, 48-57

— Imperialismustheorien, Göttingen 1977

Mommsen, Wolfgang und Gerhard *Hirschfeld* (Hrsg.): Sozialprotest, Gewalt, Terror, Gewaltanwendung durch politische und gesellschaftliche Randgruppen im 19. und 20. Jahrhundert, Stuttgart 1982

Morgenthau, Hans J.: Macht und Frieden — Grundlegung einer Theorie der internationalen Politik, Gütersloh 1963

— Der Friede im nuklearen Zeitalter, in: Gottfried Kindermann (Hrsg.), Grundelemente der Weltpolitik, München ²1981, 194-210

Mowtschan, Anatol P.: Kodifizierung und Weiterentwicklung des Völkerrechts, Berlin 1974

Mtschedlow, M. P.: Sozialism — stanowlenie nowogo tipa zivilisazii, Moskau 1980

Mynarek, Hubertus: Der Einfluß der Religion auf Krieg und Frieden, in: Rudolf Weiler, Valentin Zsifkovits (Hrsg.), Unterwegs zum Frieden, Wien 1973, 157-170

Nagel, Ernst Josef (Hrsg.): Dem Krieg zuvorkommen, Freiburg 1984

Nagel, Ernst-Josef und Harald *Oberhem:* Dem Frieden verpflichtet, Konzeptionen und Entwicklungen der katholischen Friedensethik seit dem Zweiten Weltkrieg, München 1982

Naroll, Raoul: The moral order, London 1983

Nell-Breuning, Oswald von: Gesellschaftliche Ordnungssysteme, Marxismus, in: Wörterbuch der Politik, Freiburg 1951, Heft 5, 223-242

— Subsidiaritätsprinzip, in: Staatslexikon, Bd. 7, Freiburg [6]1962, 826-833

— Soziale Frage, in: Lexikon für Theologie und Kirche, Bd 9, Freiburg 1964, 905-907

— Internationale Ordnung, in: Stimmen der Zeit, 9/1979, 579-592

Neuhold, Hanspeter: Das Problem der Souveränität und die Organisation der europäischen Sicherheit, in: Stefan Doernberg u. a. (Hrsg.), Probleme des Friedens, der Sicherheit und Zusammenarbeit, Köln 1975, 210-229

— Internationale Konflikte — verbotene und erlaubte Mittel ihrer Austragung, Wien 1977

Nicholson, Michael: Konfliktanalyse — Einführung in Probleme und Methoden, Düsseldorf 1973

Niebuhr, Reinhold: Staaten und Großmächte, Gütersloh 1960

Oberhem, Harald: Zur Kontroverse über die bellum-iustum-Theorie in der Gegenwart, in: Norbert Glatzel und Ernst Josef Nagel (Hrsg.), Frieden in Sicherheit, Freiburg 1981, 41-68

Von der *Oekumenik* zur Irenik, Hrsg. von Axel Hilmar Swinne, Hildesheim [2]1977

Opočenský, Milan: Widerstand und Revolution, Herausforderung an die Christen, München 1982

La *Paix* par la Recherche Scientifique, Brüssel 1970

Peci, Patrizio: Io l'infame, Milano 1984

Pereña Vicente, Luciano: La tesis de la coexistencia pacifica en los teólogos clasicos españoles, Madrid 1963

Pesch, Otto Hermann (Hrsg.): Einheit der Kirche — Einheit der Menschheit, Perspektiven aus Theologie, Ethik und Völkerrecht, Freiburg 1978

Picht, Georg und Constanze *Eisenbart* (Hrsg.): Frieden und Völkerrecht, Stuttgart 1973

Picht, Georg, Heinz Eduard *Tödt* und Heinz Theo *Risse* (Hrsg.): Studien zur Friedensforschung, Bd 1 ff., Stuttgart 1969 ff.

Popper, Karl R.: Prognose und Prophetie in den Sozialwissenschaften, in: Logik der Sozialwissenschaften, Hrsg. Ernst Topitsch, Köln 1968, 113-143

— Falsche Propheten, Bern [2]1970

Puhle, Hans-Jürgen (Hrsg.): Lateinamerika — Historische Realität und Depencia-Theorien, Hamburg 1977

Purdy, W. A.: Die Politik der katholischen Kirche, Gütersloh 1967

Rapaport, Anatol: Fights, Games and Debates, Ann Arbor 1960

— Peace Research and Peace Movements, in: International peace research newsletter, 8/1983, 2-9

Rasjadka meschdunarodnoi napraschenosti i ideologitscheskaja borba, Hrsg. Autorenkollektiv, Moskau 1981

Reckinger, François: Krieg ohne uns!, Paderborn 1983

Reiter, Franz: Gottesstaat und Friedenswerk, Diss. Wien 1973

de Riedmatten, Henri: Die Völkergemeinschaft, Köln 1969

Rief, Josef: Die bellum-iustum-Theorie historisch, in: Norbert Glatzel und Ernst Josef Nagel (Hrsg.), Frieden in Sicherheit, Freiburg 1981, 15-40

Robertson, A. H.: Human Rights in the World, Manchester 1972

Rock, Martin: Anarchismus und Terror, Sozialethische Aspekte, in: Trierer Theologische Zeitschrift, 4/1976, 214-229 und 5/1976, 297-309

Röhrs, Hermann (Hrsg.): Friedenspädaogigik, Frankfurt 1970

— (Hrsg.): Erziehung zum Frieden, Stuttgart 1971

— Frieden — eine pädagogische Aufgabe, Braunschweig 1983

Röling, Bert V. A.: Einführung in die Wissenschaft von Krieg und Frieden, Neukirchen 1970

Roos, Lothar: Friedensrelevante Haltungen: Gerechtigkeit — Wahrhaftigkeit —Toleranz — Vertrauen, in: Rudolf Weiler, Valentin Zsifkovits, Unterwegs zum Frieden, Wien 1973, 545-566

Saito, Yasuhiko: Japan and Human Rights Covenants, in: Human Rights Law Journal, Vol. 2 (1981), 79-107

Samoschkin, J. A. u. a. (Autorenkollektiv): Protiworetschija sowremennogo amerikanskogo kapitalisma i idejnaja borba w SSCHA, Moskau 1984

Schambeck, Herbert (Hrsg.): Pro Fide et Justitia, Festschrift für Agostino Kardinal Casaroli, Berlin 1984

Scharffenorth, Gerta und Wolfgang *Huber* (Hrsg.): Neue Bibliographie zur Friedensforschung, Stuttgart 1973

Scharl, Franz: Argumentationsformen bezüglich „gerechter" bzw. „ungerechter Kriege" und die damit verbundene Kriegs- und Friedensethik bei den Marxisten-Leninisten, in: Wiener Blätter zur Friedensforschung, Nr. 42/43, Mai 1985, 69-103

Schatz, Oskar (Hrsg.): Der Friede im nuklearen Zeitalter, München 1970

Scheler, Max: Vom Ewigen im Menschen, Leipzig 1921

— Die Idee des Friedens und des Pazifismus, Berlin 1931

Scheler, Wolfgang und Gottfried *Kießling*: Gerechte und ungerechte Kriege in unserer Zeit, Berlin 1981

Schepple, Eberhard: Das Verbrechen gegen den Frieden und seine Bestrafung, Unter besonderer Berücksichtigung des Grundsatzes „nulla poena sine lege", Frankfurt 1983

Schillebeeckx, Edward: Bereit zum Dienst für das Evangelium des Friedens, in: Concilium 4/1983, 316-324

Schischkin, A. F.: Grundlagen der marxistischen Ethik, Berlin 1965

Schitow, N. F.: Sozialistitscheskij internazionalism i Patriotism, Moskau 1971

Schlotter, Peter: Die Zukunft der Friedensbewegung, Rahmenbedingungen alternativer Politik, in: Reiner Steinweg (Red.), Die neue Friedensbewegung (Analysen aus der Friedensforschung), Frankfurt 1982, 16-33

Schmid, Günther: Sicherheitspolitik und Friedensbewegung, München [4]1984

Schmitt, Theodor A.: Das Subsidiaritätsprinzip, Ein Beitrag zur Problematik der Begründung und Verwirklichung, Würzburg 1979

Schmölz, Franz-Martin (Hrsg.): Christlicher Friedensbegriff und europäische Friedensordnung, München 1977

Schneider, Heinrich: Friedensforschung und Friedenspädagogik, Wien 1974

— Erfordernisse des Friedens, Wien 1982

— Probleme der Friedenssicherung heute, in: Paulus Gordan (Hrsg.), Gerechtigkeit, Freiheit, Friede, Graz 1983, 93-130

— Zur Entwicklung der Friedensbewegung in Österreich, Ein Bericht mit besonderer Berücksichtigung kirchlicher Komponenten, in: Österreichisches Jahrbuch für Politik 1983, 571-611

Schrey, Heinz-Horst: Fünfzig Jahre Besinnung über Krieg und Frieden, I. Die beiden Weltkriege und die Kirchen, in: Theologische Rundschau (NF), 43. Jg., 2/1978, 201-229, II. Die Atomdiskussion innerhalb der deutschen Kirchen, in: a.a.O., 3/1978, 266-284, III. Das Ringen um den Frieden nach 1945, in: a.a.O., 46. Jg., 1/1981, 58-96 und 2/1981, 150-180

Schulte-Vieting, Heinrich-Jürgen: Technik und Verantwortung, in: Stimmen der Zeit, 6/1975, 409-419

Schumpeter, Joseph: Zur Soziologie der Imperialismen, Tübingen 1919, aus: Archiv f. Sozialwissenschaft u. Sozialpolitik, 46, 275-310

Schwartländer, Johannes (Hrsg.): Modernes Freiheitsethos und christlicher Glaube, Beiträge zur juristischen, philosophischen und theologischen Bestimmung der Menschenrechte, München 1981

Schweitzer, Albert: Friede oder Atomkrieg, München 1958

Segal, Gerald (Ed.): Nuclear War and Nuclear Peace, London 1983

Seidl-Hohenveldern, Ignaz: Völkerrecht, Köln [3]1975

Seidler, Franz W.: Krieg oder Frieden, Gütersloh 1980

Seipel, Ignaz: Nation und Staat, Wien 1916

Senghaas, Dieter (Hrsg.): Kritische Friedensforschung, Frankfurt 1971

— (Hrsg.): Imperialismus und strukturelle Gewalt, Analysen über abhängige Produktion, Frankfurt 1972

Seton-Watsen, Hugh: Nationalism and Imperialism, in: The Impact of the Russian Revolution 1917-1967, London 1967, 134-205

Shotwell, James J.: The Long Way to Freedom, New York 1960

Sicherheitspolitik vor neuen Aufgaben, hrsg. von Karl Kaiser und Karl Markus Kreis, Frankfurt 1977

Silbermann, Lou H.: Geistesgeschichtliche Aspekte des Verhältnisses von Utopie und Hoffnung, in: Christlicher Glaube in moderner Gesellschaft, Bd 23, Freiburg 1982, 57-71

Soder, Josef: Francisco Suarez und das Völkerrecht, Frankfurt 1973

Sombart, Werner: Der moderne Kapitalismus, 3 Bde, München 1928

Sommerville, John: Durchbruch zum Frieden, Darmstadt 1973

Das *sozialistische Weltsystem* und der Antikommunismus I, Potsdam-Babelsberg 1970

Spaemann, Heinrich: Ehe es zu spät ist, München ^{2}1984

Spranger, Carl-Dieter: Inwieweit sind Ziele und Perspektiven der deutschen „Friedensforschung" grundgesetzkonform?, in: Beiträge zur Konfliktforschung 2/84, 5-21

Squicciarini, Donato (Hrsg.): Die Weltfriedensbotschaften Papst Paul VI., Berlin 1979

Stammler, Eberhard: Christen im Streit um den Frieden, Gegen Rüstung oder für militärische Sicherung?, Evangelische Kommentare 14 (1981), 7-11

Steinweg, Reiner (Red.): Die neue Friedensbewegung, Analysen aus der Friedensforschung (Friedensanalysen 16), Frankfurt 1982

Sterling, Claire: The Terror Network, The Secret War of international Terrorism, London 1981

Stratmann, Franziskus Maria: Weltkirche und Weltfriede, Augsburg 1924

Strzeszewski, Csesław: Zródla naturalno prawne harmonii rozwoju gospodarczego, in: Roczniki Filozoficzne tom XVIII, 2/1970, 61-73

— Katolicka Nauka Społeczna, Warschau 1985

Suri, Surinda: Internationale Sicherheit und gesellschaftliche Entwicklung, in: Europa-Archiv 24/1980, 757-764

Sutor, Bernhard: Friedenserziehung als Aufgabe politischer Bildung, Köln 1983

Tenbruck, Friedrich H.: Die unbewältigten Sozialwissenschaften oder die Abschaffung des Menschen, Graz 1984

ter Veer, Ben: New Peace Movements in Western Europe, in: International peace research newsletter, 3/1983, 10-16

Thornton, A. P.: Imperialism in the Twentieth Century, Minneapolis 1978

Tödt, Heinz Eduard: Menschenrechte — Grundrechte, in: Christlicher Glaube in moderner Gesellschaft, Bd 27, Freiburg 1982, 5-57

Tomuschat, Christian: Recht auf Frieden, in: Europa-Archiv 9/1985, 271-278

Toyama, Yoshitaka: Kants praktische Philosophie mit Rücksicht auf eine Theorie des Friedens, Hamburg 1973

Toynbee, Arnold: Experiences, London 1969

— Menschheit — woher und wohin?, Plädoyer für den Weltstaat, Stuttgart 1969

Tromp, Hylke W.: Politieke houding en politiek gedrag in crisissituaties, Groningen 1976

— Priorities in Peace Research, in: Wiener Blätter zur Friedensforschung, Nr. 22/33, Dez. 1982, 11-19

Truyol y *Serra:* La Conception de la Paix chez Vitoria, in: La Paix II, Bruxelles 1961, 241-273

— La teoria de las relaciones internationales como sociologia, Madrid ²1973

Utz, A. F. und J. F. *Groner:* Soziale Summe Pius XII., Bd I-III, Freiburg 1961

Verdroß, Alfred: Abendländische Rechtsphilosophie, Wien ²1963

— Der klassische Begriff des „bonum commune" und seine Entfaltung zum „bonum commune humanitatis", in: Zeitschrift für öffentliches Recht und Völkerrecht, 28, 143-162

— Die Würde des Menschen und ihr völkerrechtlicher Schutz, St. Pölten 1975

— Die immerwährende Neutralität Österreichs, Wien 1977

— Der Kampf um eine neue Weltordnung, in: Wissenschaft und Weltbild, 4/78, 215-221

— La dignité de la personne humaine comme base des droits de l'homme, in: Festschrift für Werner Kägi, Menschenrechte, Föderalismus, Demokratie, hrsg. von Ulrich Häfelein, Werner Haller, Dietrich Schindler, Zürich 1979

Verdroß, Alfred und Bruno *Simma:* Universelles Völkerrecht, Berlin ³1985

Visser t'Hooft, W. A.: Memoirs, London 1973

Vögtle, Anton: Was ist Frieden?, Freiburg 1983

Völkerrecht, Lehrbuch: Teil 1 (Autorenkollektiv), Berlin 1973

Vukadinović, Radovan: The Original Concept of Non-Alignment, in: Österreichische Zeitschrift für Außenpolitik, 1/1982, 18-25

Waibl, Elmar: Ökonomie und Ethik, Die Kapitalismusdebatte in der Philosophie der Neuzeit, Stuttgart 1984

Wallensteen, Peter: Universalism vs. Particularism: On the Limits of Major Power Order, in: Journal of Peace Research, Vol. 21, No. 3, 1984, 243-257

Walther, Christian: Verantwortung zur Freiheit, Bonn 1985

Weiler, Rudolf: Wirtschaftliche Kooperation in der pluralistischen Gesellschaft, Wien 1964

— Katholische Soziallehre und Revolution, in: Jahrbuch für christliche Sozialwissenschaften, Bd 10, Münster 1969, 197-233

— Friedensforschung als positive Friedensstrategie, in: Europagespräch in Wien 1972, Wien 1972, 293-305

— Soziale Krise und soziale Erneuerung, in: Wissenschaft und Weltbild 1/1975, 65-73

— Familie: Tor zur Humanität, in: Rudolf Weiler, Valentin Zsifkovits (Hrsg.), Familie im Wandel, Wien 1975, 184-195

— Katholische Soziallehre und Klassenkampf, Concilium, 5/1977, 300-303

— Zur Kompetenz von Friedensbewegungen, in: Joseph Listl, Herbert Schambeck (Hrsg.), Demokratie in Anfechtung und Bewährung, Berlin 1982, 191-208

— Ein aktueller Vergleich: Das Völkerrecht zur Zeit der spanischen Spätscholastik und seine Wiederkehr heute nach der Periode des nachgrotianischen Völkerrechts, in: Recht als Sinn und Institution, hrsg. von Dorothea Mayer-Maly, Ota Weinberger, Michaela Strasser, Berlin 1984, 71-78

Weiler, Rudolf und Valentin *Zsifkovits* (Hrsg.): Unterwegs zum Frieden, Wien 1973

Westphalen, Ferdinand A.: Friedensgesinnung und Friedensordnung, in: Rudolf Weiler, Valentin Zsifkovits (Hrsg.), Unterwegs zum Frieden, Wien 1973, 263-283

Whitehead, Alfred North: Abenteuer der Ideen, Frankfurt/M. 1971

Wilhelm, Theodor: Zur Weiterbildung des politischen Bewußtseins, Stuttgart 1974

Willms, Bernard: Entspannung und friedliche Koexistenz, München 1974

Woetzel, Robert K.: Politics and World Order, in: Rudolf Weiler, Valentin Zsifkovits (Hrsg.), Unterwegs zum Frieden, Wien 1973, 471-480

Wolfe, Bertram D.: Marxism, One Hundred Years in the Life of a Doctrine, London 1965

Wulf, Christoph (Hrsg.): Kritische Friedenserziehung, Frankfurt/M. 1973

— Perspektiven für eine kritische Friedenserziehung, in: Christen und Marxisten im Friedensgespräch, Bd 2, Wien 1979, 112-122

Zacharias, Gerhard: Der Kompromiß, Vermittlung zwischen gegensätzlichen Positionen als Ermöglichung des Friedens, München 1974

Zsifkovits, Valentin: Der Friede als Wert, München 1973

— Sicherung des Friedens, in: Die neue Ordnung, 5/1982, 372-382

— Perspektiven der Friedensbewegung, in: Theologisch-praktische Quartalschrift, 1/1984, 76-88

Zwiefelhofer, Hans: Internationale Organisation und internationales System, in: Stimmen der Zeit, 1/1973, 14-22

Namenregister

Sachregister